介護福祉士資格取得支援研究会 著

らくらく突破

［改訂版］

なぞって覚える

介護福祉士 30日合格レッスン

技術評論社

本書の特長と使い方

この本は介護福祉士国家試験をめざす人のための要点まとめ＋問題集です。国家試験によくでる内容を30のテーマに分け、まるごと図解でわかりやすくまとめました。手でなぞって、声を出して読んで、それを耳で聴いて。からだで覚えた記憶は忘れにくいものです。1日1テーマずつ学んでいけば、30日で学習できます。仕上げは実力試しの模試です。さぁ、一緒に合格目指しましょう。

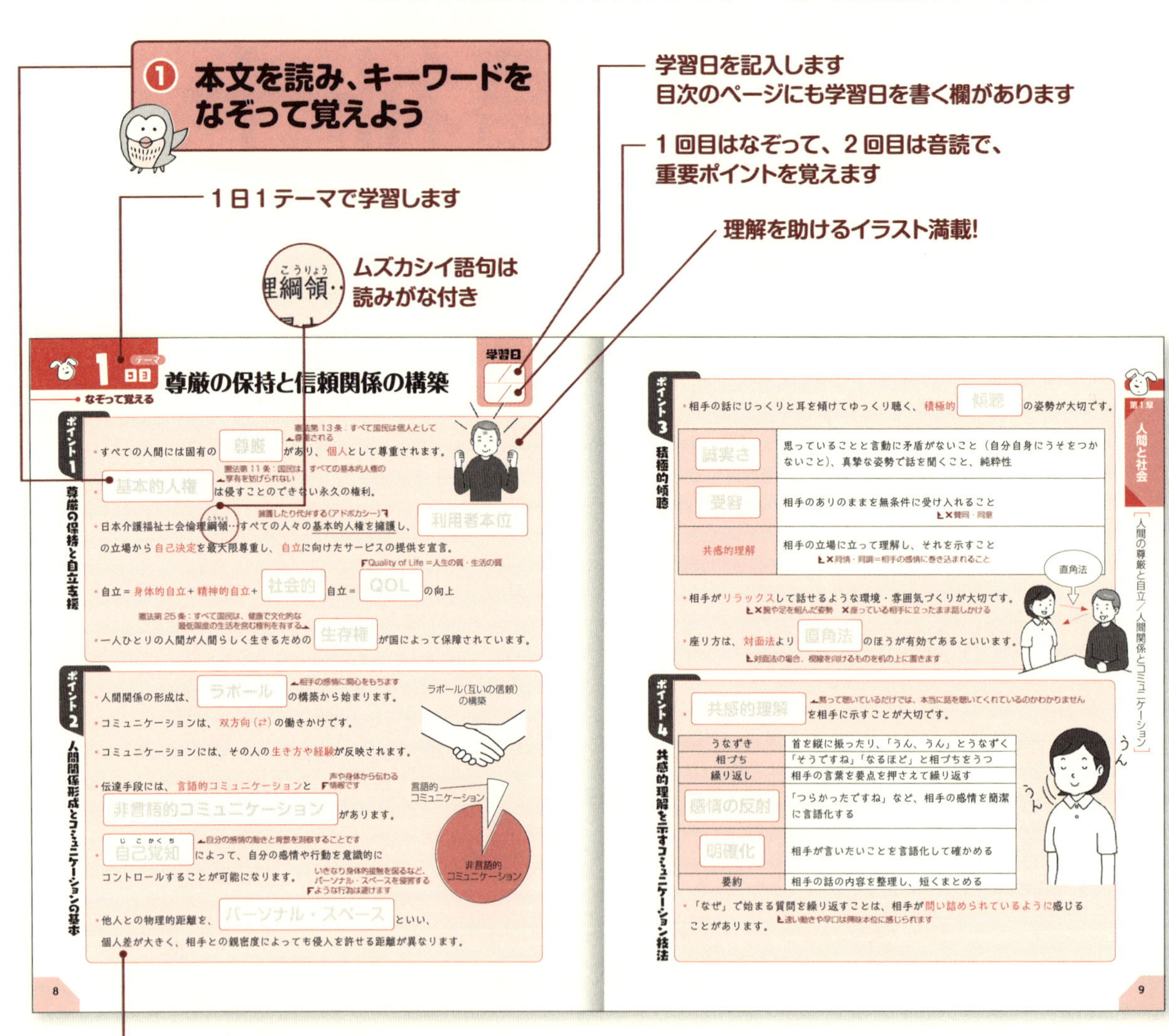

1テーマを4つのポイントに分け、コンパクトに解説

② 関連問題を解いて、理解を深めよう
③ 模擬試験を解いて、実力試し
学習日を記入します
解けたらここをチェック
補足情報
問題のヒント
わかりやすくて理解も進む　別冊解答!
答え
本冊の問題ページ
解説文も音読して覚えよう
本冊での解説・関連ページ。
間違えた問題はレッスンに戻って再確認!
解き方のコツ
注意したいポイント
スマホでできる問題演習 Web アプリ
DEKIDAS-WEB (→ P.170) で、
国家試験の問題を解いてさらなる
実力 UP もできます!

30日で合格めざそう! 学習チェックマップ

第1章◆人間と社会

人間の尊厳と自立／人間関係とコミュニケーション　社会の理解

START

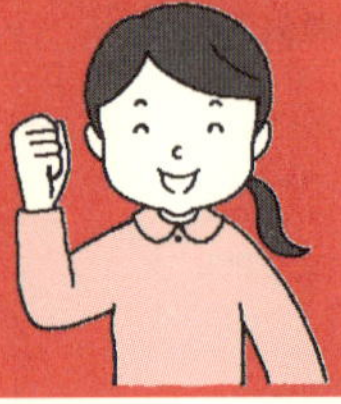

- 1日目……008　尊厳の保持と信頼関係の構築　学習日▶ ／ ／
- 2日目……012　社会福祉の発展過程と現代社会　学習日▶ ／ ／
- 3日目……016　生活と福祉にかかわる法制度　学習日▶ ／ ／

社会の理解

- 4日目……020　介護保険制度と障害者施策　学習日▶ ／ ／

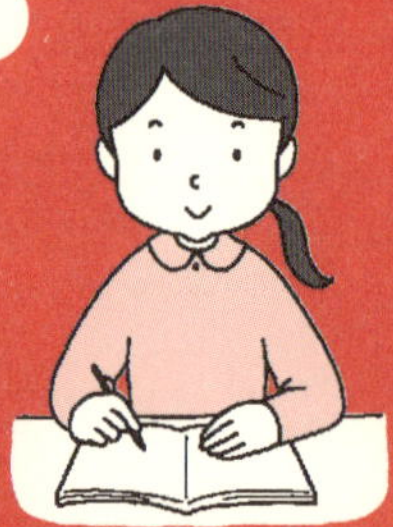

第2章◆介護

介護の基本

- 5日目……024　高齢者・障害者の地域での生活を支えるしくみ　学習日▶ ／ ／
- 6日目……030　専門職としての"介護"の理解　学習日▶ ／ ／

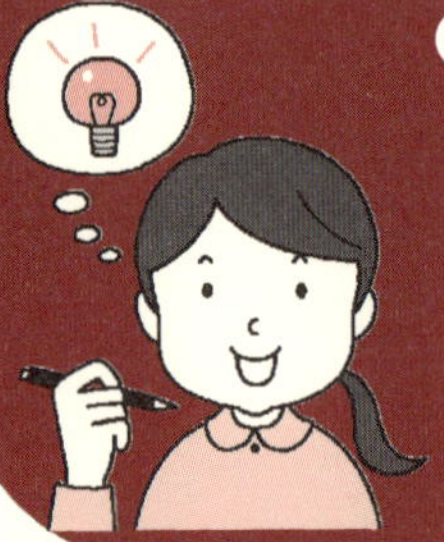

介護の基本

- 7日目……034　介護サービスの提供　学習日▶ ／ ／
- 8日目……038　質の高い介護を提供するためのリスクマネジメント　学習日▶ ／ ／

コミュニケーション技術

- 9日目……042　さまざまな利用者とのコミュニケーション　学習日▶ ／ ／
- 10日目……046　チームコミュニケーションと多職種の役割　学習日▶ ／ ／

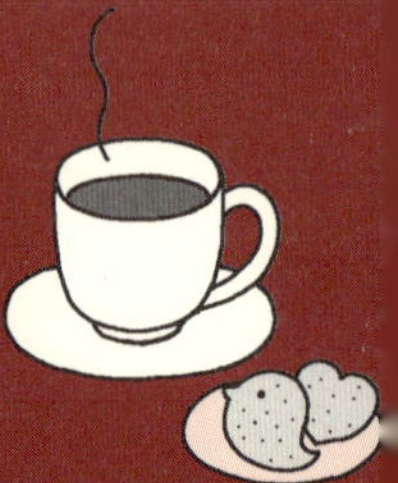

生活支援技術

- 11日目……050　生活支援の基本的視点と住環境　学習日▶ ／ ／
- 12日目……054　身じたくの介護　学習日▶ ／ ／

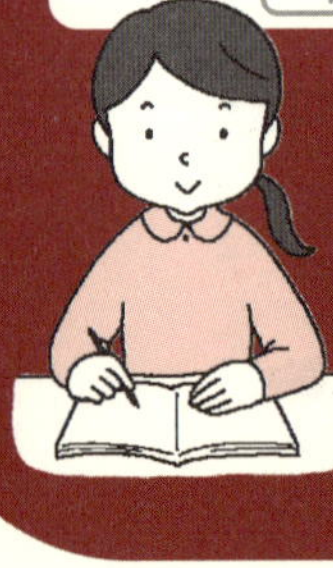

- 13日目……058　移動することの介護　学習日▶ ／ ／
- 14日目……062　食べることの介護　学習日▶ ／ ／
- 15日目……066　清潔保持の介護　学習日▶ ／ ／

[改訂版] なぞって覚える介護福祉士[30日]合格レッスン …もくじ…

本書の内容は2019年8月現在のものです。本書発行後に法改正などの変更が行われ、試験に出題される場合もあります。本書の内容を運用した結果につきましては、著者および技術評論社は責任を負いかねます。あらかじめご了承ください。本書の訂正・追加情報については以下のURLをご覧ください。
http://gihyo.jp/book

第1章

人間と社会

「人間の尊厳と自立」「人間関係とコミュニケーション」で学ぶことは、本来、「人間」としてあたりまえに求められる姿勢です。これまでは意識することがなかった自分の言動にもあてはめながら、あたまで覚えるのではなく、こころとからだに染み込ませましょう。「社会の理解」では、わたしたちが生きている「社会」の成り立ちやしくみを学びます。法律の知識が多く出てきますが、日常生活を送るうえで、身近にあるものです。

テーマ 1日目 なぞって覚える

尊厳の保持と信頼関係の構築

学習日 ／ ／

ポイント1 尊厳の保持と自立支援

憲法第13条：すべて国民は個人として尊重される

- すべての人間には固有の 尊厳 があり、個人として尊重されます。

憲法第11条：国民は、すべての基本的人権の享有を妨げられない

- 基本的人権 は侵すことのできない永久の権利。

擁護したり代弁する(アドボカシー)

- 日本介護福祉士会倫理綱領（こうりょう）…すべての人々の基本的人権を擁護し、 利用者本位 の立場から自己決定を最大限尊重し、自立に向けたサービスの提供を宣言。

Quality of Life ＝人生の質・生活の質

- 自立＝身体的自立＋精神的自立＋ 社会的 自立＝ QOL の向上

憲法第25条：すべて国民は、健康で文化的な最低限度の生活を営む権利を有する

- 一人ひとりの人間が人間らしく生きるための 生存権 が国によって保障されています。

ポイント2 人間関係形成とコミュニケーションの基本

相手の感情に関心をもちます

- 人間関係の形成は、 ラポール の構築から始まります。

ラポール(互いの信頼)の構築

- コミュニケーションは、双方向（⇄）の働きかけです。
- コミュニケーションには、その人の生き方や経験が反映されます。

声や身体から伝わる情報です

- 伝達手段には、言語的コミュニケーションと 非言語的コミュニケーション があります。

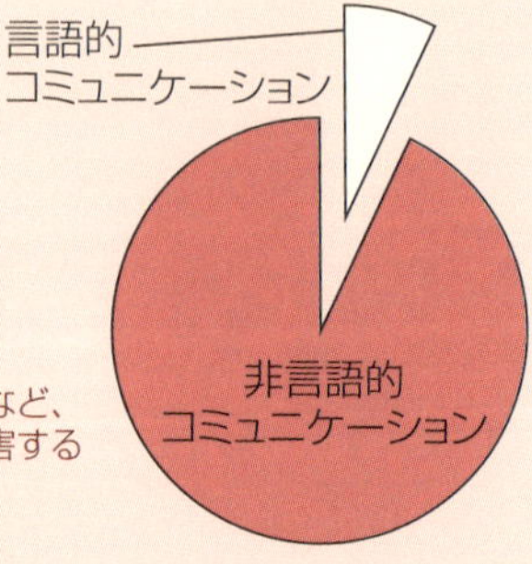

自分の感情の動きと背景を洞察することです

- 自己覚知（じこかくち） によって、自分の感情や行動を意識的にコントロールすることが可能になります。

いきなり身体的接触を図るなど、パーソナル・スペースを侵害するような行為は避けます

- 他人との物理的距離を、 パーソナル・スペース といい、個人差が大きく、相手との親密度によっても侵入を許せる距離が異なります。

ポイント3 積極的傾聴

- 相手の話にじっくりと耳を傾けてゆっくり聴く、積極的  の姿勢が大切です。

誠実さ	思っていることと言動に矛盾がないこと（自分自身にうそをつかないこと）、真摯な姿勢で話を聞くこと、純粋性
受容	相手のありのままを無条件に受け入れること └✕賛同・同意
共感的理解	相手の立場に立って理解し、それを示すこと └✕同情・同調＝相手の感情に巻き込まれること

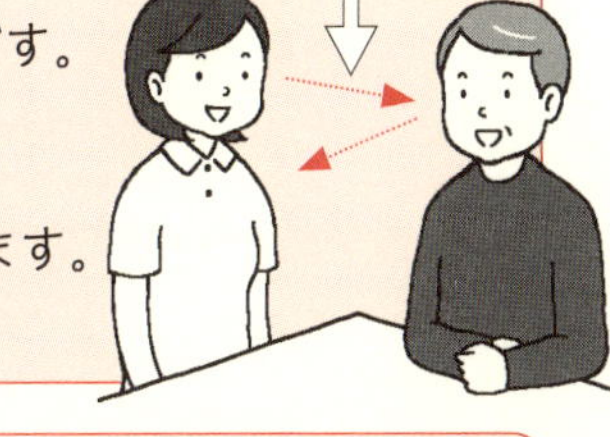

- 相手がリラックスして話せるような環境・雰囲気づくりが大切です。
  └✕腕や足を組んだ姿勢　✕座っている相手に立ったまま話しかける
- 座り方は、対面法より  のほうが有効であるといいます。
  └対面法の場合、視線を向けるものを机の上に置きます

ポイント4 共感的理解を示すコミュニケーション技法

- 共感的理解 を相手に示すことが大切です。
  ◢黙って聴いているだけでは、本当に話を聴いてくれているのかわかりません

うなずき	首を縦に振ったり、「うん、うん」とうなずく
相づち	「そうですね」「なるほど」と相づちをうつ
繰り返し	相手の言葉を要点を押さえて繰り返す
感情の反射	「つらかったですね」など、相手の感情を簡潔に言語化する
明確化	相手が言いたいことを言語化して確かめる
要約	相手の話の内容を整理し、短くまとめる

- 「なぜ」で始まる質問を繰り返すことは、相手が問い詰められているように感じることがあります。
  └速い動きや早口は興味本位に感じられます

学習日 ／

❶ 次の文章の[　　]に入る語句を、右記の語群から選びなさい。

(1) 1957(昭和32)年に朝日茂氏が起こした訴訟は、日本国憲法第[①]条に規定する[②]のあり方を問うものとして、人間裁判とも称されている。

(2) [③]の患者には、強制的に療養所に入所させられ、差別や偏見の中で生きることを余儀なくされてきた歴史があるが、1996(平成8)年にようやく[④]が廃止され、隔離政策は終了した。

(3) 社会福祉法では、福祉サービスは、[⑤]を旨とし、[⑥]に応じ自立した日常生活を営むことができるよう支援するものであるとしている。

(4) 「ホームレス自立支援法」では、ホームレスの自立のために、[⑦]が最も重要であるとし、[⑧]の能力の積極的な活用を図るものとしている。

(5) [⑨]では、「老人は、[⑩]健全で安らかな生活を保障されるもの」としている。

語群

・11　・13　・24　・25
・生存権　・自由権　・平等権
・梅毒　・ハンセン病
・結核　・コレラ
・らい予防法　・結核予防法
・感染症予防法
・個人の尊厳の保持
・人民相互の情誼
・心身機能の低下
・有する能力　・経済能力
・生活保護の適用
・就業の機会の確保
・民間団体　・地方公共団体
・本人　・老人福祉法
・介護保険法　・障害者基本法
・生きがいをもてる
・自信をもてる
・年齢に応じた

+One 糸賀一雄は、「この子らを世の光に」と、人間としての発達を保障することが重要と説きました。

❷ 次の文章の[　　]に入る語句を、右記の語群から選びなさい。

利用者と援助者が[①]関係を築き、[②]が形成されることが大切です。初期段階では、[③]も活用して、人間関係を構築していきます。利用者の[④]に関心をもち、相手の話を[⑤]ます。相手との距離は、[⑥]がよく、その距離は[⑦]です。

コミュニケーションには、[⑧]が反映されるので、自己覚知(じこかくち)が必要です。[⑨]の[⑩]を洞察します。

語群

・上下　・対等な　・ラポール
・オーバーラポール　・身体的接触
・非言語的コミュニケーション
・感情　・家庭環境　・傾聴し
・黙って聴き　・質問攻め
・近ければ近いほど
・不快に感じない距離　・一定
・個人差が大きい　・生き方や経験
・外見　・自分　・他者
・感情の動きと背景　・服装

ヒント 否定的な感情も受け止めます。

❸ コミュニケーションに関する次の文章の［　　］にあてはまる語句を、それぞれア〜ウから選びなさい。

(1) 積極的傾聴において、誠実さとは、［ア 興味があるよう振る舞うこと　イ 思っていることと言動に矛盾がないこと　ウ 自分のことを正直に話すこと］をいう。
(2) 利用者との関係性をつくる座り方は、［ア 援助者が立ったまま　イ 対面法　ウ 直角法］が有効である。
(3) 共感的理解とは、［ア 相手の立場で理解する　イ 自分の価値観に基づいて理解する　ウ 同情する］ことである。

ヒント 自分の感情とは区別して、非審判的態度（判断や評価を加えない）でかかわります。

❹ コミュニケーションに関する次の文章の［　　］にあてはまる語句を、それぞれア〜ウから選びなさい。

(1) 相手の話は、［ア 黙って聴くことに徹する　イ 相づちをうちながら聴く　ウ 詳細なメモをとりながら聴く］。
(2) 相手が言葉につまってしまったら、［ア 次の言葉がでるのを待つ　イ 次々と話しかける　ウ「なぜ」で始まる質問をする］。
(3) 相手が言いたいことを言語化して確かめる技法を、［ア 要約　イ 明確化　ウ 繰り返し］という。

＋One 黙って口元に耳を近づけたり、身体に触れたりすることは不快です。

テーマ 2日目

社会福祉の発展過程と現代社会

学習日 ／ ／

なぞって覚える

ポイント1 現代の社会

- 過疎化と高齢化が進行し、65歳以上の人口比率が50%を超え、共同体機能の維持が困難になっている 限界集落 が出現しています。（農村部に多く出現しています）
- 合計特殊出生率は、2005（平成17）年に1.26と過去最低を記録してから、若干上昇傾向にありますが、希望出生率1.80は超えていません（ここ数年は約1.4）。
- 子どもの数は減っていますが、全国には約2万人の 保育所待機児童 がいるとされています。（都市部を中心に問題となっています）
- 就労しているにもかかわらず、生活保護の最低生活費に満たない生活をしている ワーキングプア が問題となっています。（子どもの貧困格差の問題とも関連します）
- 人生の各段階に応じて多様な生き方が選択・実現できる社会を目指し、ワーク・ライフ・バランス が推進されています。（仕事と生活の調和のことです）

ポイント2 社会福祉の発展過程

- 国家による最低限度の生活水準保障を ナショナルミニマム といいます。（憲法第25条の生存権保障です）

昭和20年代 （1945年～）	いわゆる「救貧」 貧困に陥ってからの救済	福祉三法 制定 生活保護法・児童福祉法・身体障害者福祉法
昭和30～40年代 （1955年～）	いわゆる「救貧」から「防貧」へ 貧困を防ぐ	福祉六法 体制確立／国民皆保険・皆年金実施／老人医療費無料化＝福祉元年
昭和50～60年代 （1975年～）	安定成長への移行と社会保障制度見直し	老人保健法制定（一部負担導入）／年金制度改正（基礎年金導入）
平成以降 （1989年～）	少子高齢社会に対応した制度構造改革	福祉八法改正／ゴールドプラン・エンゼルプラン／介護保険 制度開始（2000年社会福祉基礎構造改革）／医療・介護・年金改革

ポイント3 社会保障制度のしくみ

- 社会保障制度とは、公的な(国や自治体)責任で、生活を支える給付を行う制度です。方法によって、公的扶助(ふじょ)、社会福祉、社会保険、保健医療・公衆衛生などがあります。
  - 公的扶助：生活保護制度です
  - 社会保険：「共助」といいます
- 社会保障には、生活安定・向上、所得再分配、経済安定の機能があります。
  - 所得再分配：金銭だけでなく、現物(サービス)給付による再分配もあります
- 財源の調達方法によって、社会扶助と社会保険に分類できます。
  - 租税(約3～4割)＜保険料拠出(約5～6割)
- 社会保障給付費…年金(約46%)＞医療(約33%)＞介護･福祉等
  - このうち介護対策は約8%で増加傾向です

社会保障給付費の割合

年金
医療
介護・福祉等

ポイント4 社会保険制度

- 財源は、社会保険料＋公費＋利用者負担分で、一定の要件(年齢・住所・職業等)に該当する人は強制加入(被保険者)となります。

社会保険		保険事故(できごと･状態)	給付内容
医療保険		業務外の事由による疾病、傷病等	医療サービスの提供(現物給付)
年金保険		老齢、障害、死亡(遺族)	所得保障のための年金支給
労働保険	雇用保険	失業等(求職者、育児休業、介護休業)	所得保障と再就職促進のための手当等支給
	労災保険	業務上の事由による疾病、負傷、障害、死亡等	医療の現物給付、所得保障のための年金支給
介護保険		要介護状態、要支援状態	介護サービスの提供(現物給付)

学習日 ／ ／

❶ 次の文章の［　　］に入る語句を、右記の語群から選びなさい。

(1)［ ① ］前半、老年人口割合は年少人口割合を上回り、現在、高齢化率は、［ ② ］%を超えている。

(2)［ ③ ］における過疎化は進行し、［ ④ ］が問題となっている。

(3) 育児・介護休業法に基づく子の看護休暇制度は、［ ⑤ ］を養育する［ ⑥ ］に適用される。

(4) 少子化が進行しているなか、おもに［ ⑦ ］で、［ ⑧ ］が問題となっている。

(5)［ ⑨ ］は減少しているが、［ ⑩ ］は増加傾向にある。

語群

- 1980年代
- 2000年代
- 都市部
- 農村部
- 限界集落
- ホームレス
- 生活保護受給者
- 保育所待機児童
- 小学校就学前の子
- 1歳未満の子
- 男性
- 女性
- 労働者
- 25
- 50

ヒント 高齢化率が7%を超えて高齢化社会となったのは1970年で、14%を超え高齢社会になったのは1994年です。さらに2007年には、高齢化率が21%を超え超高齢社会になりました。

❷ 社会福祉の発展過程に関する次の文章の［　　］にあてはまる語句を、それぞれア～ウから選びなさい。

(1) 国家責任の理念に基づいた最初の救貧対策は、［ア 恤救規則　イ 救護法　ウ 旧生活保護法］である。

(2) 社会福祉の基盤となる福祉六法体制が確立したのは、［ア 1940年代　イ 1960年代　ウ 1980年代］である。

(3) 老人保健法の制定で、［ア 老人医療費無料化実現　イ 老人医療費無料化廃止　ウ 介護保険制度導入］が行われた。

+One 老人保健法の制定は、1982（昭和57）年です。

❸ 社会保障に関する次の文章の［　　］に入る語句を、下記の語群から選びなさい。

国家が国民に保障する最低限度の生活水準を［ ① ］といい、［ ② ］で生まれた概念である。社会保障の機能のひとつに、［ ③ ］があり、低所得者の生活を支える役割を果たしている。社会保障の給付には、保険料を支払った人に受給権を保障する［ ④ ］、生活保護に代表される［ ⑤ ］、無拠出での金銭給付を行う［ ⑥ ］、非貨幣的ニーズを充足させる［ ⑦ ］などがある。医療や介護は、［ ⑧ ］を原則としている。社会保障財源では、［ ⑨ ］が50%以上を占めている。社会保障給付費の内訳をみると、［ ⑩ ］が最も大きい。

語群

- ナショナルミニマム
- ノーマライゼーション
- ソーシャルインクルージョン
- デンマーク
- イギリス
- アメリカ
- 公的扶助
- 社会保険
- 社会手当
- 社会福祉
- 所得再分配
- 措置制度
- 経済安定
- 金銭給付
- 現物給付
- 公費
- 保険料
- 医療
- 年金
- その他福祉
- 介護対策

※措置制度とは、法令に基づいて行政がサービスの提供を決定する制度です。

+One 社会手当には、児童手当や児童扶養手当があります。

❹ わが国の社会保険に関する次の文章の［　　］にあてはまる語句を、それぞれア～ウから選びなさい。

(1) 厚生年金の被保険者である者は、国民年金の［ア 第1号被保険者　イ 第2号被保険者　ウ 第3号被保険者］となる。

(2) 業務上の事由による疾病等を保険事故とする社会保険は、［ア 医療保険　イ 雇用保険　ウ 労災保険］である。

(3) 70歳以上75歳未満の医療保険の自己負担は、原則［ア 1割　イ 2割　ウ 3割］とされている。

ヒント 厚生年金の被保険者に扶養されている配偶者は、国民年金の第3号被保険者となります。

+One

後期高齢者医療制度

75歳（寝たきりの場合は65歳）以上の方が加入する、独立した医療保険です。

テーマ 3日目 なぞって覚える

生活と福祉にかかわる法制度

ポイント1 福祉にかかわる法制度

- 社会福祉法の目的には、地域福祉推進が明記されています。
  ∟社会福祉協議会は地域福祉推進を図ることを目的とする団体です
- 地域福祉計画の策定は、自治体(市町村・都道府県)の主体的取り組みとして規定されています。
  ∟義務づけられてはいません
- 共同募金…都道府県の区域を単位として行う寄附金の募集。
  ∟地域福祉推進を図ることを目的とした第一種社会福祉事業です

- 社会福祉法人…社会福祉事業を行うことを目的として設立された法人。
  ∟「社会福祉法人」の名称をほかの法人(NPO 法人等)が名乗ることはできません

事業の実施	社会福祉事業に支障がない限り ○公益事業 ○収益事業
設立	認可申請→所轄庁の認可→設立の登記→成立 ∟所轄庁は原則、都道府県知事(市長・厚生労働大臣)
役員	理事 3 人以上、監事 1 人以上 ∟監事は理事、職員との兼務は禁止
解散・合併	解散・ほかの社会福祉法人と合併可能

- 市町村と都道府県は、老人福祉計画を定めなければなりません。
  ∟老人福祉法に規定されています

ポイント2 生活にかかわる法制度

- 民生委員…都道府県知事の推薦によって、厚生労働大臣が委嘱。
  ∟人格識見高く、広く社会の実情に通じ、社会福祉増進に熱意のある者を推薦
  任期 3 年のボランティアです
- 児童福祉法で、「民生委員法による民生委員は、児童委員に充てられたものとする」とされています。
- サービス付き高齢者向け住宅…都道府県に登録。安否確認サービスと生活相談サービスを提供。
- 生活困窮者のための自立支援制度として、自立相談支援、住宅確保給付金の支給などが実施されています。
  ∟福祉事務所設置自治体が実施主体です

民生委員は
児童委員も
兼ねます!

ポイント3 保健医療にかかわる制度

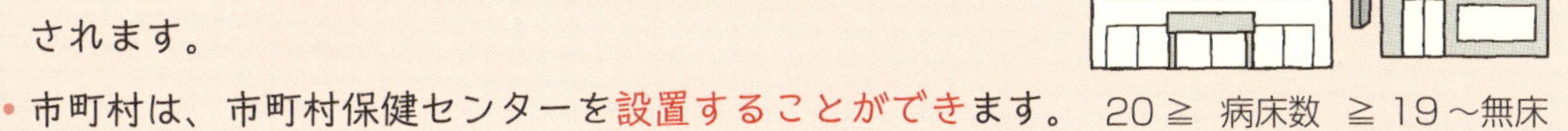

- 保健所（地域保健法に基づきます）は、都道府県・指定都市・中核市等に設置されます。

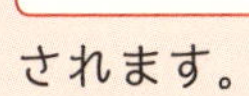

病院
診療所
20 ≧ 病床数 ≧ 19～無床
（入院施設）

- 市町村は、市町村保健センターを**設置することができ**ます。
- 市町村保健センターは、住民に対し、健康相談、保健指導、健康診査等、地域保健に関し必要な事業を行うことを目的とする施設です。
- 医療法に基づく**医療提供施設**には、病院、診療所、介護老人保健施設（介護保険法に基づきます）、調剤薬局などがあります。

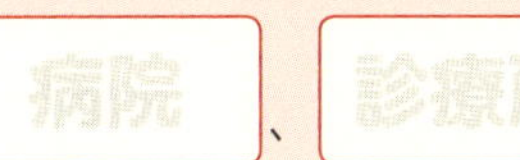

- 精神保健福祉法に精神障害者の入院形態が規定されています。

任意入院	本人自らの意思に基づく入院
措置入院	**2人以上**の精神保健指定医の判断で、都道府県知事が決定して実施
緊急措置入院	急速を要し、措置の手続きがとれない場合、72時間限定
医療保護入院	家族等の同意に基づく入院
応急入院	急速を要し、家族等の同意が得られない場合、72時間限定

ポイント4 生活保護制度

- 3原理…無差別平等／最低生活／保護の補足性（ほかのあらゆる方法の活用が優先）
- 4原則…申請保護（本人、扶養義務者、同居の親族による）／基準および程度／必要即応／世帯単位

給付方法	扶助の種類
金銭給付	生活扶助／教育扶助／住宅扶助／出産扶助／生業扶助／葬祭扶助
現物給付	医療扶助／介護扶助

医療と介護は現物給付です

学習日 ／ ／

❶ 次の文章の［　］にあてはまる語句を、右記の語群から選びなさい。

［ ① ］に基づいて、社会福祉事業を行うことを目的として設立された法人を、［ ② ］という。施設を設置して［ ③ ］を行うことが認められている。法人には、［ ④ ］が置かれ、その過半数をもって業務の決定が行われる。また、1人以上の［ ⑤ ］を置かなければならないとされ、［ ⑥ ］ている。法人は、［ ⑦ ］を目的とした収益事業を行うことが認められている。収益事業の種類は、［ ⑧ ］。法人は、［ ⑨ ］を事由に［ ⑩ ］することができる。

語群
- 社会福祉法
- 老人福祉法
- 社会福祉法人
- NPO法人
- 第一種社会福祉事業
- 第二種社会福祉事業
- 監事
- 理事
- 評議員
- 兼務は認められ
- 兼務は禁止され
- 利益追求
- 収益を社会福祉事業・公益事業に充てること
- 特に制限はない
- 20分野に限定されている
- 解散
- 合併

+One 特定非営利活動法人法に基づくNPO法人は、都道府県知事の認証を得て特定非営利活動を行います。

❷ 次の文章の［　］にあてはまる語句を、それぞれア～ウから選びなさい。

(1) 民生委員の委嘱には、［ア 市町村長　イ 都道府県知事　ウ 児童委員］の推薦が必要である。

(2) サービス付き高齢者向け住宅は、［ア 国　イ 都道府県　ウ 市町村］に登録される。

(3) 共同募金は、［ア 厚生労働大臣の定める　イ 都道府県の　ウ 市町村の］区域を単位として行われる。

+One 基礎的な地方公共団体として市町村があり、都道府県は市町村を包括する地方公共団体です。

❸ 次の文章の［　　］にあてはまる語句を、それぞれア～ウから選びなさい。

(1) 市町村保健センターは、［ア 住民に対する健康相談　イ 保護を要する児童の一時保護　ウ 介護予防マネジメント］を行う。

(2) 医療法に基づく医療提供施設のうち、20人以上の患者を入院させるための施設を有するものを、［ア 診療所　イ 病院　ウ 介護老人保健施設］という。

(3) 精神保健福祉法に基づく精神障害者の入院形態のうち、医療保護入院とは、［ア 本人自らの意思に基づく　イ 家族等の同意に基づく　ウ 都道府県知事の措置による］入院である。

ヒント 介護老人保健施設は、介護保険法に基づいて、都道府県知事の許可を得て開設された介護保険施設です。

❹ 生活保護制度に関する次の文章の［　　］にあてはまる語句を、下記の語群から選びなさい。

生活保護法は、日本国憲法［ ① ］に規定する理念に基づき、生活に困窮するすべての国民に対し、［ ② ］、必要な保護を行い、［ ③ ］を保障するとともに、［ ④ ］することを目的としている。

保護の補足性の原理があり、ほかの法律に定める扶助等は、［ ⑤ ］行われる。保護は、［ ⑥ ］に基づいて、［ ⑦ ］を単位として行われる。

［ ⑧ ］は、原則、現物給付とされている。保護の実施機関は、［ ⑨ ］で、［ ⑩ ］が実施され、保護が決定される。

語群
- 第9条　・第14条　・第25条
- 一律に　・困窮の程度に応じ
- 最低限度の生活
- 本人が望む生活
- 自立を助長　・尊厳を保持
- 生活保護法に優先して
- 生活保護法が優先して
- 通報　・申請　・個人
- 世帯　・生活扶助と介護扶助
- 住宅扶助と介護扶助
- 医療扶助と介護扶助
- 生活扶助と医療扶助
- 福祉事務所
- 地域包括支援センター
- 認定調査　・資力調査

ヒント 生活保護制度は、健康で文化的な最低限度の生活を営む権利を保障する制度で、本人、扶養義務者、同居の親族の申請で保護が開始されます。

テーマ 4日目

なぞって覚える

介護保険制度と障害者施策

ポイント1 介護保険制度

- 要介護者等が、尊厳を保持し、有する能力に応じ自立した日常生活を営むことができるよう必要なサービスを提供します。 ◢共同連帯の理念に基づきます
- 保険者…市町村および特別区。 ◢住所地主義ですが、施設入所者は変更前の住所の被保険者となります（住所地特例という）

被保険者	第１号被保険者	第２号被保険者
資格要件	区域内に住所を有する（キ国籍）65歳以上	区域内に住所を有する40歳以上65歳未満の医療保険加入者
保険料の算定	市町村	医療保険者
保険料の徴収	特別徴収（年金からの天引き）	医療保険料に上乗せ
生活保護受給中の場合	被保険者となる	被保険者になれない（医療保険未加入のため）

- 保険給付の種類…介護給付、予防給付、市町村特別給付。
  - ∟要介護状態：５段階
  - ∟要支援状態：２段階
  - ∟市町村が独自に必要と認めたサービス

ポイント2 介護サービス制度の概要

- サービスを利用するには要介護・要支援認定を受けなければなりません。 ◢全国一律の客観的基準に基づきます
- 市町村へ申請→認定調査→審査・判定→市町村が認定
  - ◤１次判定＝コンピュータ→２次判定＝介護認定審査会
  - 認定に不服がある場合、都道府県に設置された介護保険審査会に審査請求できます◢
- ケアプラン作成→サービス利用→定期的なモニタリング
  - ◤利用者負担は原則１割（一定以上所得者は２割または３割）＝応益負担
- サービスの種類ごとに指定を受けた事業者（有効期間６年）がサービスを提供します。

居宅（きょたく）サービス／施設サービス／介護予防サービス	都道府県が指定・指揮監督
地域密着型サービス／地域密着型介護予防サービス／居宅介護支援・介護予防支援＝ケアプラン作成／総合事業の第１号事業	市町村が指定・指揮監督

ポイント3 障害者施策の概要

- 障害者基本法…障害者のとらえ方、目指すべき社会の姿を明記。
  （障害の有無によって分け隔てられない、共生社会の実現を目指します）

- 障害者差別解消法…障害者基本法第4条の差別の禁止の原則を具体化。
  （社会的障壁の除去のために必要かつ合理的な配慮を行います）
- 障害者雇用促進法…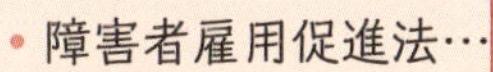障害者雇用義務制度を規定し、障害者雇用率を定める。
- 障害者優先調達推進法…国等に、障害者就労施設等から優先的に物品・サービスを購入する努力義務を課す。
  （就労する障害者の自立を促進します）

ポイント4 障害者総合支援法

- 障害者…18歳以上の身体障害者・知的障害者・精神障害者・発達障害者・難病等。
- 障害福祉サービスを利用するためには、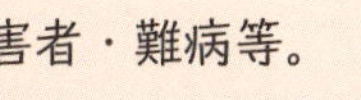市町村に申請します。
  （障害者は本人、障害児は保護者が行います）
- 申請を受けた市町村は、サービス等利用計画案の提出を依頼し、心身の状況を総合的に判断するため、訪問調査を行います。

自立支援給付	介護給付 障害支援区分 （市町村審査会が審査・判定）	居宅介護（ホームヘルプ）／重度訪問介護／同行援護（視覚障害）／行動援護（知的・精神障害）／療養介護（病院）／生活介護（施設）／短期入所（ショートステイ）／重度障害者等包括支援／施設入所支援
	訓練等給付	自立訓練（機能訓練・生活訓練）／就労移行支援（一般企業等）／就労継続支援／就労定着支援／共同生活援助（グループホーム）／自立生活援助／
	自立支援医療	更生医療／育成医療／精神通院医療
	補装具費	
	相談支援	基本相談支援／地域相談支援（地域移行支援・地域定着支援）／計画相談支援
地域生活支援事業		相談支援／成年後見制度利用支援／コミュニケーション支援／日常生活用具給付等／移動支援／地域活動支援センター機能強化　など

- 基幹相談支援センターは、市町村が設置できます。
  （地域相談支援の中核的役割）

❶ 介護保険制度に関する次の文章の［　　］にあてはまる語句を、右記の語群から選びなさい。

介護保険制度は、［ ① ］年度から開始され、［ ② ］年を1サイクルとして改正が行われている。近年は、地域包括ケアシステムの構築が図られており、［ ③ ］年度から、地域支援事業として介護予防・日常生活支援総合事業が創設された。

介護保険は、［ ④ ］を保険者とし、被保険者の［ ⑤ ］に対して必要な保険給付を行う。被保険者は、［ ⑥ ］自治体の被保険者となる。［ ⑦ ］の第1号被保険者と、［ ⑧ ］の［ ⑨ ］加入者である第2号被保険者がある。介護保険施設に入所して住所変更した場合は、［ ⑩ ］の自治体の被保険者となる住所地特例がある。

語群

- 2000　・2006
- 2012　・2015
- 1　・3　・5
- 市町村　・都道府県　・国
- 要介護状態等
- 障害支援区分　・住所のある
- 介護保険施設のある
- 40歳以上65歳未満
- 65歳以上　・75歳以上
- 年金保険　・医療保険
- 雇用保険　・変更前　・変更後

ヒント 介護保険制度は2018(平成30)年度から第7期計画が始まっています。

❷ 介護保険制度に関する次の文章の［　　］にあてはまる語句を、それぞれア～ウから選びなさい。

(1) 要介護状態は、[ア 2段階　イ 5段階　ウ 6段階] に区分されている。

(2) 要介護認定の取消しは、[ア 市町村　イ 都道府県　ウ 介護認定審査会] が行う。

(3) 2018(平成30)年度の改定で、一定以上所得者の利用料は [ア 1割　イ 2割　ウ 3割] 負担が上限となった。

ヒント 要支援状態は、2006年度から1と2の2段階になりました。

+One 2015年度には予防給付の訪問介護と通所介護が地域支援事業へ移行されました。

+One **地域共生社会**
制度分野ごとの「縦割り」や、支え手・受け手という関係を超えて、地域住民や地域の多様な主体が「我が事」として参画し、人と人、人と資源が世代や分野を超えて「丸ごと」つながることで、住民一人ひとりの暮らしと生きがいを地域と共に作っていく社会です。

❸ 障害者施策に関する次の文章の［　　］にあてはまる語句を、右記の語群から選びなさい。

障害者にかかわる法律では、障害者を、障害がある者であって、障害および［ ① ］により継続的に日常生活・社会生活に［ ② ］状態にあるものと定義している。［ ③ ］を理由とする差別を解消し、［ ④ ］の実現を目指す。行政機関や事業者に対しては、［ ⑤ ］の提供が求められる。

都道府県と市町村は、［ ⑥ ］に基づいて障害者計画を、［ ⑦ ］に基づいて障害福祉計画を策定しなければならない。障害者の雇用・就労に関する施策では、障害者雇用義務制度で、［ ⑧ ］を対象に法定雇用率が定められている。雇用率達成事業主には、［ ⑨ ］が支給される。障害者優先調達推進法では、障害者就労施設等［ ⑩ ］努力義務が定められている。

語群

- 物理的障壁
- 心理的障壁
- 社会的障壁
- 相当な制限を受ける
- 支障をきたす
- 性別
- 障害
- 年齢
- 共生する社会
- 自立できる社会
- 合理的配慮
- 不当な差別的扱い
- 障害者基本法
- 障害者総合支援法
- 障害者差別解消法
- 身体障害者のみ
- 精神障害者のみ
- 身体障害者・知的障害者・精神障害者
- 障害者雇用納付金
- 障害者雇用調整金
- から優先的に物品・サービスを購入する
- へ優先的に障害者を就労させる

+One 障害者雇用促進法は改正され、法定雇用率の見直しは、2018（平成30）年度から施行されました。
障害者総合支援法2016年（施行2018年4月）改正の大きなポイントは以下の3つです。
①障害者の望む地域での生活支援
②障害児支援のニーズ多様化への細かな対応
③サービスの質の確保・質の向上への環境整備

❹ 障害者総合支援法に関する次の文章の［　　］にあてはまる語句を、それぞれア～ウから選びなさい。

(1) ［ア 基幹相談支援センター　イ 地域包括支援センター　ウ 地域活動支援センター］は、障害者等に創作的活動・生産活動の機会、社会との交流の促進等を提供する施設である。

(2) 障害福祉サービスの利用者負担は、［ア 応能負担　イ 応益負担　ウ なし］である。

(3) 施設利用の障害者が地域で生活するための支援を行うサービスは、［ア 地域移行支援　イ 地域定着支援　ウ 就労移行支援］である。

+One 障害者総合支援法の財源は、税方式がとられています。

5 テーマ 日目 なぞって覚える

高齢者・障害者の地域での生活を支えるしくみ

ポイント1 個人の権利を擁護（ようご）するための制度

- 個人情報保護法では、本人の同意のない個人情報の第三者への提供を、原則、禁止しています。
  ∟生命・身体・財産保護のため必要がある場合等の例外を認めています
- 認知症、知的障害、精神障害などで判断能力が 不十分な 人の権利を擁護する制度

	法定後見制度（民法）			任意後見制度	日常生活自立支援事業（社会福祉協議会）
	後見（こうけん）	保佐（ほさ）	補助（ほじょ）		
判断能力	欠けているのが通常の状態 例：重度の認知症	著しく不十分 例：中程度の認知症	不十分 例：軽度の認知症	本人に判断力があるうちに、本人が選んだ任意後見人となってくれる人と、公正証書で任意後見契約をあらかじめ結んでおく	不十分 かつ契約の内容について 判断し得る ∟契約締結審査会で確認
利用	本人、配偶者、四親等内の親族、検察官、市町村長などによる審判の申立て 家庭裁判所は、職権で後見人等を選任 ∟複数選任すること、法人を選任することもあります				福祉サービス利用援助 苦情解決制度利用援助 日常的金銭管理 専門員が策定する「支援計画」にしたがって、生活支援員が援助

ポイント2 虐待（ぎゃくたい）防止・暴力防止のための対応

	高齢者虐待防止法	障害者虐待防止法	児童虐待防止法
被虐待者	65歳以上	障害者基本法に規定	18歳未満
虐待者	養護者／養介護施設従事者等	養護者／障害者福祉施設従事者等／使用者	保護者／保護者以外の同居人
虐待の種類	身体的虐待／ネグレクト（介護・世話の放棄）／心理的虐待／性的虐待		
	経済的虐待 ◢財産を不当に処分するなど		—
通報先等	市町村	市町村（使用者：都道府県→都道府県労働局）	市町村、福祉事務所、児童相談所

- パートナーからの暴力に対しては、配偶者暴力相談支援センター等へ通報します。
  ∟男女問わず、事実婚、離婚後、同居する交際相手等を指します

ポイント3 医療と介護の連携

- 介護保険の地域支援事業に、在宅医療・介護連携推進が位置づけられています。
  └包括的支援事業として、必須事業とされます
- 地域の医療・介護関係機関が連携し、包括的・継続的な在宅医療・介護を提供することが重要です。

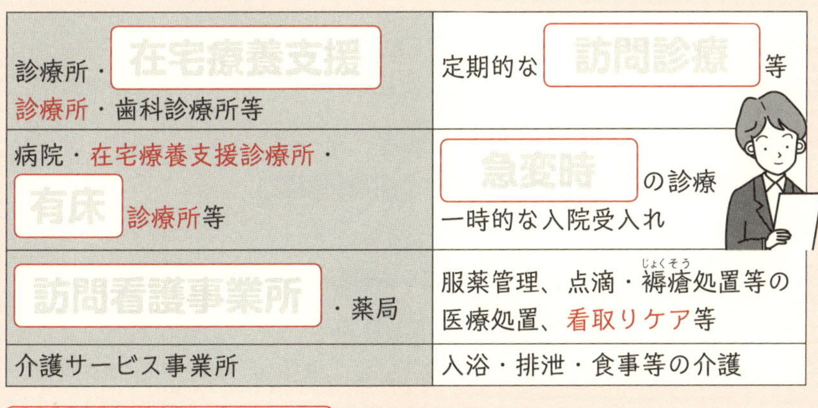

診療所・在宅療養支援診療所・歯科診療所等	定期的な訪問診療等
病院・在宅療養支援診療所・有床診療所等	急変時の診療 一時的な入院受入れ
訪問看護事業所・薬局	服薬管理、点滴・褥瘡（じょくそう）処置等の医療処置、看取りケア等
介護サービス事業所	入浴・排泄・食事等の介護

- 在宅療養支援診療所…緊急時の連絡・往診・訪問看護の提供が、24時間可能な体制を確保している医療機関。
  （診療報酬制度に位置づけられます）
- 地域医療支援病院…研究・研修のための体制整備、救急医療の提供など、一定の要件を満たし、都道府県知事の承認を得た病院。
  （病床数は200床以上）

ポイント4 地域包括ケアシステムの構築

- 地域包括（ほうかつ）ケアシステム…住まい・医療・介護・予防・生活支援が一体的に提供されるシステムの構築を目指す。
  （要介護状態となっても住み慣れた地域で自分らしい暮らしを人生の最後まで続けることを可能にします）
- 地域包括支援センター…地域包括ケア実現に向けた中核機関。主任介護支援専門員・社会福祉士・保健師を配置。
  （創設2005（平成17）年。総合相談支援・権利擁護・包括的・継続的ケアマネジメント支援など実施）
- 地域ケア会議…個別事例検討を通じ、地域課題の発見や地域づくり・資源開発の機能。
  （地域包括支援センター等で開催されます）

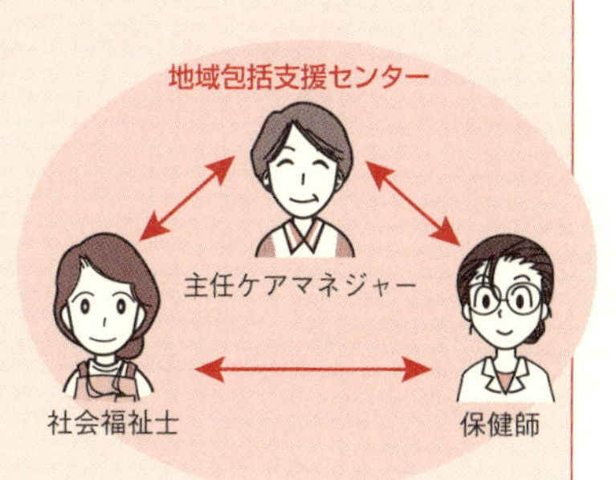

学習日 ／ ／

❶ 権利擁護（ようご）に関する次の文章の［　　］にあてはまる語句を、それぞれア～ウから選びなさい。

(1) 法定後見制度は、［ア 利用者本人　イ 市町村長　ウ 家庭裁判所］が後見人を選任する。

(2) 日常生活自立支援事業は、［ア 生活支援員　イ 専門員　ウ 契約締結審査会］が初期相談、利用援助契約などを行う。

(3) 個人情報の保護に関する法律では、個人の同意のない個人情報の提供は、［ア 例外なく禁止している　イ 映像や音声の情報は認められている　ウ 生命・身体・財産保護のため必要がある場合は認められている］。

❷ 虐待（ぎゃくたい）・暴力防止に関する次の文章の［　　］にあてはまる語句を、それぞれア～ウから選びなさい。

(1) ［ア 高齢者虐待防止法　イ 障害者虐待防止法　ウ 児童虐待防止法］では、財産を不当に処分することを虐待と規定していない。

(2) ［ア 高齢者虐待防止法　イ 障害者虐待防止法　ウ 児童虐待防止法］では、使用者による虐待を規定している。

(3) 児童がいる家庭での配偶者に対する暴力は、［ア DV防止法　イ 障害者虐待防止法　ウ 児童虐待防止法］で禁止されている。

+One 「個人情報」とは、「生存する個人に関する情報であって、当該情報に含まれる氏名、生年月日その他の記述等により特定の個人を識別することができるもの」とされており、映像や音声による情報も含まれます。

+One 使用者による障害者虐待を発見した場合、速やかに、市町村または都道府県に通報しなければなりません。

ヒント 地域における介護予防の取組を機能強化するために、通所、訪問、地域ケア会議、サービス担当者会議、住民運営の通いの場等へのリハビリテーション専門職等の関与を促進し、地域包括支援センターと連携しながら総合的に支援を行います。

3 医療と介護の連携に関する次の文章の[　　]にあてはまる語句を、右記の語群から選びなさい。

(1) 在宅医療・介護連携推進事業が、介護保険の地域支援事業の[①]に位置づけられ、[②]とされている。

(2) 在宅療養支援診療所は、[③]対応可能で、[④]で制度化されている。

(3) 医療法に規定される[⑤]は、地域における医療の確保のために必要な支援に関する要件に該当し、[⑥]の承認を受けた病院である。

(4) 服薬管理や褥瘡（じょくそう）の予防ケアは[⑦]が提供し、入浴、排泄、食事等の支援は[⑧]が提供する。

(5) [⑨]では、地域における介護予防の取組を強化するために、[⑩]との連携を促進している。

語群

・介護予防・日常生活支援総合事業
・包括的支援事業　・必須事業
・任意事業　・一般介護予防事業
・地域リハビリテーション活動支援事業
・24時間　・夜間のみ
・昼間のみ　・介護報酬
・診療報酬　・特定機能病院
・地域医療支援病院　・市町村長
・都道府県知事　・厚生労働大臣
・訪問看護事業所
・訪問介護事業所　・医師
・リハビリテーション専門職
・相談援助専門職

4 地域包括ケアシステムに関する次の文章の[　　]にあてはまる語句を、右記の語群から選びなさい。

地域包括ケアシステムは、住まい・医療・介護・予防・生活支援が[①]に提供されるシステムの構築を目指す。要介護状態となっても[②]で自分らしい暮らしを人生の最期まで続けることを可能にする。有効なツールには[③]があり、介護保険法で、[④]に設置の努力義務が課されている。具体的には、[⑤]等が主催し、個別ケースの課題分析等を積み重ねることにより、[⑥]や[⑦]、さらには[⑧]につなげていく。センターに配置されている[⑨]・[⑩]・保健師などのほか、直接サービス提供にあたらない専門職種も参加して構成される。

語群

・一体的　・個別　・強制的
・施設　・住み慣れた地域
・新しい地域　・地域ケア会議
・協議会　・市町村
・市町村社会福祉協議会
・地域包括支援センター
・地域活動支援センター
・基幹相談支援センター
・地域課題の発見
・地域づくり・資源開発
・第三者評価　・政策形成
・介護支援専門員
・主任介護支援専門員
・介護福祉士　・社会福祉士
・看護師　・管理栄養士

ヒント 包括的・継続的ケアマネジメント支援事業の効果的な実施のために、介護支援専門員、保健医療・福祉に関する専門的知識を有する者、民生委員、その他の関係者、関係機関および関係団体により構成される会議を置くように努めなければなりません。

介護関連の法改正について

介護保険制度関連改正

2017年(平成29年)度制度改正の主な改正点は次の通りです。

- 自己負担割合が3段階へ

年金収入等	負担割合
340万円以上※	3割
280～340万円未満	2割
280万円未満	1割

※単身世帯の場合は340万円以上、2人以上の世帯合計では463万円以上。ただし自己負担上限は44000円。

- 要介護・要支援認定の有効期限が36か月に
- 介護保険施設に介護医療院創設

経過措置期間が6年間設けられ令和5年までとなります。

- 福祉用具貸与価格(レンタル価格)適正化

商品ごとに全国平均の貸与価格を公表、貸与価格の上限を設定、事業所による商品価格の提示が義務付けられました。

- 地域共生社会実現の共生型サービス

高齢者と障害児者の事業所が同一の事業所でサービスを受けやすくするため、介護保険と障害福祉両方の制度に位置づけられました。

- 保険料の総報酬割り導入

各医療保険者は介護保険料を「2号被保険者の加入者数に応じて負担」していましたが被保険者の「報酬額に比例した負担」としました。

社会保障・税一体改革による社会保証制度改革(令和元年から「全世代型」社会保障へ)

- 子育世代と低所得者を優遇
- 高齢者世帯の税負担増
- 高齢者の受取年金額の減額
- 大企業勤務者の介護保険料値上げ

介護福祉士資格取得方法の一元化
(社会福祉法等の一部を改正する法律:平成28年3月31日公布)

1. 平成29年度から養成施設卒業者に対し、国家試験の受験資格を付与
2. 平成29年度から令和3年度までの養成施設卒業者については、
   (ア) 卒業から5年間、暫定的に介護福祉士資格を付与
   (イ) その間に以下のいずれかを満たせば、その後も引き続き介護福祉士資格を保持することができる
   A. 卒後5年以内に国家試験に合格すること
   B. 原則、卒後5年間連続して実務に従事すること

   なお、卒後5年以内にAとBのいずれも満たせなかった場合も、介護福祉士国家試験の受験資格は有しており、国家試験に合格することにより、介護福祉士資格を取得することができる。
3. 令和4年度以降の養成施設卒業者については、国家試験に合格することを介護福祉士資格取得の要件に

雇用保険と介護休業給付

- 家族等を介護する雇用保険被保険者へ給付されるもの
  介護休業の分割取得(3回まで、計93日)
  所定外労働の免除制度の創設
  介護休暇の半日単位取得
  介護休業給付率の引き上げ(賃金40%→67%)等
- 65歳以降に新たに雇用される者を雇用保険適用の対象に

成年後見制度利用促進法の主な基本理念と基本方針

- ノーマライゼーション、自己決定の尊重、身上の保護の重視等の理念の尊重
- 医療、介護等を受けるにあたり意思を決定することが困難なものの支援
- 任意後見制度の積極的な活用

第2章

介護

介護が必要な状態になっても、その人が望む、その人らしい生活ができるよう支援するという意識をもって学びましょう。「介護の基本」では、介護福祉士の基礎となる知識を身につけます。「コミュニケーション技術」では、利用者や家族とかかわる際の実践的なスキルを養います。「生活支援技術」では、具体的な生活支援方法を学びます。「介護過程」では、他職種・多職種によるチームケアの展開について学びます。

テーマ 6 日目 なぞって覚える

専門職としての"介護"の理解

学習日 ／ ／

ポイント1 介護福祉士の役割

- 介護福祉士の名称を用いて、身体上・精神上の障害で日常生活を営むのに支障がある者に、心身の状況に応じた介護を行います。
  ◢医療的ケア(喀痰吸引等)を含みます

- 資格を有し、厚生労働省の介護福祉士登録簿に登録を受けます。

誠実義務	常にその者の立場に立って、誠実に業務を行わなければならない	
信用失墜行為の禁止	介護福祉士の信用を傷つけるような行為をしてはならない	登録の取消・名称使用停止の可能性も
秘密保持の義務	業務に関して知り得た人の秘密を漏らしてはならない。辞職後も同様	1年以下の懲役(ちょうえき)または30万円以下の罰金
連携	福祉サービス関係者等との連携を保たなければならない	
資質向上の責務	介護等に関する知識・技術の向上に努めなければならない	
名称の使用制限	介護福祉士でない者は、「介護福祉士」という名称を使用してはならない	30万円以下の罰金 ∟✕業務独占

ポイント2 福祉・介護実践における基本理念

- ノーマライゼーション…誰もが普通に生活する社会の実現を目指す理念。
  ∟デンマークのバンク・ミケルセンが提唱しました
- バリアフリー…生活や行動の妨げとなる障壁を取り除くこと。
  ◢誰にでも使いやすいデザインを、ユニバーサルデザインといいます
- リハビリテーションは、全人間的な復権を目指す技術や社会的政策の総合的体系で、最終目的は、QOLの向上です。
  ◤生きる意欲の回復も含みます
  ∟Quality of Life：人生の質、生活の質
- リハビリテーションには、医学、教育、職業、社会の4領域があります。
  ∟急性期・回復期・維持期があります

ポイント3 ICF（国際生活機能分類）の考え方

- ICF は、生活機能 というプラス面からとらえます。

構成要素	心身機能・身体構造	活動・参加	背景因子
領域と定義	心身機能：身体系の生理的機能（心理的機能含む） 身体構造：身体の解剖学的部分 ∟機能障害	生活・人生領域（課題、行為） 活動：課題や行為の個人による遂行（すいこう） ∟活動制限 参加：生活・人生場面へのかかわり ∟参加制約	個人因子 環境因子 ∟介護福祉職

- ICIDH よりも、環境や環境と個人の相互作用を重視したモデルとして提案されました。
  ∟ICIDH（国際障害分類）は、医学的な観点から障害をとらえ、障害の起こる流れが一方向的

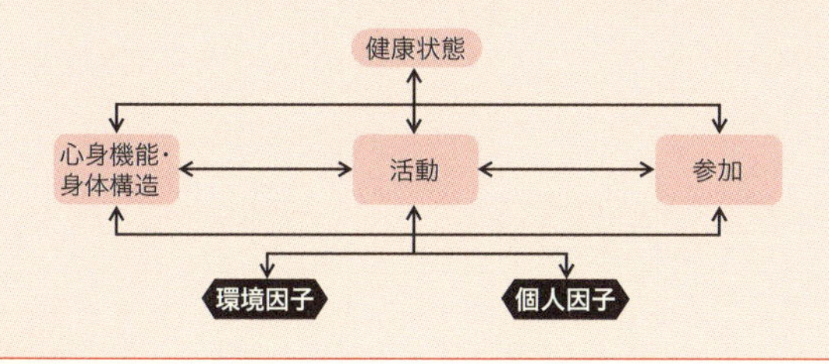

- ICF は、医学モデルと社会モデルという対立するモデルを統合するものとして位置づけます。

ポイント4 わが国の高齢者と家族をめぐる状況

65歳以上の人のいる世帯	世帯構造	夫婦のみ＞単独＞親と未婚の子のみ＞三世代 ◢65歳以上の人のいる世帯は全世帯の5割弱 ◢そのうち夫婦のみ、単独で約6割超（高齢者世帯では9割以上）
要介護者等の状況	性別	女性＞男性
	世帯構造	単独＝要介護度 低 ⇔要介護度 高 ＝核家族、三世代
	おもな原因	要支援者：関節疾患（しっかん）＞高齢による衰弱＞骨折・転倒 要介護者：認知症＞脳血管疾患＞高齢による衰弱
同居のおもな介護者の状況	続柄	配偶者＞子＞子の配偶者 ◢おもな介護者が事業者（介護サービス）は約13%
	性別	女性（約7割）＞男性
	年齢	60～69歳が多い ◢老老介護
	介護時間	要介護3以上＝ほとんど終日

❶ 介護福祉士に関する次の文章の[　　]にあてはまる語句を、右記の語群から選びなさい。

介護福祉士は、[①]により日常生活を営むのに支障がある者に対して、[②]を行う、[③]の資格である。介護福祉士となる資格を有し、[④]の介護福祉士登録簿に登録を受けなければならない。

介護福祉士は、[⑤]との連携を保たなければならない。[⑥]に違反すると、1年以下の懲役または30万円以下の罰金に処せられる。介護福祉士でなくなった後[⑦]。2007(平成19)年の法改正では、[⑧]と[⑨]が追加された。

刑事罰に処せられた者は、[⑩]介護福祉士になれない。

語群

- 環境上の理由
- 身体上・精神上の障害
- 心身の状況に応じた介護
- 入浴・排泄・食事その他の介護
- 業務独占　・名称独占
- 厚生労働省　・都道府県
- 医師・医療関係者
- 福祉サービス関係者
- 誠実義務　・信用失墜行為の禁止　・秘密保持義務
- 資質向上の責務　・も同様である　・は解除される
- どのような場合も
- 執行終了後2年以内は

ヒント たとえば、社会福祉士が介護福祉士の業務を行うことが禁じられているわけではありません。

❷ 次の文章の[　　]にあてはまる語句を、右記の語群から選びなさい。

(1) リハビリテーションの最終的な目的は、[①]で、[②]を重視して行う。

(2) 介護保険施設では、おもに[③]リハビリテーションの[④]のリハビリテーションが行われる。

(3) 障害の有無に関係なく、だれもが普通に生活する社会を目指す[⑤]の理念は、[⑥]で提唱された。

(4) さまざまな障壁を取り除くことを[⑦]といい、だれにでも使いやすいデザインを[⑧]という。

(5) ICFでは、[⑨]という[⑩]からみる。

※エンパワメントとは、自己決定や主体性、影響力を取り戻すことを重視したアプローチです。

語群

- ADLの自立　・QOLの向上
- 生活の視点　・疾病治療
- 自助努力　・医学的
- 教育的　・職業的　・社会的
- 急性期　・回復期　・維持期
- ノーマライゼーション
- エンパワメント
- レクリエーション
- バリアフリー　・ユニバーサルデザイン　・デンマーク
- スウェーデン　・アメリカ
- 障害　・生活機能
- プラス面　・マイナス面

＋One 利用者がその人らしい生活を実現できるよう、これまでの生活環境や生活習慣を把握することも必要です。

❸ ICFの考え方に関する次の文章の[　　]にあてはまる語句を、それぞれア～ウから選びなさい。

(1) 移動に車いすを使う生活になり退職することになったのは、[ア 機能障害　イ 活動制限　ウ 参加制約] に分類される。

(2) 玄関のまわりをバリアフリーにすることで、車いすでも一人で外出できるようになったのは、[ア 心身機能・身体構造　イ 活動　ウ 参加] に分類される。

(3) 介護福祉職の意識や行動が利用者に影響を及ぼすことは、[ア 個人因子　イ 環境因子　ウ 生活機能] に分類される。

ヒント たとえば、同居する娘の仕事が忙しくなるのは、環境因子です。

❹ 次の文章の[　　]にあてはまる語句を、それぞれア～ウから選びなさい。

(1) 65歳以上の者のいる世帯の場合、世帯構造別の割合は、[ア 単独世帯　イ 夫婦のみの世帯　ウ 三世代世帯] が最も多い。

(2) 要介護者等と同居するおもな介護者のうち、男性の割合は、[ア 約1割　イ 約3割　ウ 約7割] である。

(3) おもな介護者が同居の家族の場合、[ア 配偶者　イ 子の配偶者　ウ 子] が最も多い。

+One 単独世帯、夫婦のみの世帯、親と未婚の子のみの世帯は増加傾向、三世代世帯は減少傾向です。

介護サービスの提供

なぞって覚える

ポイント1 介護サービスと提供の場

種別	体系	種類・概要
居宅(きょたく)サービス	訪問系	訪問介護／訪問看護／訪問リハビリテーション／居宅療養管理指導
	通所系	通所介護／通所リハビリテーション
	短期入所系	短期入所生活介護／短期入所療養介護
	居住系	特定施設（有料老人ホーム・養護老人ホーム・軽費老人ホーム）
地域密着型サービス	訪問系	定期巡回・随時対応型訪問介護看護（24時間対応、＋訪問看護） 夜間対応型訪問介護（おもに夜間、訪問介護のみ）
	通所系	地域密着型通所介護／認知症対応型通所介護
	居住系（定員29人以下）	認知症対応型共同生活介護（グループホーム） 地域密着型特定施設＝介護専用型特定施設 地域密着型介護老人福祉施設＝小規模特別養護老人ホーム
	複合系	小規模多機能型居宅介護＝通所＋訪問＋宿泊 看護小規模多機能型居宅介護＝通所＋訪問＋宿泊＋訪問看護

ポイント2 介護サービスを提供する施設

- 介護保険の施設サービスは、3種類あります。

介護老人福祉施設	都道府県知事の指定を受けた特別養護老人ホーム
介護老人保健施設	介護保険法に基づいて、都道府県知事が開設を許可
介護医療院	医療・介護機能＋生活施設。2018年4月新設。 介護療養型医療施設の移行施設（移行期間は6年間延長された）。

- 老人福祉法に基づいて65歳以上が入所する老人ホームは2種類です。

施設	対象	介護保険制度での位置づけ
特別養護老人ホーム	身体上・精神上著しい障害があり、常時介護を必要とする者	介護老人福祉施設の指定 （施設サービス）（原則、要介護3以上です）
養護老人ホーム	環境上・経済上の理由で在宅での生活が困難な者	特定施設入居者生活介護の指定 （居宅サービス）

ポイント3 介護度と利用可能なサービスの種類

- 要介護認定者…［施設］サービス、［居宅］サービス、［地域密着型］サービス。
- 要支援認定者…［介護予防］サービス、［地域密着型］介護予防サービスと、介護予防・日常生活支援総合事業の［介護予防・生活支援サービス事業］。
  - 訪問型、通所型、その他の生活支援、介護予防ケアマネジメントがあります
- チェックリストのサービス事業対象者
  …介護予防・日常生活支援総合事業の介護予防・生活支援サービス事業。
- 介護福祉士等が訪問して介護等を提供するサービス
  - 指定の介護員養成研修修了者も訪問介護員（ホームヘルパー）となることができます

要介護者	・訪問介護＝身体介護／［生活援助］／［通院等乗降介助］ ホームヘルプサービス ・地域密着型サービスの訪問系＝定期巡回／随時訪問
要支援者	・サービス事業の訪問型サービス＝従来の訪問介護相当 多様なサービスとしては、緩和した基準によるサービス、住民主体による支援、保健・医療の専門職が短期集中で行うサービス、移動支援が想定されています

ポイント4 介護サービスにおけるケアマネジメント

- 居宅サービスでは、介護支援専門員（ケアマネジャー）が担当します。
- 利用者と家族に面接して、［アセスメント］を行います。
- 居宅サービス計画の原案を作成したら、［サービス担当者会議］を開催します。
  - 利用者や家族も参加します
- 介護サービスの実施状況についてのモニタリングは、少なくとも［1か月に1回］行い、少なくとも1か月に1回は結果を記録します。
- 居宅サービス計画に沿って、［訪問介護計画］など個々のサービス計画が作成されます。
  - 事業所のサービス提供責任者が作成します

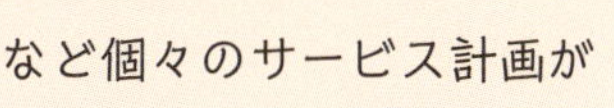

学習日 ／ ／

❶ 介護サービス提供の場に関する次の文章の［　　］にあてはまる語句を、それぞれア～ウから選びなさい。

(1) 小規模多機能型居宅介護は、［ア 居宅（きょたく）サービス　イ 施設サービス　ウ 地域密着型サービス］に含まれる。

(2) 2012（平成24）年の制度改正で、［ア 定期巡回・随時対応型訪問介護看護　イ 夜間対応型訪問介護　ウ 認知症対応型共同生活介護］が新設された。

(3) 定員29人以下の特別養護老人ホームで提供されるのは、［ア 地域密着型介護老人福祉施設入所者生活介護　イ 地域密着型特定施設入居者生活介護　ウ 特定施設入居者生活介護］である。

+One 在宅要介護者に対して、通いサービスを中心に展開する小規模多機能型居宅介護は、1事業所の登録定員は29人以下とされ、事業所の介護支援専門員がケアマネジメントを行います。

❷ 介護サービスを提供する施設に関する次の文章の［　　］にあてはまる語句を、右記の語群から選びなさい。

(1) 2018（平成30）年度改定により新たな［ ① ］として［ ② ］が創設された。

(2) 指定を受けた特別養護老人ホームは、［ ③ ］で、入所要件は、原則［ ④ ］である。

(3) 介護老人保健施設は、［ ⑤ ］に基づいて、［ ⑥ ］の許可を得て開設される。

(4) 都市型軽費老人ホームは、定員［ ⑦ ］以下の施設で、サービス付き高齢者向け住宅は、［ ⑧ ］に基づく。

(5) ユニットケアでは、1ユニットの利用者は［ ⑨ ］以下とされ、居室の定員は、［ ⑩ ］とされている。

語群

- 療養型医療施設
- 介護保険施設　・介護医療院
- 介護老人福祉施設
- 介護老人保健施設
- 要介護1以上　・要介護3以上
- 老人福祉法　・介護保険法
- 高齢者住まい法　・厚生労働大臣　・都道府県知事
- 市町村長　・29人
- 20人　・10人　・4人
- 2人　・1人

+One サービス提供にあたっては常に、施設サービスであっても、在宅復帰を目指すことを念頭に置きます。

❸ 次の文章の［　　］にあてはまる語句を、それぞれア〜ウから選びなさい。

(1) 要支援者に対しては、［ア 居宅サービス計画　イ 介護予防サービス計画　ウ 施設サービス計画］に基づいてサービスが提供される。
(2) 訪問介護では、通院介助は、［ア 身体介護　イ 生活援助　ウ サービス対象外］である。
(3) 看護小規模多機能型居宅介護では、［ア 看護師　イ 介護福祉士　ウ 訪問介護員］による訪問看護サービスが提供される。

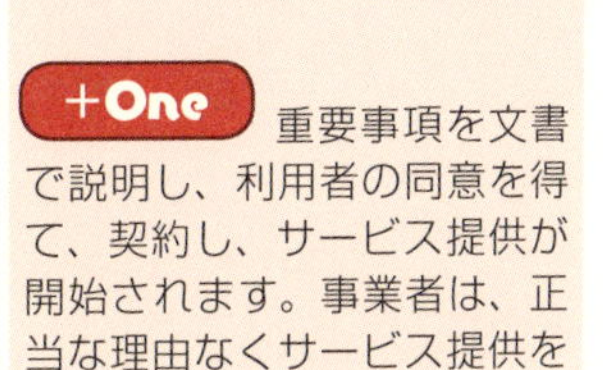

+One 重要事項を文書で説明し、利用者の同意を得て、契約し、サービス提供が開始されます。事業者は、正当な理由なくサービス提供を拒んではなりません。

❹ ケアマネジメントに関する次の文章の［　　］にあてはまる語句を、右記の語群から選びなさい。

要介護者の場合、［ ① ］が利用者と家族に面接して［ ② ］を行い、［ ③ ］が作成される。訪問介護を利用する場合、［ ④ ］によって［ ⑤ ］が作成される。サービスが計画どおり実施されているかどうか、少なくとも［ ⑥ ］に1回、［ ⑦ ］が行われる。利用者の状況に変化があった場合、計画の変更が行われるが、この場合も［ ⑧ ］が行われる。

要支援者の場合、ケアマネジメントを担当するのは、［ ⑨ ］で、訪問介護は［ ⑩ ］で提供される。

語群
- 介護支援専門員　・担当職員
- サービス提供責任者
- アセスメント　・モニタリング
- サービス担当者会議
- 居宅サービス計画
- 介護予防サービス計画
- 訪問介護計画　・1か月
- 3か月　・6か月
- 介護予防・生活支援サービス事業
- 一般介護予防事業

ヒント 居宅サービス計画の内容に沿って、通所介護計画等の個別計画が作成され、サービスが提供されます。

8日目 テーマ なぞって覚える

質の高い介護を提供するためのリスクマネジメント

ポイント1 事故や虐待などの予防と対応

- リスクマネジメント は、事故が起きないようにあらかじめ体制を検討します。（事故発生防止委員会等の設置、マニュアルの作成など）
- 予防マニュアルは、ヒヤリ・ハット事例 を参考に作成します。（インシデント報告ともいい、分析・検討することで事故を防ぎます）
- けがや事故が起こる原因に、生活を制限されることから生じる ストレス があります。（リスク（危険）を減らすため利用者の趣味・嗜好（しこう）を制限するものではありません）

- 次の行為は、身体拘束（しんたいこうそく） に該当し、禁止されています。

ベッドに体幹や四肢をひも等で縛る／ベッドを柵（サイドレール）で囲む／ミトン型の手袋等をつける／Y字型抑制帯をつける／介護衣（つなぎ服）を着せる／向精神薬を過剰に服用させる（睡眠薬、精神安定剤など）／開けることのできない居室等に隔離する（外から鍵をかける）

ポイント2 緊急時の対応

- 緊急やむを得ない場合 は、身体拘束が認められます。
- 次の3つの要件をすべて満たさなければ、身体拘束を行ってはいけません。（本人の同意や家族の承諾で行うものではありません）

切迫性	利用者本人またはほかの利用者等の生命または身体が危険にさらされる可能性が著しく高い
非代替性	身体拘束その他の行動制限を行う以外に代替する介護方法がない
一時性	身体拘束その他の行動制限が一時的なものである

- やむを得ず身体拘束を行った場合、理由、状況、時間、利用者の心身の状況等を

記録 しておかなければなりません。
- 事故が発生してしまった場合は、すみやかに 家族等 に連絡し、組織として必要な対応を行います。（損害賠償（ばいしょう）が必要な場合もあります）

ポイント3 感染の予防・拡大防止

- 感染対策の基本…持ち込まない・拡げない・持ち出さない。
  （感染経路の遮断と菌やウイルスの増殖を防ぐことです）
- 手洗いは液体石けんと流水で行い、ペーパータオルで拭（ふ）き取ります。
  （介護行為ごとなど、こまめに実施します）
- 雑巾（ぞうきん）やモップは、使わないときは乾燥させて清潔を保ちます。
- 集団感染を起こす可能性のある感染症は、特に注意が必要です。

ノロウイルス	・冬季の感染性胃腸炎の原因 ・感染経路は経口感染（糞便や嘔吐物から人の手を介して二次感染） ・消毒には次亜塩素酸ナトリウムを用いる
疥癬（かいせん）	・ヒゼンダニ（疥癬トンネルがみられます）が寄生することで発生・ノルウェー疥癬では、一定期間の個室管理（隔離）が必要（感染した利用者の衣服や寝具の洗濯は別とし、入浴は順番を最後に）
結核	・感染経路は飛沫核（ひまつかく）感染（咳やくしゃみから結核菌が飛び散ります） ・結核の接触者に健康診断実施
インフルエンザ	・インフルエンザウイルスによる感染 ・潜伏期間は１～３日、高熱・全身倦怠感など

- 日和見（ひよりみ）感染…毒素が弱い病原体でも、免疫力や抵抗力が極端に低下していると発症。

ポイント4 介護従事者の安全と衛生

- 労働基準法（基準は最低のもので、向上を図るように努めなければなりません）は、賃金・労働時間・年次有給休暇等の労働条件の基準を定めています。
- 労働安全衛生法…職場での労働者の安全と健康の確保を事業者の責務とし、メンタルヘルス対策としてストレスチェック制度を導入しました。
- 前屈やひねり（長時間の座位姿勢も腰への負担大です）等の姿勢を避け、静的ストレッチング等で腰痛を予防します（職場における腰痛予防対策指針）。

❶ 事故の予防に関する次の文章の［　　］にあてはまる語句を、右記の語群から選びなさい。

自宅における転倒事故は、［ ① ］で起こることが多く、室内での転倒には、［ ② ］を使用して予防する。ヒートショックに対しては、［ ③ ］ことで予防する。火災による窒息に対しては、［ ④ ］で予防する。

けがや事故の原因のひとつに［ ⑤ ］がある。事故のリスクを減らすために、利用者の飲酒・喫煙は［ ⑥ ］。

福祉用具は、［ ⑦ ］が取り扱いに慣れたものを優先して使用する。

リスクマネジメントは、［ ⑧ ］体制を検討するもので、［ ⑨ ］が参考となる。予防マニュアルに［ ⑩ ］。

語群

・庭　・便所　・滑りにくい床材
・スリッパ　・火災警報器
・脱衣室と浴室の温度差をなくす
・ストレス　・禁止すべきである
・禁止すべきではない
・介護福祉職　・利用者
・事故が起こってから
・事故が起こる前に
・気がついたときに
・ヒヤリ・ハット事例
・従えば事故は起きない
・従っても事故は起こり得る

ヒント 細心の準備をしても事故は起こる可能性があり、業務に慣れたときほど起こりやすく、小さな介護事故でも発生したら組織として対応します。

❷ 緊急時の対応に関する次の文章の［　　］にあてはまる語句を、それぞれア～ウから選びなさい。

(1) 身体拘束は、［ア どんな場合も認められない　イ 家族から承諾書を得れば認められる　ウ 緊急やむを得ない場合のみ認められる］。

(2) 利用者を落ち着かせるために、過剰な向精神薬を服用させることは、［ア 職員１人の判断で実施できる　イ 身体拘束にあたる　ウ 利用者の同意を得れば認められる］。

(3) サービス提供時に事故が発生した場合、［ア 市町村が損害賠償を行う　イ すみやかに家族に連絡する　ウ 記録は必要ない］。

ヒント 精神安定を図るために、利用者に精神安定剤を服用してもらうことは、適切ではありません。

❸ 感染管理に関する次の文章の［　　］にあてはまる語句を、下記の語群から選びなさい。

(1) ノルウェー疥癬（かいせん）は、［ ① ］の寄生によるもので、感染した利用者は［ ② ］。

(2) ノロウイルスの感染経路は、おもに［ ③ ］で、消毒は、［ ④ ］が有効である。

(3) 手洗いは、［ ⑤ ］行い、雑巾やモップは、使わないときは［ ⑥ ］。

(4) ［ ⑦ ］の予防には、［ ⑧ ］が有効である。

(5) MRSAは、［ ⑨ ］に発症しやすく、［ ⑩ ］の原因となる。

語群

・マダニ　・ヒゼンダニ
・白癬菌
・入浴の順番を最後にする
・ほかの利用者と同室でよい
・接触感染　・経口感染
・飛沫核感染　・エタノール
・逆性石鹸
・次亜塩素酸ナトリウム
・消毒液に浸して　・石鹸と流水で　・湿らせておく
・乾燥させておく　・インフルエンザ　・ノロウイルス
・ワクチン接種　・健康な人
・高齢者　・日和見感染
・院内感染

+One 日和見感染症は、エイズ患者、末期がん患者、高齢者などが罹患しやすく、MRSAは、健康な人は多くの場合、症状が出ません。

❹ 介護福祉職の安全と衛生に関する次の文章の［　　］にあてはまる語句を、それぞれア～ウから選びなさい。

(1) 労働時間の基準を定めているのは、［ア 労働基準法　イ 労働安全衛生法　ウ 介護労働者の雇用管理の改善等に関する法律］である。

(2) 50人以上の労働者を使用する事業場には、［ア 精神保健指定医　イ 産業医　ウ 保健師］の選任が義務づけられている。

(3) 腰痛予防には、［ア 前傾中腰姿勢　イ 動的ストレッチング　ウ 静的ストレッチング］が効果的である。

+One ストレスマネジメントとして、悩みは他人に相談してみたり、自分に合った適切な対処法を身につけておくことも大切です。

テーマ 9日目 なぞって覚える

さまざまな利用者とのコミュニケーション

ポイント1 介護福祉職としての基本的なコミュニケーション

（Biestek,F. はアメリカの社会福祉学者です）

・バイステックの7原則はコミュニケーション技術の基本です。

個別化	利用者一人ひとりを個別の人間としてとらえる
受容	利用者のありのままを無条件に受け入れる
意図的な感情表出	利用者のありのままの感情表出（表現）を大切にする
統制された情緒関与	介護福祉職の感情をコントロールしてかかわる
非審判的態度	介護福祉職の価値観で評価せずに利用者にかかわる
自己決定	利用者の決定を尊重する
秘密保持	利用者の同意なしに情報を漏（も）らさない

ハイ、イイエ

・質問技法には、閉じられた質問と開かれた質問があります。

技法	閉じられた質問	開かれた質問
特徴	はい、いいえで答える 単語のオウム返しで回答できる	相手の自由な表現を促す ［例］「どんなことに興味がありますか？」
長所	簡単に答えることが可能	相手の自由によって回答できる
短所	相手の表現を制限してしまう	回答・言葉につまる場合もある

ポイント2 障害の状況に応じたコミュニケーション

障害		コミュニケーション法
失語症（聴覚は正常）	運動性失語症	二者択一（たくいつ）の閉じられた質問
	感覚性失語症	身振り、視覚化された情報
聴覚障害	中途失聴者	筆談
	先天性聴覚障害者	手話
構音障害（聴覚、言語理解は正常）		コミュニケーションエイド（ボタン操作で音声を入力できる装置）、筆談、五十音表

ありがとう

ポイント3 精神機能が低下している人とのコミュニケーション

- 利用者をありのままに  し、共感的な態度、 な態度で接します。
  - ∟受け止め、受け入れること
  - ∟評価したり、批判したりしない
- 妄想的な訴えは、否定するのではなく、利用者にとって  であることを理解し、その言動を受け止めます。
  - ∟否定しても修正されるものではありません

- 強迫行為がみられた場合も、[無理矢理制止する] ことは避けます。
  - ∟本人のせざるを得ない気持ちを受容します
- 何もしたくないという人に対しては、少しでもできたらその [小さな行動] に対して評価します。
- 安易な [はげまし] は禁物です。
  - ∟✕「落ち込んだらだめ」「元気を出して」

ポイント4 認知症の人とのコミュニケーション

- [わかりやすい] 言葉で、一つひとつの情報を簡潔に伝えます。
  - ∟複数の話題や複雑な内容の理解は困難です
- 非言語的コミュニケーションを活用します。

- 同じ話を繰り返す場合、そのつど、[初めてのつもりで] 聴きます。
  - ∟途中で話を中断するようなことはしてはいけません
- 妄想や作話(体験していない体験談)、誤りがあっても、[訂正] したり、[否定] したり、説得したりすることは避けます。
  - ∟認知症の人の世界にあわせた会話をします
- 時間の流れに沿って話をしたり、 を次々に提供することは、認知症の人にとっては困難なことです。
  - ∟見当識障害(自分が置かれている状況がわからない)や記憶障害(覚えられない、思い出せない)のため

学習日 ／ ／

❶ バイステックの7原則に関する次の文章の［　　］にあてはまる語句を、それぞれア～ウから選びなさい。

(1)「意図的な感情表出」とは、［ア 利用者　イ 利用者の家族　ウ 介護福祉職］の感情表出を大切にすることである。
(2)「統制された情緒的関与」とは、［ア 利用者　イ 利用者の家族　ウ 介護福祉職］の感情をコントロールしてかかわることである。
(3) 介護福祉職の価値観で評価せずに利用者にかかわることを、［ア 個別化　イ 受容　ウ 非審判的態度］という。

+One 利用者の訴えを聴くときは、客観的事実の確認や解決策の提案よりも、相手の言葉を妨げないで、ゆっくりうなずきながら、じっくり聴きます。

❷ 言語・聴覚障害者とのコミュニケーションに関する次の文章の［　　］にあてはまる語句を、右の語群から選びなさい。

(1) 失語症では、一般に［ ① ］が理解困難で、五十音表の使用は［ ② ］。
(2) 言葉の意味は理解できても、うまく発語できない［ ③ ］失語症では、二者択一の問いかけは［ ④ ］。
(3) 言葉の意味が理解できなくなる［ ⑤ ］失語症では、［ ⑥ ］でコミュニケーションを図る。
(4) 聴覚障害では、一般に、中途失聴者は［ ⑦ ］が、先天性聴覚障害者は［ ⑧ ］が有効である。
(5) 構音障害では、言語の理解は［ ⑨ ］、［ ⑩ ］が有効である。

+One 補聴器には、挿耳型、本体からイヤホンが出た箱型などがあり、難聴の利用者にとっては、会話のときに限らず適宜使用することが有効である場合もあります。

語群
- ひらがなより漢字
- 漢字よりひらがな
- 有効である　・有効でない
- 運動性　・感覚性　・正常で
- 障害され　・身振り
- 手話　・筆談
- コミュニケーションエイド
- 触手話

※触手話とは手話を表した手に触れて、意味を読み取るコミュニケーション方法です。

❸ 次の文章の[　　]にあてはまる語句を、それぞれア～ウから選びなさい。

(1) 統合失調症の人の妄想の話は、[ア 詳しく聞く　イ 聞かないようにする　ウ 否定も肯定もせずかかわる]。

(2) 抑うつ状態にある人へは、[ア 気分転換を勧める　イ 頑張れとはげます　ウ あれこれ積極的に話しかけない]。

(3) うつ病では、[ア 朝方　イ 夕方　ウ 食後]に調子が悪いことが多いという日内変動に配慮してかかわる。

+One 躁(そう)病の人に対しては、躁状態に巻き込まれないようかかわることが大切です。

❹ 認知症の人とのコミュニケーションに関する次の文章の[　　]にあてはまる語句を、右の語群から選びなさい。

認知症の人とのコミュニケーションでは、自分が話しかけられていると認識できるよう[①]コミュニケーションをとるようにする。[②]言葉で、情報は[③]伝える。[④]コミュニケーションを活用する。

同じ話を繰り返すときは、途中で話を[⑤]、[⑥]会話をする。話す内容に誤りがあったときは、[⑦]。新しい話題を、次々に提供することは、[⑧]。

[⑨]姿勢で対応することが基本で、孤立化しないよう[⑩]する。

語群

- 後ろから大声で呼び止めて
- 横から　・注意を喚起して
- わかりやすい　・専門的な
- 正しい　・まとめて
- 一つひとつ簡潔に
- 言語的　・非言語的
- 中断し　・中断しないで
- 話の内容に沿った
- 時間の流れに沿った
- ゆっくりはっきり話すよう伝えて
- 訂正する　・訂正しない
- 適切である　・適切ではない
- 説得的　・受容的　・指示的
- かかわりを多く
- かかわりを少なく

ヒント 細認知症の人との会話では、否定したり、誤りを指摘して説明したり、無理に話題を変えたり、プレッシャーをかけて思い出させようとすることは避けます。

10日目 テーマ なぞって覚える

チームコミュニケーションと多職種の役割

ポイント1 相手の立場に立った対応

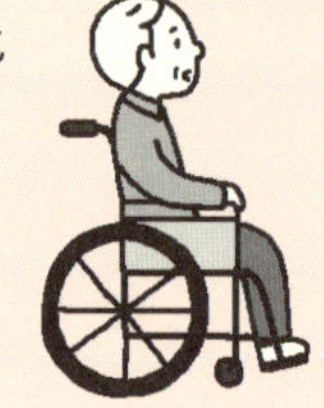

- 相手を**よく知っているという思い込み**が、かえって相手の心情を見えにくくすることがあります。 ∟ある一面だけをみて理解したと思ってはいけません
- 利用者の希望・意向と家族の希望・意向は、**一致しないことが多く**、［調整的援助］が必要です。
  ∟どちらかを優先したり、一方的に批判してはいけません
- 事前に得られた情報から、共感的姿勢を準備しておくことを、［予備的共感］といいます。

  ただし、先入観（思い込み）は排除しなければなりません
- 相手が予測と違った反応をしたときに、意味を理解しようと、軌道（きどう）修正する過程を、［波長合わせ］といいます。

ポイント2 チームコミュニケーションと多職種の役割

- チームアプローチでは、［情報の共有］と［個人情報の保護］が重要です。
  ∟必要な情報だけ利用者の同意を得て共有します
- チーム内の連携では、**ほかの専門職の業務を理解する**こと、それぞれの専門性を発揮できるよう**裁量**（その人の判断・処理・行動）を認めることが重要です。
  ∟リーダー＝医師とは限りません
- 多職種が参加する［カンファレンス］で、**専門的立場**から自由に議論します。
  ×多数意見だから　×発言者の立場で無条件に肯定

民生委員	児童委員を兼ね、社会奉仕の精神で住民の立場で相談・援助
［理学療法士］（PT）	理学療法で**基本的動作能力**の回復を図る ∟運動・電気刺激など
作業療法士（OT）	作業療法で応用的動作能力の回復を図る ∟手芸・工作
言語聴覚士（ST）	**言語訓練・嚥下訓練**を行う ∟飲み込み訓練
看護師	［療養上の世話・診療の補助］
薬剤師	医師の交付した処方箋に基づき**調剤**（薬をつくること）

ポイント3 観察と報告・記録

- 利用者をよく観察することで、客観的事実を把握します。
- 報告は、に行います。
  └客観的事実を正確に報告します
- を述べてから、を報告します。
  ┌たとえば、事故の場合はすぐに上司に報告し、迅速に対応しなければなりません
- 報告のタイミングは、内容によってしかるべきタイミングで行います。
- 指示をされて行った事項は、に報告します。
  └指示通りできなかった場合は、その旨と理由の報告が必要です
- 記録は、［実施した本人］が、［その日のうちに］に行います。
  └指示をされて行った事項は、その旨も記載します
- 記録の文章は、正確・簡潔に書きます。
- と［解釈］は区別して記録します。
  ┌利用者が読んで不快な気持ちにならないよう、表現への配慮が必要です
- 誰が読んでも、理解できる記録を心がけます。

ポイント4 介護記録と管理方法

- 介護記録は、責任者・管理者が(まとめ)します。
  ┌手書きの場合は二重線で消して修正します
- は、なぜ、誰が、いつ、どのように修正したのかも含めた記録が必要です。
- データベース管理の場合、定期的なバックアップ(複製保存)を行います。
- 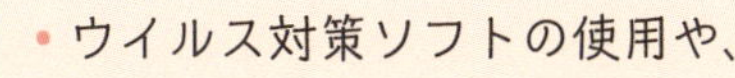ウイルス対策ソフトの使用や、で情報漏洩(ろうえい)を防ぎます。
  └簡単に類推できないものとし、定期的に変更します
- 介護記録の開示は、のみを、［決められた場所］で閲覧(えつらん)できるようにします。

❶ 次の文章の［　　］にあてはまる語句を、右記の語群から選びなさい。

(1) 利用者の［ ① ］訴えに耳を傾け、自分と意見が違っても［ ② ］する。
(2) 利用者の希望と家族の希望は［ ③ ］ことが多く、［ ④ ］行う。
(3) 利用者を含めた家族を［ ⑤ ］し、ほかの家族の解決例を［ ⑥ ］。
(4) 家族が利用者の意向や状況を理解していないときは、［ ⑦ ］、［ ⑧ ］。
(5) 共感的姿勢を準備することを［ ⑨ ］、相手の反応をみながら軌道修正することを［ ⑩ ］という。

❷ カンファレンスに関する次の文章の［　　］にあてはまる語句を、それぞれア～ウから選びなさい。

(1) 意見の不一致がみられた場合、［ア 多数意見を尊重する　イ 施設長の意見を尊重する　ウ 議論で合意点を見出す］。
(2) 取り上げる議題は、［ア 参加者全員　イ 司会者のみ　ウ ケアマネジャー］が把握しておく。
(3) カンファレンスは、［ア 勤務時間内に　イ 勤務時間外に　ウ 時間を区切らず］設定する。

+One アドボカシー（権利擁護（ようご）、代弁）の視点から、本人や家族と相談の上、サービス提供者に働きかけることも必要です。

語群

・主観的　・客観的　・賛同
・批判　・受容　・同じである
・一致しない　・審判的援助
・調整的援助　・類型化
・個別化　・そのままあてはめる
・そのままあてはめない
・本人の気持ちを優先して
・お互いの気持ちを尊重して
・専門職としての判断を優先して
・話し合いの場を設ける
・家族の考え方を変えさせる
・どちらが正しいか判断する
・波長合わせ　・予備的共感

ヒント 介護福祉職が、カンファレンスで利用者の日常の様子を具体的に説明することで、参加者全員で情報を共有できます。

❸ 報告や記録に関する次の文章の［　　］にあてはまる語句を、右記の語群から選びなさい。

報告は、［ ① ］を、［ ② ］な表現に整理して行う。［ ③ ］を述べてから［ ④ ］を述べると、報告を受けるほうはわかりやすい。指示を受けて行った仕事の報告は、［ ⑤ ］へ行う。報告のタイミングは、［ ⑥ ］に合わせる。「ヒヤリ・ハット」事例を関係者で共有することは、［ ⑦ ］につながる。

文書で記録を残す場合は、事実と解釈を［ ⑧ ］記録する。［ ⑨ ］理解できる記録を心がけ、不快な気持ちにならないよう［ ⑩ ］する。

+One 介護記録は、言語的コミュニケーションのツールとして活用でき、調査・研究目的で利用することも可能です。

語群

・主観的意見　・客観的事実
・具体的　・抽象的
・詳細　・結論　・指示者
・管理者　・利用者
・上司の都合　・報告の内容
・事故の予防　・苦情への対応
・区別して　・区別しないで
・本人が読んで　・上司が読んで
・誰が読んでも
・あいまいな表現と
・配慮した表現と

❹ 記録の管理に関する次の文章の［　　］にあてはまる語句を、それぞれア～ウから選びなさい。

(1) 記録の訂正は、［ア 訂正したことがわからないよう　イ 訂正前後がわかるよう　ウ 新たに記録を作成して］行う。

(2) データのバックアップは、［ア 定期的に　イ 気づいたときに　ウ 機種変更するときに］行う。

(3) 介護記録の保管は、［ア 利用者　イ 記録者　ウ 管理者］が責任をもつ。

+One 介護記録は、利用者や家族が希望すれば、閲覧できるものでなければなりません。

生活支援の基本的視点と住環境

学習日 /

ポイント1 生活支援と自立支援

- 生活は様々な要素から構成されます。その人独自の生活時間を大切にし、生活暦を理解し、ニーズ優先アプローチで支援します。
  - 介護福祉士の根拠ある正しい知識が必要です
- 利用者の身体的側面だけでなく心理的・社会的な面も含めて支援します。
- 利用者のニーズを個別のものとし、個別性・多様性を意識して支援します。
  - ニーズ：要求・要望
  - 性別・障害・家族構成・所得などで判断せず、利用者に合わせた支援を
- 尊厳の保持をケアの基本とし、本人の潜在する力を大切に、利用者のできないことよりできることに焦点を当てます。
- 利用者の自己決定を尊重し、できるところは本人にやってもらいます。
  - できるところがあるのに全介助は不適切

ポイント2 住居の管理と安全

感覚機能低下への配慮

- 視覚…足元灯の設置など、夜間照明を工夫。
  - 全体照明と部分照明の差にも留意します
- 聴覚…防犯ベル等の音量調節に配慮。
- 嗅覚…電磁調理器を使用したり、火災警報器を設置。

足元灯

温度調節と換気への配慮

- 室内外と室内間の温度差が大きくならないように注意。
  - ヒートショックに注意します
- 猛暑日や真夏日などは、適切に冷房器具を使用します。
  - 猛暑日：35℃以上
  - 真夏日：30℃以上
  - 屋内でも熱中症になることがあります
- 床暖房などを入れる場合は、低温やけどに注意します。
- 換気不足やダニ・カビなどによる室内空気汚染に注意します。
  - シックハウス症候群に注意します

室内と外との温度差に注意！

ポイント3 住環境整備

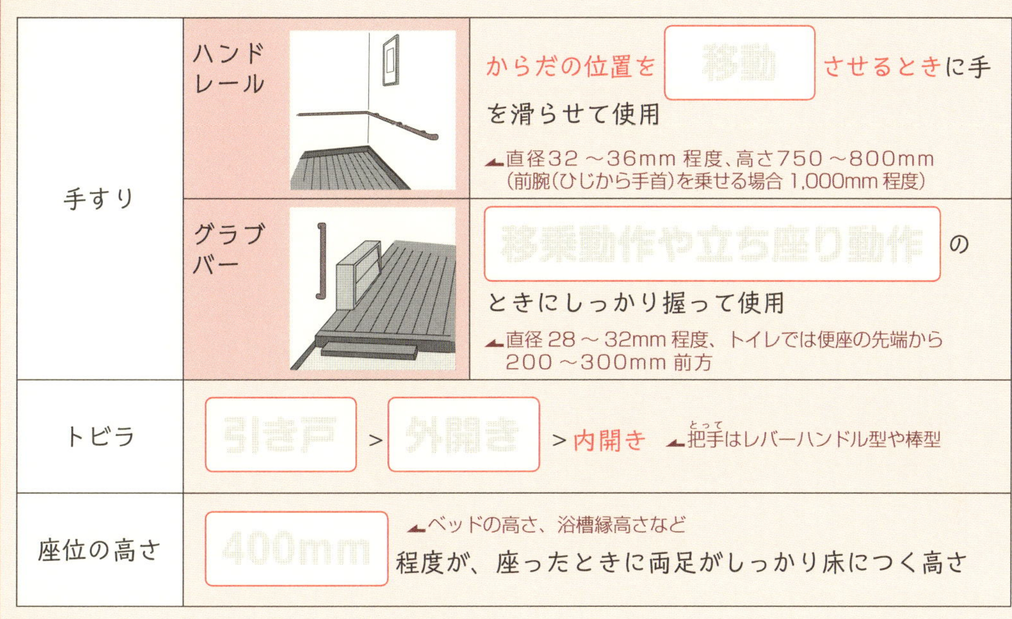

手すり	ハンドレール	からだの位置を［移動］させるときに手を滑らせて使用 ◢直径32～36mm程度、高さ750～800mm（前腕（ひじから手首）を乗せる場合1,000mm程度）
	グラブバー	［移乗動作や立ち座り動作］のときにしっかり握って使用 ◢直径28～32mm程度、トイレでは便座の先端から200～300mm前方
トビラ	［引き戸］＞［外開き］＞内開き　◢把手(とって)はレバーハンドル型や棒型	
座位の高さ	［400mm］程度が、座ったときに両足がしっかり床につく高さ　◢ベッドの高さ、浴槽縁高さなど	

ポイント4 介護保険制度における福祉用具と住宅改修

福祉用具	貸与	［手すり］(工事を伴わない)／［スロープ］(工事を伴わない)／歩行器／歩行補助つえ 要介護２以上…車いす（付属品含む）／特殊寝台（付属品含む）／床ずれ防止用具／体位変換器／認知症老人徘徊感知機器／移動用リフト 要介護４以上…自動排泄処理装置
	販売	腰掛便座／自動排泄処理装置の交換可能部品／入浴補助用具／簡易浴槽／移動用リフトの［つり具の部分］
住宅改修	手すりの取付け／段差の解消（［動力］によって解消する機器の設置除く）／滑りの防止・移動の円滑化等のための床・通路面の材料の変更／引き戸等への扉の取り替え／洋式便器等への便器の取り替え／付帯して必要となる工事	

❶ 生活支援の基本的視点に関する次の文章の［　　］にあてはまる語句を、右記の語群から選びなさい。

生活は、さまざまな要素で構成され、生活圏は［ ① ］によって異なってくる。生活時間には［ ② ］があり、生活様式は［ ③ ］している。生活支援を行うときは、利用者の［ ④ ］を理解することが重要である。利用者の［ ⑤ ］ではなく、［ ⑥ ］に焦点をあて、［ ⑦ ］を目指す。介護福祉職のもつ［ ⑧ ］より［ ⑨ ］を重視し、［ ⑩ ］アプローチで行う。

ヒント　利用者の価値観を優先して、安静を重視した生活よりも、その人らしい生活を、信頼関係に基づいて、生活全体の視点から支援します。

語群
- ライフステージ
- その人独自のもの
- 画一化
- 多様化
- 生活歴
- 職歴
- 学歴
- できること
- できないこと
- QOLの向上
- 一人で生活行為ができること
- 経験
- 知識
- サービス優先
- ニーズ優先

❷ 住宅の管理と安全に関する次の文章の［　　］にあてはまる語句を、それぞれア～ウから選びなさい。

(1) 住宅用火災警報器の設置は、［ア 住宅改修の対象となる　イ 福祉用具の対象となる　ウ 義務づけられている］。

(2) 急激な温度変化で身体が影響を受けることを、［ア 熱中症　イ ヒートショック　ウ シックハウス症候群］という。

(3) 床暖房の使用では、［ア 高温やけど　イ 低温やけど　ウ 火災］に注意する。

ヒント　ヒートショックは、入浴中に起こりやすく、高血圧の人は特に注意します。

❸ 住環境整備に関する次の文章の［　　］にあてはまる語句を、右記の語群から選びなさい。

(1) トイレの出入口の扉は、［ ① ］より［ ② ］がよい。

(2) トイレには、［ ③ ］手すりを設置し、直径は［ ④ ］を目安とする。

(3) トイレの縦手すりは、便座の先端よりも［ ⑤ ］の側面に設置し、介助スペースは、便器の［ ⑥ ］から前方に確保する。

(4) いすに座って調理をする場合、調理台は［ ⑦ ］に、シンクは［ ⑧ ］にする。

(5) 廊下の手すりを設置する高さは、［ ⑨ ］に合わせた高さとされ、直径は、［ ⑩ ］を目安とする。

+One トイレのL字型手すりの横手すりは、車いすのアームサポートの高さに合わせます。

語群

・外開き　・内開き　・L字型
・床と平行に　・床と垂直に
・28～32mm　・32～36mm
・前方　・側方　・後方
・高め　・低め　・深め
・浅め　・大腿骨大転子
・胸　・膝

❹ 福祉用具と住宅改修に関する次の文章の［　　］にあてはまる語句を、それぞれア～ウから選びなさい。

(1) 風呂場に取り外し可能な手すりを設置することは、［ア 福祉用具の給付対象である　イ 住宅改修の給付対象である　ウ 介護保険の給付対象とならない］。

(2) 階段に昇降機を設置することは、［ア 福祉用具の給付対象である　イ 住宅改修の給付対象である　ウ 介護保険の給付対象とならない］。

(3) 手すりを取り付けるために壁の下地を補強することは、［ア 福祉用具の給付対象である　イ 住宅改修の給付対象である　ウ 介護保険の給付対象とならない］。

+One 在宅用電動介護用ベッドなどの福祉用具には、目的付記型JISマークが表示され、国に登録された第三者認証機関によって、品質が保証された製品であることを示します。

身じたくの介護

ポイント1 整容・清潔保持

◉義歯の手入れ

- 取り外し可能な義歯は、原則、就寝前に外します。（総義歯（総入れ歯）は、下あごから外します）
- 洗浄は、  流水下 で。（熱湯で変形させたり、研磨剤入り歯磨き粉で義歯床を傷つけないように）
- 外した義歯は、乾燥させないよう、専用の容器で義歯洗浄剤または水を入れて保管します。

◉目・耳・鼻の清潔保持

目	ガーゼ等で、目頭から目尻に向かって拭（ふ）く
耳	耳垢（じこう）（耳あか）→ 外耳にたまる → 湿らせた綿棒などで掃除（✖ピンセット ✖中耳・内耳まで掃除）
鼻	かむときは、左右片方ずつ、ゆっくりと

◉ひげの手入れ

T字かみそり	毛穴を開き、ひげをやわらかくして、ひげの流れに沿って剃（そ）る（蒸しタオルやシェービングクリームを使用します）
電気かみそり	電気かみそりを皮膚に直角に軽くあて、ひげの流れと逆に剃る

ポイント2 衣服に関する知識

- ポリエステル…強く、しわになりにくく、吸湿性が低く、濡れても乾きやすい。（吸湿性：水分を吸収する性質です）
- レーヨン…水濡れに弱く、濡れると縮む。
- アクリル…羊毛に似た性質だが、毛玉ができやすい。
- 高齢者の衣服は、 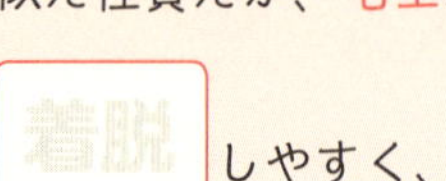 着脱 しやすく、肌触りがよく、適度にゆとりがあるものが適しています。（皮膚に刺激を与える素材は適切ではありません）
- 片麻痺（かたまひ）がある場合、  片手で着脱 しなければならないことに配慮します。（片麻痺：片側の半身が麻痺することです。➡p.105）（伸縮性のないもの、ボタンが小さいもの、ひもで結ぶものは適しません）

着脱しやすい服
マジックテープ式
袖ぐりが大きい
前あき
ウエストはゴム式
伸縮性ある素材

ポイント3 着脱介助

- 片麻痺では、脱健着患（だっけんちゃっかん）が原則です。
  ∟脱ぐときは健側、着るときは患側です
- できるだけ起きあがった状態で着脱を行うようにします。
- 起きたら着替えるなど、生活にメリハリをつけます。
  ∟着替える前に、体調を確かめます
- 施設入所者では、居室内のカーテンを閉めるなどプライバシーに配慮します。
- 衣類は、利用者本人の好みで選択します。
  ∟介護のしやすさや介護福祉職の好みで選んではいけません

健側（けんそく）＝麻痺のない側
患側（かんそく）＝麻痺のある側
健側から脱ぐ

ポイント4 身じたくの意義

- 衣服は、自己表現のひとつです。
  ∟気に入った衣服を着ることで、日常生活が活性化します
- 生活に合わせて衣服を着替えることは、日常生活のリズムをつくるのに効果的です。
  ∟寝たきりになってしまった場合も、昼間は着替えるなどします
- 身だしなみに気をつかったり、化粧をしたり、本人の

を喚起（かんき）するような支援が求められます。
- 身じたくをして、定期的に

することは、生活を活性化し、閉じこもりを予防します。

学習日 / /

1 次の文章の[　]にあてはまる語句を、右記の語群から選びなさい。

(1) 義歯は、[①]から外し、[②]で洗浄する。
(2) 耳垢(じこう)は、[③]で、[④]まで入れて取る。
(3) 目やには、[⑤]に向かって拭(ふ)き、鼻は、左右[⑥]かむ。
(4) T字かみそりを使う場合、ひげを[⑦]してから、ひげの[⑧]剃(そ)る。
(5) 電気かみそりを使う場合、電気かみそりを皮膚に[⑨]あて、ひげの[⑩]剃る。

+One 爪を切るときは、少しずつ切ります。

語群
・上あご　・下あご　・熱湯
・流水下　・ピンセット
・綿棒　・外耳　・中耳
・内耳　・目頭から目尻
・目尻から目頭　・同時
・片方ずつ　・硬く
・やわらかく　・流れに沿って
・流れと逆に　・強く押し
・直角に　・平行に

2 化学繊維に関する次の文章の[　]にあてはまる語句を、右記の語群から選びなさい。

羊毛に似た性質の[①]は、[②]ができやすい。軽くてスポーツウェアやバッグにも用いられる[③]は、弾力性に富むが、[④]に弱い。しわになりにくい[⑤]は、吸湿性が[⑥]、濡れても乾きやすい。[⑦]は、水濡れに弱く、濡れると[⑧]。[⑨]は、摩擦に[⑩]。

+One 衣服の素材は、冬は保温性、夏は通気性など、気候に合わせて選択します。

語群
・アクリル　・ポリエステル
・ナイロン　・ビニロン
・レーヨン　・毛玉　・熱
・水　・低く　・高く
・伸びる　・縮む　・強い
・弱い

❸ 次の文章の［　　］にあてはまる語句を、それぞれア～ウから選びなさい。

(1) 右片麻痺のある利用者は、［ア 右側　イ 左側　ウ 患側］から脱ぐ。
(2) 片麻痺のある利用者には、［ア かぶり式のセーター　イ 留めるボタンが小さいブラウス　ウ ウエストをひもで結ぶスラックス］を勧める。
(3) 施設入所中の利用者の衣服は、［ア 介護福祉職の好み　イ 利用者の好み　ウ 介護のしやすさ］で選ぶ。

ヒント 股上の浅いものや伸縮性のないスラックスは、片麻痺のある利用者には適しません。

❹ 次の文章の［　　］にあてはまる語句を、それぞれア～ウから選びなさい。

(1) 衣服は、［ア 入浴時に着替える　イ 汚れたら着替える　ウ 起床時に着替える］のがよい。
(2) 外出時、介護福祉職は、利用者の［ア 財布を預かる　イ 顔色や表情を確認する　ウ 行動を監視する］。
(3) 散歩の場所は、安全性を考慮して、［ア 利用者の意向を尊重する　イ 介護福祉職が決める　ウ 施設内に限定する］。

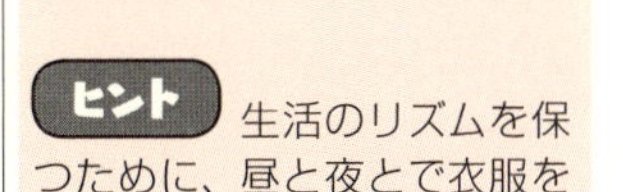
ヒント 生活のリズムを保つために、昼と夜とで衣服を着替えるように勧めます。

移動することの介護

ポイント1 安楽への援助と体位変換

- 介助者の負担を少なくし、利用者の苦痛の軽減するために、ボディメカニクスを活用します。

支持基底面積	広く ➡ 両足は前後、左右に開く
重心	低く ➡ 支持基底面積の中心に
身体	ねじらない ➡ 腰と肩を平行に保つ
利用者との距離	できるだけ近づく
移動	○ ねじらない ✖ 持ち上げる てこの原理を活用、大きな筋群を活用 └利用者の身体とベッドの接する面積を狭く、小さくまとめてもらいます

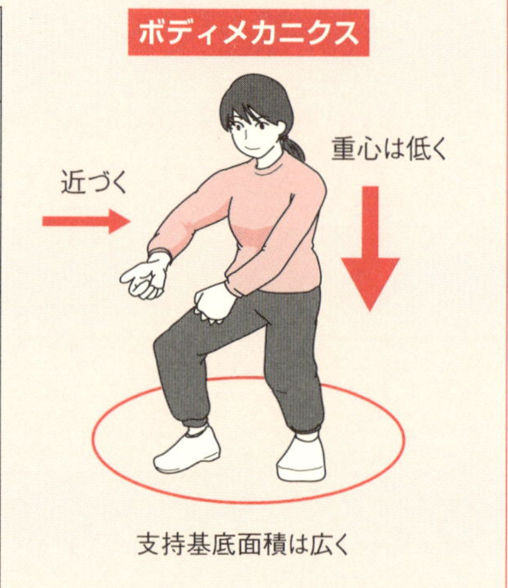

ポイント2 移動・移乗の介助

◉片麻痺者の仰臥位から端座位への介助

- 利用者の 健側（けんそく） に立つ ➡ 利用者の 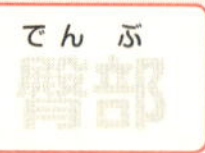

を支点に回転 ➡ 端座位

利用者は健側の肘と前腕を使って状態を起こします

◉片麻痺者の端座位から立位への介助

- 利用者は、ベッドに 

腰掛け、両足底が床面に ぴったり着く ようにします。

- 利用者の 患側（かんそく） に立ち、患側の足のすぐ後ろに足を置きます。
  └利用者の健側の足は膝より後ろに引きます
- 利用者の患側の膝（ひざ）に手をあて、立ち上がるのを補助します。
  └麻痺側が膝折れにならないようにします
- 利用者は、

に、健側の手をついて立ち上がります。

◉片麻痺者の移乗

- ベッドから車いす、車いすから乗用車など、

から行うようにします。

ポイント3 歩行の介助

- 杖 より 歩行器 のほうが、安定性があります。
  - 杖の中では、T字杖より四脚杖が安定性がよいといえます
- ロフストランドクラッチは、**握力の** 弱い人 に適しています。
  - 関節に痛みがあったり、肩や肩甲骨に可動制限がある関節リウマチの人には適しません
  - P.60図
- 左右のフレームを交互に持ち上げて使用する**交互型四脚歩行器**は、片麻痺 には適しません。
  - 固定型四脚歩行器は両手で持ち上げて移動します ➡P.60
- 杖歩行の介助では、**麻痺側の**  やや後方 に位置して、転倒を防ぎます。

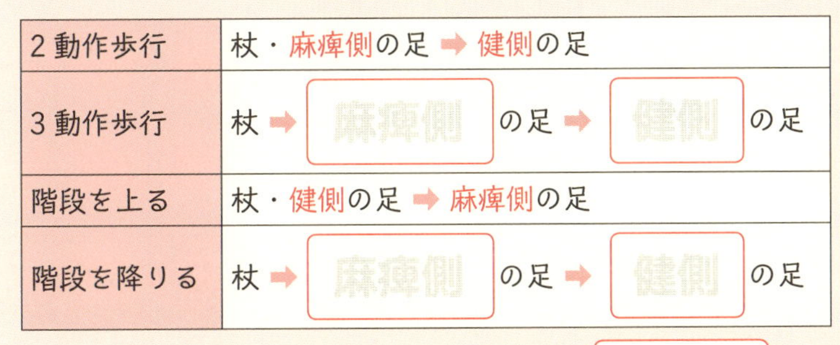

2動作歩行	杖・**麻痺側**の足 ➡ **健側**の足
3動作歩行	杖 ➡ 麻痺側 の足 ➡ 健側 の足
階段を上る	杖・**健側**の足 ➡ **麻痺側**の足
階段を降りる	杖 ➡ 麻痺側 の足 ➡ 健側 の足

麻痺側 ② ③ 杖 ①

- 視覚障害者の手引き歩行では、視覚障害者の 半歩前 を歩くことが基本です。
  - 段差は白杖（はくじょう）で確認してもらい、介助者が先に行きます
- 介助者の**肘（ひじ）の少し上**を握ってもらうようにします。

ポイント4 車いすの介助

- 坂道や段差を下るときは、**後ろ向き**が基本です。

後輪を段に沿って下ろす ➡ キャスターを上げて後ろに引いて下ろす ➡

- 不整地では、キャスターを  持ち上げた 状態で操作します。
  - 砂利道、砂地などです

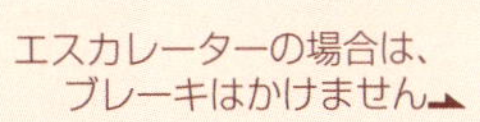
エスカレーターの場合は、ブレーキはかけません

- 停止するときは、短時間であっても、必ず  ブレーキ をかけます。
- 車いすを操作するときは、足が**フットサポート**(足置き)に乗っていることを確認します。
  - 外出する場合は、歩行しなくても靴が必要です

学習日 ／ ／

❶ ボディメカニクスの基本原則に関する次の文章の［　　］にあてはまる語句を、それぞれア〜ウから選びなさい。

(1) 介助者の支持基底面積は、［ア 狭くとる　イ 広くとる　ウ 足を閉じる］ほうが、身体は安定する。

(2) 介助者の重心は、できるだけ［ア 低く　イ 高く　ウ 支持基底面積の端に］置く。

(3) 利用者の身体をベッド上で移動する場合、［ア 利用者の背部が接する面積を広く　イ 介助者の指先や腕の力で　ウ 介助者の体幹をねじらず］行う。

ヒント 水平移動では、ベッドの端に両膝をつけて引き寄せます。

❷ 右片麻痺（かたまひ）の利用者の介助に関する次の文章の［　　］にあてはまる語句を、それぞれア〜ウから選びなさい。

(1) ベッドから立位になるときは、利用者の［ア 右側　イ 左側　ウ 後方］に立つ。

(2) 浴室の出入り口に一段の段差がある場合、［ア 右足　イ 左足　ウ 両足］で下がる。

(3) ベッドから立位になるときは、［ア 背筋を伸ばして立ち上がるよう　イ ベッドに深く腰掛けるよう　ウ ベッドに浅く腰掛けるよう］声をかける。

ヒント 右片麻痺の場合、移動時は、利用者の右側について支えます。

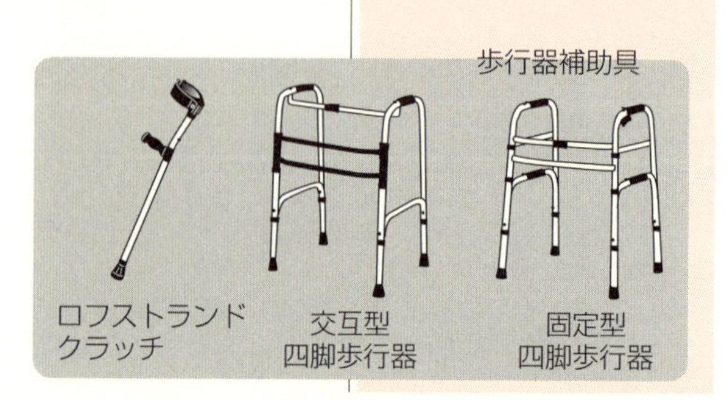

❸ 歩行の介助に関する次の文章の［　　］にあてはまる語句を、右記の語群から選びなさい。

(1) ロフストランドクラッチは、［ ① ］人に適しており、関節リウマチの人の使用は［ ② ］。

(2) 歩行器は、［ ③ ］に比べて安定性があり、歩行器型杖は、［ ④ ］場合に用いる。

(3) ［ ⑤ ］は、左右のフレームを交互に押し出して使用し、［ ⑥ ］人には適していない。

(4) 杖歩行の３動作歩行では、杖、［ ⑦ ］、［ ⑧ ］の順で歩く。

(5) 視覚障害者の移動の介助では、［ ⑨ ］誘導し、エスカレーターから降りる場合、介護者は［ ⑩ ］降りる。

語群

・握力の弱い　・関節に痛みがある
・片麻痺の　・適している
・適していない　・杖
・シルバーカー
・歩行が比較的安定している
・歩行が不安定な
・歩行が自立　・交互型四脚歩行器　・固定型四脚歩行器
・麻痺側の足　・健側の足
・利用者の手首を握って
・利用者の半歩前を歩いて
・利用者の後ろに立って声かけで
・先に　・後から

＋One 爪を切るときは、少しずつ切ります。

❹ 車いすの使用に関する次の文章の［　　］にあてはまる語句を、下記の語群から選びなさい。

車いすで坂道を下る場合は、［ ① ］が基本である。［ ② ］スピードで介助する。曲がり角では、速度を［ ③ ］曲がる。段差を降りるときは、［ ④ ］から下ろす。砂利道では［ ⑤ ］で操作する。歩行しない場合、靴は［ ⑥ ］。車いすを操作するときは、足が［ ⑦ ］を確認してから行う。停止するときは、短時間の場合は［ ⑧ ］。エスカレーターの場合は［ ⑨ ］。空気圧を下げると、ブレーキは［ ⑩ ］。

語群

・前向き　・後ろ向き
・歩行速度より速い　・安全な
・速めて・ゆるめて・前輪　・後輪
・舗装道路と同じ方法
・キャスターを持ち上げた状態
・必要ない　・必要である
・フットサポートに乗っていること
・フットサポートから下りていること
・ブレーキをかける
・ブレーキをかけない
・利きやすくなる　・利きにくくなる

＋One 車いすを２台同時に押したり、ドアを片手で押さえながら車いすを押すことは、危険です。

14日目 テーマ なぞって覚える

食べることの介護

ポイント1 食事の介助

誤嚥に注意！

ベッド上でも座位で頸部を前屈（首全体を曲げてあごを引いた姿勢）

- できる限り［座位］で摂ります。
  - 姿勢が傾いてしまう場合は、クッションで姿勢を保持します
- 食事は、**利用者**に向けて並べます。
- 利用者の目線より［低い］位置から介助します。
  - 立った状態での介助は避けます
- 食べ始める前に、口腔（こうくう）内（口の中）を**水分で湿らせ**ます。
  - 口唇、舌、頬、首、肩などの運動も誤嚥予防に有効です
- 一口量は［少なめ］に、舌の［中央］に置き、食べ物を口に入れたら、**口唇（こうしん）（くちびる）を**［閉じる］よう声かけします。
  - 利用者のペースで、咀嚼（そしゃく）（かむこと）と嚥下（飲み込むこと）に集中できるよう配慮します
- 飲み込むときの姿勢は、頭部と体幹を［前傾］させます。
- **一口ごとに**飲み込んだことを確認します。

ポイント2 状態に応じた食事の介助

唾液分泌量の低下	食事の前に口腔内を湿らせる
味覚の低下	味つけを工夫する 塩分の摂りすぎに注意します
腸の蠕動（ぜんどう）運動の低下	［食物繊維］を積極的に取り入れる 根菜類など
嚥下（えんげ）反射の低下	温かいものは［温かく］、冷たいものは［冷たく］提供 体温と温度差が大きいほうが、嚥下反射（飲み込み）が誘発されやすいです

- 片麻痺（かたまひ）の場合、［健側］から介助し、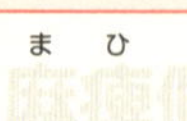［麻痺（まひ）側］に食物残渣（ざんさ）（食べ物のかす）がないか、確認します。
- 視覚障害の場合、食事の位置は［クロックポジション］で説明します。
  - 時計の文字盤に例えて説明する方法です
- ［全介助］ではなく、できる限り利用者本人が食べるように支援します。

ポイント3 高齢者にとって留意したい食品

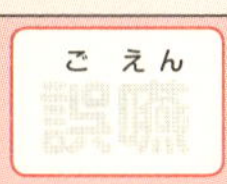 誤嚥（ごえん）しやすい食べ物	スポンジ状の食品、練り製品、口の中で粘着する食品、サラサラした液体など	カステラ、かまぼこ、ワカメ、もち、こんにゃく、水など 
飲み込みやすい食べ物	ドロッとした状態の食品、半固形状の食品など	あんかけ、煮こごり、ペースト、ゼリーなど 

誤嚥とは、誤って気管に入ってしまうことです

- とろみをつけると飲み込みやすくなり、冷たい食品は飲み込みを刺激します。
  - 増粘剤（ぞうねんざい）を入れ過ぎると、飲み込みが悪くなるので注意します
-  酸味（すっぱさ）は唾液分泌を促しますが、強すぎるとむせやすくなります。
- 刻み食は、口の中でバラバラになり、飲み込みにくく、むせやすいので注意が必要です。
- 脱水予防…  水分を多く含む果物や野菜（すいか、桃、メロン、りんごなど）、塩分を含むみそ汁など、 血液量を増やすヨーグルトなどが効果的。

ポイント4 食品と栄養の基本的知識

	種類	おもな働き	含まれる食品
脂溶性	ビタミンA	視覚や皮膚の正常を保つ	緑黄色野菜、レバーなど
	ビタミン D	カルシウム代謝に関与	きのこ類、魚類など
	ビタミンE	抗酸化作用	大豆、植物性油脂など
	ビタミン K	血液凝固に関与	納豆、緑黄色野菜など
水溶性	ビタミン B_1	糖質代謝に関与	豚肉、米ぬか、豆類など
	ビタミンC	抗酸化作用	いも類、果物、野菜類など

- カリウムは、野菜やくだものに多く含まれますが、腎不全（じんふぜん）の場合、摂取に注意が必要です。
  - 生野菜に多く含まれるので、サラダは控えるなどします
- ゼラチンの主成分はたんぱく質です。沸騰（ふっとう）した湯では変性して固まりにくいので、50〜60℃くらいの温度で溶かします。
  - 寒天は沸騰した湯で溶かします

学習日 ／ ／

❶ 食事の介助に関する次の文章の［　　］にあてはまる語句を、右記の語群から選びなさい。

食事は、できるだけ［ ① ］で摂ることが基本である。［ ② ］に向けて食事を並べ、介護福祉職は、［ ③ ］介助する。初めに［ ④ ］、飲み込みやすくし、誤嚥（ごえん）を防ぐ。スプーンの一口量は、［ ⑤ ］にし、食べ物は、［ ⑥ ］に置く。食べ物を口に入れたら、［ ⑦ ］に声かけし、飲み込むときは、頭部と体幹を［ ⑧ ］させる。［ ⑨ ］ペースに合わせて介助し、全介助の場合は、［ ⑩ ］ごとに飲み込んだことを確認する。

+One スプーンに乗った食べ物を本人が口まで運べるのであれば、食べたいものを示してもらい、介護福祉職がスプーンに乗せるところまでを介助します。

語群
- 臥位　・座位　・利用者
- 介護福祉職　・立って
- 利用者の目線より低い位置から
- 口の中を湿らせ
- 主菜を食べ　・主食を食べ
- 多め　・少なめ　・口腔の奥
- 舌の中央　・口唇を閉じるよう
- あごを上げるよう　・前傾
- 後屈　・利用者の食べる
- 介護福祉職の食べる
- 2～3口　・1口　・1皿

ヒント 臥位とは寝た姿勢です。

❷ 利用者の状況に応じた食事の提供に関する次の文章の［　　］にあてはまる語句を、それぞれア～ウから選びなさい。

(1)［ア 認知症　イ 視覚障害　ウ 片麻痺］の人には、クロックポジションで説明する。

(2) 構音障害の人には、［ア 会話をしながら　イ 食べているときに次に食べるものの説明をうけながら　ウ 咀嚼（そしゃく）と嚥下（えんげ）に集中して］食事をすることを勧める。

(3) 嚥下障害の人には、［ア 体温と同程度の温度で　イ 温かいものは温かく冷たいものは冷たく　ウ 冷たく冷やして］食事を提供する。

+One 食事は、利用者のペースで、本人が食べたい順番で食べられるよう支援します。

3 次の文章の［　　］にあてはまる語句を、右記の語群から選びなさい。

(1) パンは［ ① ］が、ゼリーは［ ② ］。

(2) 飲み込みやすくするために、［ ③ ］を入れ、［ ④ ］提供する。

(3) 冷たい食品は［ ⑤ ］ので、食事の初めに［ ⑥ ］。

(4) 酸味は、唾液分泌を［ ⑦ ］が、強すぎると［ ⑧ ］。

(5) 味覚の低下に対しては、［ ⑨ ］し、腸の蠕動（ぜんどう）運動の低下に対しては、［ ⑩ ］する。

ヒント 嚥下機能が低下している人のおやつに、ラスク、もなか、焼き芋、カステラなどは適しません。

語群

・誤嚥しやすい　・飲み込みやすい　・増粘剤　・水
・かき混ぜないで　・かき混ぜて　・飲み込みを刺激する
・むせやすい　・摂取するとよい
・摂取しないほうがよい
・促す　・低下させる
・調味料を工夫　・塩味を強く
・食事の量を減らすように
・根菜類を積極的に摂取

4 次の文章の［　　］にあてはまる語句を、それぞれア〜ウから選びなさい。

(1) 慢性腎不全（じんふぜん）では、［ア 乳製品を毎食摂る　イ 肉や魚を控える　ウ 野菜は生でサラダにする］のがよい。

(2) 納豆は、ビタミン［ア A　イ D　ウ K］を多く含む。

(3) 片栗粉は、［ア 沸騰した湯　イ 50〜60℃くらいの湯　ウ 水］で溶いてから加える。

ヒント ビタミンKは、骨粗鬆症（こつそしょうしょう）の予防に必要です。

15日目 テーマ なぞって覚える

清潔保持の介護

学習日 ／

ポイント1 入浴の介助

- 入浴には 温熱 作用、 静水圧 作用、 浮力 作用があります。
  - 温熱：毛細血管拡張、老廃物排泄促進
  - 静水圧：水圧による下肢のむくみ軽減
  - 浮力：体重による関節等への負担軽減

温度差に注意！

- 入浴前は、入浴の可否等も含め、医師等と連携します。利用者の入浴の意思を確認し、健康状態をチェックします。

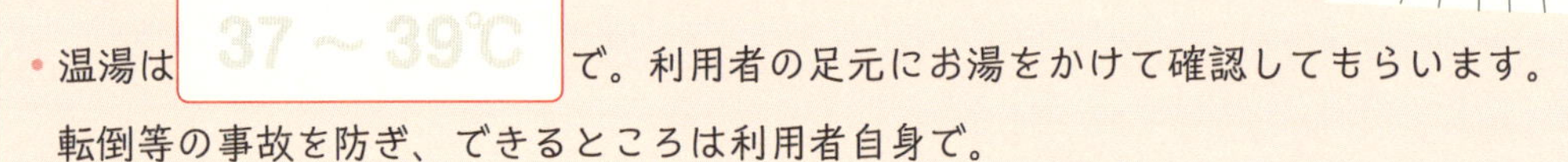

- 温湯は 37～39℃ で。利用者の足元にお湯をかけて確認してもらいます。転倒等の事故を防ぎ、できるところは利用者自身で。
- 空腹時 や 食事直後 の入浴は避け、1時間程度空けます。浴室と脱衣所の温度差は血圧上昇の原因に。入浴は胸くらいまで（心臓より下）5分程度。
- 仙骨部などに発赤（ほっせき）があるときは、入浴しますが変色した部分はこすらずに洗い流します。
  - 発赤：炎症で充血して赤くなること

ポイント2 ベッド上での清潔保持の介助

◉**清拭（せいしき）**：全身清拭＞（できない場合）部分清拭、手浴（しゅよく）・足浴（そくよく）

時間	30分くらいを目安に手早く
温度	55～60℃ 程度　室温：22～23℃程度に保つ
拭き方	末梢（まっしょう） から 中心 へ
	顔→上肢→胸部→腹部→下肢→背部→臀部（でんぶ）→陰部
	背部は健側（けんそく）を下、上腕は肘（ひじ）関節を支えるなど関節を支える

清拭

◉**洗髪**：お湯を使わないドライシャンプーなどもあります

- ブラッシング → 手のひらにシャンプー → 爪を 立てない ように洗髪 → タオルで泡を取り除く → すすぎ → ドライヤー

◉**口腔ケア**：座位＞ 側臥位（そくがい） ＞顔を横に向けて

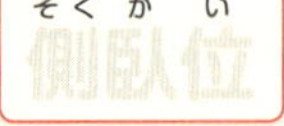

- うがい → やわらかめの 歯ブラシでブラッシング

ポイント3 排泄のしくみと介護

- 膀胱に一定量の尿が溜まると尿意を感じ、大脳からの指示で 尿道括約筋 がゆるみ、排尿が行われます。過活動膀胱 では尿意のコントロール機能に障害が生じ、尿ががまんできなくなります。

  ∟副交感神経が優位になると、膀胱が収縮し排尿

排便障害			原因
便秘	機能性便秘	弛緩性便秘	腸蠕動運動の低下、腹筋の低下、薬の副作用（麻薬性鎮痛剤など）など
		痙攣性便秘	過敏性腸症候群、自律神経失調、ストレスなど
		直腸性便秘	排便反射低下など
	器質性便秘		腸閉塞、大腸がんなど
下痢			消化性下痢、ストレスなど
			経腸栄養剤 ◢注入速度を遅くします

- プライバシーへ配慮し、気兼ねなく一人で排泄できる環境をつくります。ほかの利用者がいるときは、直接的な表現 での声かけは避けます。
- 留置カテーテルの蓄尿袋は、 腰より低い位置 で直接床につかないようにし、カバーをかけます。ポータブルトイレの排泄物はそのつど片付けます。

ポイント4 排泄用具の使用と介助法

用具	使用と介助法
差し込み便器	◤汚物が飛び散らないよう配慮します ・便器の中にトイレットペーパーを敷く。男性は同時に尿器を準備 ・肛門の下に 便器の中央 がくるよう差し込む
ポータブルトイレ	・座ったときに足底がつく高さで、立ち上がりやすいもの ・ベッドの高さとトイレの座面は同じ高さ ・片麻痺の場合は、利用者の 健側 に置く
おむつ	・おむつの交換には使い捨て手袋を使用する ・腹部とおむつの間は指２本分程度の余裕をつくる ・紙おむつの腹部のテープは 斜め に止める

❶ 入浴介護に関する配慮事項についての次の文章の［　　］にあてはまる語句を、右記の語群から選びなさい。

(1) 高血圧の場合、浴槽内の水位は心臓の［　①　］までとし、浴槽に入っている時間は［　②　］程度とする。

(2) 右片麻痺（かたまひ）がある場合、浴槽に入るときは、まず［　③　］足を入れ、次に［　④　］足を入れる。

(3) 酸素療養を行っている場合は、鼻カニューレを［　⑤　］入浴したほうがよく、ストーマの場合は、装具を［　⑥　］入浴できる。

(4) 手浴や足浴は、できるだけ［　⑦　］で行い、時間は、［　⑧　］程度とする。

(5) 入浴後は、まず水分をよく拭き取り、血液の粘稠度（ねんちゅうど）が増加しているので［　⑨　］を行う。体力の消耗、臓器への負担に配慮し、［　⑩　］をとってもらう。

ヒント 健側とは麻痺のない側、麻痺側とは麻痺のある側。右片麻痺の場合は健側は左、麻痺側は右となります。

+One 医療器具を装着していても、ほとんどの場合入浴可能ですが、安全確保は重要です。

+One 老人性掻痒症（ろうじんせいそうようしょう）では、硫黄分を含んだ入浴剤は皮膚を乾燥させ、痒みを増幅させるので注意します。

語群

・5分　・10～15分
・20分　・30分　・上
・下　・右　・左　・座位
・寝た姿勢　・はずして
・つけて　・栄養補給
・水分補給　・十分な休息

※粘稠度とはねばり気のことです。

❷ ベッド上での清潔保持に関する次の文章の［　　］にあてはまる語句を、それぞれア～ウから選びなさい。

(1) 清拭（せいしき）は、［ア 末梢（まっしょう）から中枢へ向けて　イ 中枢から末梢へ向けて　ウ 陰部を最初に］拭く。

(2) 経管栄養利用者のベッド上での口腔（こうくう）ケアは、［ア 仰臥位（ぎょうがい）で行う　イ 側臥位（そくがい）で行う　ウ 不要である］。

(3) 介護が必要な利用者の口腔ケアで利用するブラシは、［ア 硬い歯ブラシ　イ やわらかめの歯ブラシ　ウ したたるほど水を含ませたスポンジブラシ］を用いる。

+One 経口摂取を行っていないと、唾液分泌量が減少し、自浄作用が低下します。積極的な口腔ケアが必要ですが、口腔粘膜を傷つけたり、誤嚥したりしないよう留意して行います。

▼仰臥位

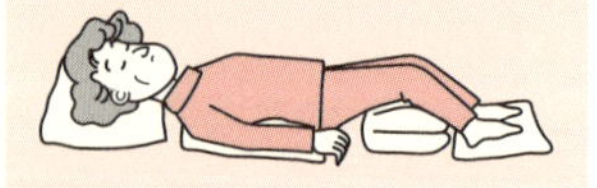

▼側臥位

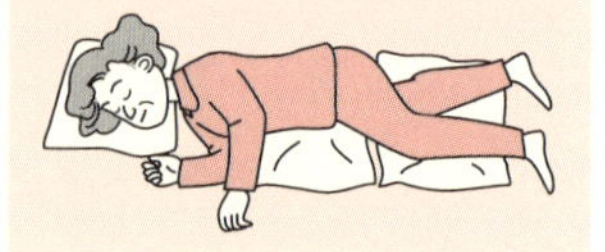

3 排泄(はいせつ)のに関する次の文章の［　　］にあてはまる語句を、それぞれア～ウから選びなさい。

(1) 膀胱(ぼうこう)に一定量の尿が溜まると尿意を感じ大脳からの指示で［ア 肛門括約筋　イ 膀胱括約筋　ウ 膀胱平滑筋］がゆるみ排尿が行われる。

(2) 便秘の原因として［ア 過敏性腸症候群は痙攣(けいれん)性便秘　イ 大腸がんは弛緩(しかん)性便秘　ウ 麻薬性鎮痛剤は器質性便秘］が考えられる。

(3) 認知症の排尿障害として［ア 切迫性尿失禁(せっぱくせいにょうしっきん)　イ 溢流性尿失禁(いつりゅうせいにょうしっきん)　ウ 機能性尿失禁］がよく見られる。

4 おむつ装着に関する次の文章の［　　］にあてはまる語句を、右記の語群から選びなさい。

おむつ交換時は［ ① ］に配慮します。本人へ交換することを伝え、［ ② ］を得てから行います。腹部とおむつとの間には、隙間を［ ③ ］ようにします。紙おむつの腹部の上のテープは、［ ④ ］向きに止めます。おむつ交換は、使い捨て手袋を［ ⑤ ］行います。おむつは汚れを［ ⑥ ］側にして片付けます。皮膚の汚れは、［ ⑦ ］で拭き取ります。女性の場合、［ ⑧ ］に拭きます。陰部洗浄をする場合は、［ ⑨ ］を用います。使い捨て手袋は、下着を整える［ ⑩ ］に外します。

ヒント 機能性尿失禁とは、排尿機能に問題はないのですが、排泄動作が適切に行えなかったり、尿意を伝えられずに失禁してしまうものです。

+One 排泄時の体位は座位に近づけます。便秘のときは腹部を温め、腹部マッサージ（上行結腸→横行結腸→下行結腸の順）等を行います。

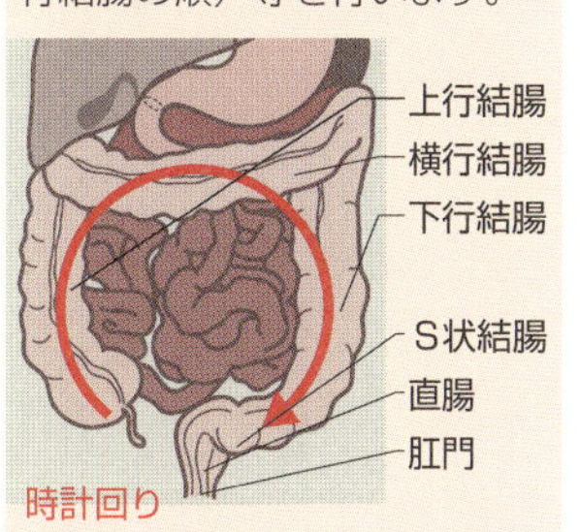

+One 排泄物は感染源となり得ますので素手で触れてはいけません。また、尿漏れが生じないよう配慮します。

語群

・上　・下　・前　・横
・後　・内　・外
・プライバシー　・同意
・確認　・つくる
・つくらない　・使って
・使わないで　・使い捨て手袋
・装着していたおむつ
・タオル　・ぬるま湯
・熱湯　・肛門から恥骨の方向
・恥骨から肛門の方向
・鼠径部

※鼠径部とはももの付け根の三角の部分です。

16日目 テーマ なぞって覚える

日常生活の安全・安心のための介護

学習日

ポイント1 家事援助に関する基本知識

- ドライクリーニングは、［油性］の汚れを落とすのに適しています。
  - 有機溶剤（石油系や塩素系）を用いて洗浄し、毛や絹などの繊維製品の洗濯に適しています
- 洗剤は、を使用します。
  - 多く使用すれば汚れが落ちるというものではありません

弱アルカリ性洗剤	洗浄力が高い	色落ちしやすい	綿、麻、合成繊維など
中性洗剤	洗浄力は低い	色落ちしにくい	毛、絹、おしゃれ着など

- 血液など［たんぱく質］の汚れは、［40℃以下］のぬるま湯で洗濯します。
  - 高温では、熱で変性し、繊維に固着して（くっついて）しまいます
- 漂白剤には、酸化型と還元型があり、酸化型には、［塩素］系と［酸素］系があります。
  - 酸素系漂白剤は、色物、柄物にも使用できます
- アイロンがけ…綿・麻→、アクリル・ナイロン→

ポイント2 安眠を促す援助

- よい睡眠のためには、［1日の生活リズムを整える］ことが重要です。
- 朝は目覚めたらカーテンを開け、徐々に日光を浴びて覚醒（かくせい）（めざめ）を促します。
- 日中は、が得られる運動を行います。
  - 日中の昼寝を減らし、夜間の安眠を促します

食事	✕［満腹］→入眠の妨げ→就寝の2、3時間前までに食事を済ます ✕［空腹］→入眠の妨げ→消化のよい軽い食べ物で補う
飲み物	○温かい牛乳など（下痢が続いている場合などは注意が必要です） ✕カフェイン→コーヒー、日本茶など→作用・［利尿］作用
入浴	○ぬるめのお湯へ入浴 ○［足浴（そくよく）］・手浴（しゅよく）→［10分間程度］（長ければよいというものではありません） ✕身体の冷え→入眠の妨げ

ポイント3 日常生活を自立するための支援

- 消費者契約法…事業者の一定の行為によって、消費者が誤認したり、困惑（こんわく）して契約してしまった場合、取り消すことができるとされています。
  - だまされたり、困らされて契約した場合です
- 特定商取引法…クーリング・オフ制度を規定しています。
  - 書面を受け取ってから、一定期間内は無条件で解約可能です

訪問販売・電話勧誘販売・特定継続的役務提供・訪問購入 すでにリフォーム工事などが行われている場合、無償でもとに戻してもらえます 健康食品等、消耗品を使ってしまった場合は、適用されません	 8日間
連鎖販売取引・業務提供誘引販売取引	20日間

- 通信販売には、クーリング・オフ制度は適用されません。
- 高齢単身無職世帯のおもな収入源は社会保障給付費で、おもな消費支出は食料費です。
  - 年金のこと。実収入は約11万5千円
  - 非消費支出は約1万2千円程度

可処分所得（約11万円） ＜ 消費支出（約15万円） （2018年「家計調査」より）

不足分約４万円

ポイント4 病気を抱えた利用者への援助

- 介護福祉職には、医療行為を行うことは認められていません。
- 介護福祉士等は、一定の条件下で痰（たん）の吸引・経管栄養を実施できます。
  - 介護福祉士以外の介護福祉職は、一定の研修修了が必要です
- 医療行為ではないと解釈され、介護福祉職が実施できる行為

体温測定／血圧測定／爪切り／耳垢（じこう）除去／

糖尿病等、専門的管理が必要でない場合のみ

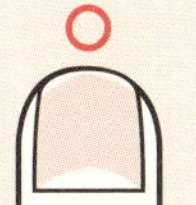

軟膏（なんこう）・湿布等の貼付／軽微な切り傷・やけど等の処置

褥瘡の処置は除きます

- 糖尿病の持病がある利用者では、食事による血糖コントロールが重要で、間食や薬の飲み忘れなどに注意が必要です。
  - ただし、糖尿病患者の調理は、身体介護に含まれ、生活援助の訪問介護では対応できません

学習日 ／ ／

❶ 洗濯に関する次の文章の［　　］にあてはまる語句を、右記の語群から選びなさい。

洗剤は、多く使用すればするほど汚れが［ ① ］。淡色ものを洗うときには、蛍光増白剤の入った洗剤を［ ② ］。血液など［ ③ ］の汚れは、［ ④ ］で洗濯する。水洗いできるウール・絹には、液体［ ⑤ ］漂白剤を用いる。綿には、繊維を［ ⑥ ］が［ ⑦ ］の優れている［ ⑧ ］漂白剤を使用できる。ドライクリーニングは、［ ⑨ ］を用いて洗浄する方法で、おもに［ ⑩ ］の汚れを落とすのに適している。

語群

・よく落ちる　・よく落ちるというものではない
・使用する　・使用しない
・たんぱく質　・油性
・水溶性　・高温　・ぬるま湯
・酸素系　・塩素系　・傷めやすい
・漂白力　・有機溶剤

❷ 次の文章の［　　］にあてはまる語句を、それぞれア～ウから選びなさい。

(1) 安眠のために、［ア 午後に1時間以上の昼寝をする　イ なるべく早い時間に床に就く　ウ 日中、適度な疲労が得られる運動をする］ように勧める。

(2) 安眠のために、寝る前に、［ア 熱めのお風呂に入る　イ ぬるめのお風呂に入る　ウ 緑茶を飲む］ことを勧める。

(3) 手浴（しゅよく）・足浴（そくよく）は、［ア 温めて動かすことで拘縮（こうしゅく）予防につながる　イ 眠気がとれて覚醒する　ウ 冬場は寒いので避ける］。

※拘縮とは、関節がこわばって曲げ伸ばしできなくなった状態です。

＋One

洗濯表示（2018.12以降）

		記号
基本記号	①洗濯処理	（洗濯おけ）
	②漂白処理	△
	③乾燥処理	□
	④アイロン仕上げ処理	（アイロン）
	⑤商業クリーニング処理	○
付加記号	⑥弱い処理	―
	⑦非常に弱い処理	＝
	⑧処理温度　③④の処理温度については、右のドットで表示（数が増えると処理温度がより高いことを表す）	・　・・　・・・　・・・・
	⑨処理・操作の禁止	×

【例】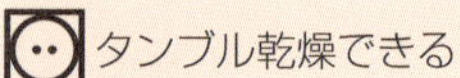

底面温度200℃を限度としてアイロン仕上げ処理ができる

日陰の平干しがよい

タンブル乾燥できる

＋One 布団についたダニアレルゲンは、たたいて、掃除機で吸い取り、除去します。

3 次の文章の［　　］にあてはまる語句を、それぞれア～ウから選びなさい。

(1) 訪問販売のクーリング・オフ期間は、［ア 8日間　イ 10日間　ウ 20日間］である。

(2) ［ア デパートで自分が選んで購入した商品　イ 通信販売　ウ 訪問販売でのリフォーム工事完了後］は、クーリング・オフできる。

(3) 「家計調査」によると高齢単身無職世帯では、［ア おもな収入源は仕送りである　イ おもな支出は保健医療費である　ウ 消費支出が可処分所得を上回っている］。

+One 悪質商法や詐欺の被害にあわないよう、安易に信用・信頼しないで第三者に確認します。

4 次の文章の［　　］にあてはまる語句を、右記の語群から選びなさい。

(1) 下痢が続いている場合、［ ① ］し、排泄物(はいせつ)は［ ② ］として取り扱う。

(2) 便秘を訴える場合、［ ③ ］食品を勧め、マッサージは［ ④ ］の順に行う。

(3) 老人性掻痒症(そうよう)がある場合、入浴では［ ⑤ ］を使い、下着は［ ⑥ ］とする。

(4) 誤嚥(ごえん)性肺炎の既往がある利用者に脱水が疑われる場合、入浴を勧めることは［ ⑦ ］。また、おやつには［ ⑧ ］を勧める。

(5) 認知機能が低下している利用者が、深夜、不眠で歩き回っている場合、［ ⑨ ］のではなく、［ ⑩ ］。

+One 唇が乾燥している、手の甲の皮膚をつまむと形がそのまま残る、排尿回数が少ない、尿の色が濃い、などがみられたら、脱水を疑います。

語群

・適切に水分摂取　・温めた牛乳を提供　・感染源
・食物繊維の多い　・食物繊維の少ない
・下行結腸・横行結腸・上行結腸
・上行結腸・横行結腸・下行結腸
・硫黄を含む入浴剤
・弱酸性の石鹸　・厚めの羊毛素材　・やわらかい木綿素材
・適切である　・適切ではない
・コーヒー　・ゼリー
・すぐに部屋に戻り、寝るように促す　・いったん座るように促して、話を聞く

※老人性掻痒症は皮膚の乾燥によるかゆみで、老化が原因と考えられています。誤嚥性肺炎は、誤嚥が原因で生じている肺炎です。

17日目 テーマ なぞって覚える

終末期に向けた介護

学習日 ／ ／

ポイント1 閉じこもり・寝たきり予防の介護

・閉じこもりは、廃用症候群を引き起こし、寝たきりとなってしまいます。
（さまざまな要因が重なり、悪循環することも多いです）

身体的要因	歩行能力低下、手段的日常生活動作（IADL）障害、認知機能低下、散歩・体操や運動をほとんどしない、日常生活自立度低下、視力・聴力低下、下肢（かし）の痛み
心理的要因	日常生活動作（ADL）に対する自己効力感（できるという自信）の低さ、主観的健康感の低さ、うつ傾向、生きがいがない
社会・環境要因	高齢であること、集団活動などへの不参加、家庭内での役割が少ない、社会的役割の低さ、親しい友人などがいない

・散歩など外出の機会をもつことが大切です。
（本人が楽しんで行うことが大切で、ほかのレクリエーションで代替(代わりに)できるものではありません）

・必要以上の福祉用具を利用したり、介助者が手助けし過ぎることを避けます。
（トイレまで歩けるのにポータブルトイレを使用したりすることなどです）

・寝かせきりが寝たきりをつくるので、寝食分離が大切です。

ポイント2 本人や家族の意向を尊重した対応

・家族介護者が、「できる限り介護は自分でしたい」と希望している場合、在宅で家族介護者が介護を続けられるよう支援します。
（家族に休養を提供するためのレスパイトケアも大切です）

・介護方法は、安全な方法であれば、これまで介護を行ってきた家族のやり方を尊重します。

・無責任なはげましや安易に施設入所を勧めることは避けます。

・見守りが必要となった場合も、プライバシーへの配慮は必要です。
（部屋の様子がわかるようカメラを設置したり、出入口の戸を外すことは不適切です）

ポイント3 終末期の介護と家族への配慮

- 終末期：終末期はあらゆる苦痛の緩和が重要です。◢トータルペイン（全人的苦痛）に着目

身体的な痛み	心理的な痛み	社会的な痛み	霊的な痛み
痛みや全身の倦怠感、苦悶感など、身体状況による苦痛	死を需要するまでの葛藤や苦悩	家族関係やその他の人間関係など、社会的な要因による気がかりや苦悩	実存の痛み。存在の危機に陥ったとき、存在の意味を問う

- 死への恐怖を訴えたら、否定せず、訴えを傾聴し、共感的理解を示し、本人が受容できるようかかわります。
- 本人も家族も、悔いを残さない最後が迎えられるよう看取りの方針を確認します（終末期に再確認）。本人の意思だけでなく家族の意向も大切です。
  できればリビングウィルとして書面に◢
- 死にゆく過程や看取りの方法など、家族に対する死の教育を行います。
- 死別の前から、グリーフ（悲嘆）ケアを行い、死後の処置に家族も参加するなど、最後のお別れに配慮します。◣死別を予期して襲われる予期悲嘆への対応も重要

ポイント4 終末期の変化・過程

- キューブラー・ロスは、死を受容するために5段階のプロセスを経ることを示しました。

段階		
第1段階	否認	何かの間違いだ、と事実を否定する
第2段階	怒り	何で自分が、と不安や不満が怒りとなって現れる
第3段階	取引	これをすれば生命が延びるかもしれない、あれはやっておきたい、と死と取引しようとする
第4段階	抑うつ	やはりだめなのか、と抑うつ的な気持になる
第5段階	受容	怒りや抑うつは消え、死を受容する

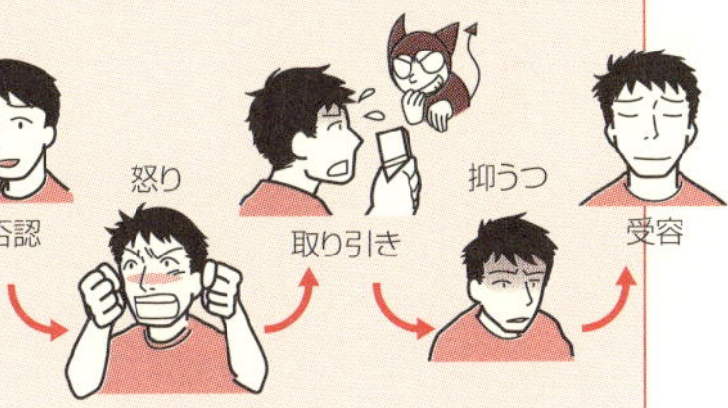

死を受容するまでの５段階

- 死亡直前の身体変化では、尿量の減少がみられます。◢徐々に減少していくので、チェックします
- 臨死期の呼吸は、下顎（かがく）呼吸となります。◢口をパクパク、下あごを引いて行う呼吸
- 意識がないようにみえても、聴覚は残っているといいます。◢最期まで声かけを行います
  早期死体現象と呼ばれます◥
- 死後には、皮膚の死斑（しはん）、筋肉・関節の硬直（こうちょく）、角膜の混濁などがみられます。

❶ 次の文章の[　　]にあてはまる語句を、右記の語群から選びなさい。

閉じこもりは、[①]を引き起こし、[②]につながる。閉じこもりとなる要因には、歩行能力や視力・聴力の低下などの[③]要因、うつ傾向などの[④]要因、親しい友人がいないなどの[⑤]要因などがある。散歩など、[⑥]の機会をつくることが大切である。[⑦]サービスの利用も有効である。[⑧]にさせないで、起こすようにし、できる限り[⑨]とし、[⑩]を引き出すような支援が求められる。

+One 施設に入所したばかりのときは、少しでも早くなじみの職員ができるよう支援することも必要です。

語群

- 廃用症候群
- 寝たきり
- 寝かせきり
- 寝食分離
- 身体的
- 心理的
- 社会・環境
- 外出
- 訪問系
- 通所系
- 入所系
- 生活意欲

❷ 次の文章の[　　]にあてはまる語句を、それぞれア～ウから選びなさい。

(1)「できる限り介護は自分でしたい」という家族に、[ア 間違ったやり方をその場で指摘した　イ 家族の介護方法を尊重した　ウ「最期まで頑張りましょう」とはげました]。

(2) 在宅での終末期を希望している利用者の家族に、[ア「家では心配なので、入院しましょう」　イ「好きなものを食べてもらうようにしましょう」　ウ「なるべく寝ているようにしましょう」]と助言した。

(3) 配食サービスのメニューに不満をもらす糖尿病の利用者に、[ア「好きなものを食べたいですよね」と共感した　イ「お菓子はだめですよ」と注意してお菓子のカロリー相当分の主食を減らした　ウ「飲み忘れたお薬は、まとめて飲みましょう」と服薬を促した]。

+One たとえば、家族は認知症の悪化が心配で、外出や人と話す機会を設けたいと考えているのに、本人は通所サービスの利用に不安を感じている場合、認知症カフェなら一緒に利用できます。

❸ 終末期にある人の介護に関する次の文章の［　　］にあてはまる語句を、右記の語群から選びなさい。

(1) 安楽な姿勢を保ち［ ① ］を緩和し、声かけは［ ② ］行う。
(2) 臨終期には［ ③ ］を記録し、［ ④ ］を清潔に保つ。
(3) 臨終期には定期の入浴は［ ⑤ ］ようにし、夜間の巡回は［ ⑥ ］。
(4) 施設での終末期の事前の意思確認は［ ⑦ ］しておく、また家族には［ ⑧ ］工夫する。
(5) ［ ⑨ ］が医療処置の範囲を説明し、［ ⑩ ］の了解を得ておく。

＋One マッサージや手を握ったり、好きな音楽を鑑賞することは、疼痛(とうつう)や不安の緩和に有効です。食事は栄養摂取よりも好きなもの・食べたいもので。

語群

・身体的苦痛　・あらゆる苦痛
・意識がなくなるまで
・意識がなくなっても　・体重
・尿量　・口腔内　・行う
・控える　・口頭確認　・書面に
・そばに居やすいよう
・介護職　・医療職
・本人と家族　・家族

❹ 終末期に関する次の文章の［　　］にあてはまる語句を、それぞれア～ウから選びなさい。

(1) キューブラー・ロスによると、「なぜ私だけが病気になって、死ななければならないのか」というのは、［ア 怒り　イ 取引　ウ 受容］の段階である。
(2) キューブラー・ロスによると、「末期がんなら、何をしてもどうせ無駄だ」というのは、［ア 否認　イ 抑うつ　ウ 受容］の段階である。
(3) 死亡直前には、［ア 筋肉の硬直　イ 尿量の減少　ウ 角膜の混濁］がみられる。

＋One 自宅で看取る方針が合意されている場合、急変したときは、まず、かかりつけ医に連絡します。

18日目 テーマ 介護過程の展開

なぞって覚える

学習日 ／ ／

ポイント1 介護過程の基本

利用者が望む生活の実現が目的です

- 介護過程とは、介護の目的を実現するための、客観的で科学的な思考と実践の過程をいいます。

介護福祉職の経験だけに頼ってはいけません

- 一連の介護過程は、根拠に基づいた介護の実践を可能にし、介護の専門性を高めます。

情報収集 → アセスメント → 課題・目標 → 計画 → 実施・モニタリング → 評価

介護過程

- 情報収集 → アセスメント → 課題・目標 → 計画 → 実施 → モニタリング → 評価

新たな問題が発生していれば、再アセスメントを行います

- モニタリングは、計画どおり実施できているかを点検し、実施状況を把握する過程です。

結果だけでなく、実践過程も評価します

- 介護過程を終結するときは、評価を行います。
- 介護過程の評価は、介護福祉職が責任をもって実施します。

ポイント2 目標設定と援助計画の立案

- 情報は、主観的情報と客観的情報とを多角的視点から収集します。

利用者の「やりたいこと」「できること」などを収集します

潜在的な課題も取り上げ、優先順位をつけます

- 収集した情報を互いに関連づけて、分析・解釈し、利用者の全体像を把握します。
- 明らかになった課題をもとに、利用者が主体的に取り組める目標を設定します。

短期目標は行動目標で評価の基準ともなります

利用者の望むことをすべて取り入れるものでも、嫌がることを検討しないものでもありません

- 利用者本人と家族の意向を反映した介護計画を作成します。

- 生活課題を解決するための実現可能な具体的計画とします。

計画の見直しの時期も決めておきます

ポイント3 介護過程の展開とチームアプローチ

- チームアプローチの中心は、常に 利用者 です。
  アプローチを主導する職種は内容により異なり、メンバーは流動します。介護過程の目的や目標はチーム内で共有します。
  （流動します ∟ボランティアがメンバーとなることもあります）
- 訪問介護員（ホームヘルパー）は、利用者や家族の思いを 代弁 します。
  （訪問介護員 ∟本人や家族に接する機会も多く変化に気づきやすい）
- 介護目標は、利用者本人が到達すべきできる行動・行為で、長期 目標 → 短期 目標を設定します。介護記録 には、客観的事実を記録します。
  （短期 ∟行動目標）
- 生活支援の課題にはアセスメントで 優先順位 をつけ、状況が変化した場合は変化の背景を確認し 介護計画 を変更します。
  （介護計画 ∟臨機応変な対応が求められます）
- 介護保険制度では 介護支援専門員 がサービス担当者会議を主催します。
  （介護支援専門員 ∟ケアマネジャー）

ポイント4 地域のネットワークづくり

- 地域包括（ほうかつ）支援センター……保健・医療・福祉の総合的な情報提供および地域における関連機関の拠点で、高齢者虐待防止ネットワーク構築の中心です。
  （∟高齢者にかかわるボランティアや民生委員などと連携します）
- 利用者を中心に複数の個人や集団間で構成される ソーシャル・サポートネットワーク の構築が有効です。
  （∟フォーマルとインフォーマルを有機的（ひとつの生き物のよう）に連携させます）
- 利用者や家族を取り巻くさまざまなシステムとの関係を表すのに、エコマップが有効です。
- セルフヘルプグループ は、同じ経験や悩み、問題をもつ当事者本人たちが課題を共有し、自主的・主体的に、交流しながら活動します。
  （∟自助（じじょ）集団ともいわれ、「患者会」「親の会」などがあります）
- ボランティア は、自発的・自主的な活動を意味し、地域のネットワーク化に重要です。
  （∟法人が行う活動も含まれ、無償（タダで行う）の活動に限定されません）
- 住民の理解と協力を得て、地域で問題を共有し、見守り活動などを行っていくことが重要です。

学習日 ／ ／

❶ 介護過程に関する次の文章の［　　］にあてはまる語句を、右記の語群から選びなさい。

一連の介護過程は、情報収集、［ ① ］、目標の設定、［ ② ］、支援の実施、［ ③ ］、［ ④ ］からなる。

［ ⑤ ］が望む、よりよい生活の実現のために、［ ⑥ ］を明らかにし、［ ⑦ ］で［ ⑧ ］な目標を設定する。計画どおりに実施できているかを［ ⑨ ］に点検し、目標が達成されれば、介護過程を終結させる。

一連の介護過程の責任は、［ ⑩ ］にある。

ヒント 介護過程の目的は、決して、介護福祉職の業務の効率を優先することではありません。

語群

・アセスメント　・モニタリング　・ケアプラン立案
・評価　・利用者　・家族
・介護福祉職　・医療関係者
・生活課題　・抽象的
・具体的　・実現可能
・実現不可能　・定期的
・最後　・最初

❷ アセスメントに関する次の文章の［　　］にあてはまる語句を、右記の語群から選びなさい。

(1) ［ ① ］を分析し、［ ② ］を予測する。

(2) 利用者の嫌がることは［ ③ ］、利用者が望むことはすべて［ ④ ］。

(3) 課題を抽出するために［ ⑤ ］を検討し、課題が複数ある場合は、［ ⑥ ］。

(4) アセスメントの［ ⑦ ］に、介護計画を立案するが、［ ⑧ ］計画とする。

(5) 利用者が［ ⑨ ］目標を設定し、計画の［ ⑩ ］を決めておく。

+One 情報は、多角的・継続的に収集しますが、収集した情報は、取捨選択したうえで、必要な情報のみを記録します。

語群

・今できている活動
・これからできそうな活動
・検討しないで　・理由も含めて検討し　・取り入れる
・取り入れるということではない
・1つの情報のみ　・複数の情報
・個人因子による課題を優先する
・環境因子による課題を優先する
・優先順位をつける　・前　・後
・介護福祉職の過去の成功体験をそのまま取り入れた
・客観的で科学的な根拠に基づいた　・実現不可能な
・主体的に取り組める
・見直し時期　・終了時期

❸ チームアプローチに関する次の文章の［　　］にあてはまる語句を、それぞれア～ウから選びなさい。

(1) チームアプローチの中心は、［ア 医療職　イ 介護福祉職　ウ 利用者］である。
(2) チームメンバーの人数は、［ア 常に一定である　イ 流動する　ウ ボランティアは含めない］。
(3) チームアプローチでのホームヘルパーの役割のひとつに、［ア ケアプランの変更　イ 利用者の思いの代弁　ウ チームアプローチの指導］がある。

+One チームアプローチによって、継続的な介護を提供します。

❹ 次の文章の［　　］にあてはまる語句を、それぞれア～ウから選びなさい。

(1) ［ア 地域包括支援センター　イ 老人福祉施設　ウ 警察署］は、地域で高齢者虐待防止ネットワーク構築の中心となる。
(2) セルフヘルプグループの目的は、［ア 療養上の管理指導を行う　イ 専門的知識を提供する　ウ 課題を共有する］ことである。
(3) エコマップは、［ア 利用者や家族を取り巻くさまざまなシステムとの関係　イ 数世代にわたる家族関係　ウ 血圧、脈拍、呼吸、体温の値］を記載するものである。

ヒント 地域包括支援センターは、介護保険法に基づく施設で、地域活動支援センターは、障害者総合支援法に基づく施設です。

ここもチェック!

数字を覚える(統計情報など)

厚生労働省の「人口動態調査」「人口推計」等の現状と介護に関する数値を把握しておきましょう。

人口に関する数値指標

- 総人口は大きく減少傾向で、1億2千6百万人となっています
- 高齢化率(総人口に占める65歳以上の高齢者人口割合)は、28%を超え、過去最高を更新し続けています
- 75歳以上人口割合は、14%を超え、さらに上昇を続けています
- 65歳人口(人数)は、年少人口(0～14歳)の2倍を超えています
- 合計特殊出生率(15～49歳までの女性の年齢別出生率の合計)は、1975(昭和50)年に2.0を下回り、徐々に減少、2005(平成17)年には過去最低の1.26まで落ち込みました。その後、少子化対策も取られ微増傾向で、近年では約1.4を保っています
- 子育て世代が希望通りに子どもを持てる「希望出生率」1.8を目標としているところです。

健康や介護に関する数値指標

- 平均寿命は、男性は81年、女性は87年を超えています
- 死因順位は、第1位悪性新生物、第2位心疾患、第3位肺炎、第4位脳血管疾患です(2017年人口動態より)

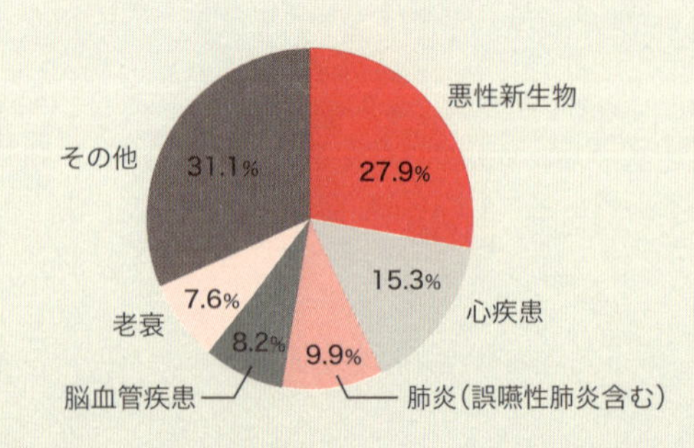

- 健康寿命(日常生活に制限のない期間)は、2016(平成28)年で、男性72.14年、女性74.79年で、平均寿命と約10年の開きがあり、また、その延びは、平均寿命の延びに比べて小さいです
- 要介護認定・要支援認定を受けた人の割合は、第1号被保険者の約18%です
- 65～74歳で要支援・要介護認定を受けた人は約4.0%であるのに対し、75歳以上で要支援・要介護認定を受けた人は約32.0%です。75歳以上になると要介護認定を受ける人の割合が大きく上昇します
- 65歳以上の要介護者等が介護が必要になった原因は、要支援者では「関節疾患」が20%を超えて最も多く、要介護者では「認知症」「脳血管疾患(脳卒中)」「高齢による衰弱」「骨折・転倒」の順です
- 「認知症高齢者の日常生活自立度」Ⅱ以上の認知症高齢者数は、2020年に410万人、2025年に470万人と予測されています

安全・安心に関する数値指標

- 養護者による高齢者虐待では、身体的虐待が約6割と最も多いです
- 虐待の加害者は、息子が約4割と最も多く、被虐待高齢者は、女性が約7割を占め、7割以上が要介護3以上です
- 後見開始等の申立件数は、増加傾向で、3万5千件を超えています
- 親族以外の第三者が成年後見人等に選任されたケースが、7割以上を占めています

第3章

こころとからだのしくみ

専門職としてより質の高い介護を提供するために、人間のこころとからだのしくみを学びます。基本的なしくみは同じですから、自分にあてはめて、こころやからだを動かしてみることが理解を助けるでしょう。「発達と老化の理解」「こころとからだのしくみ」では、加齢に伴う変化や起こりやすい症状について学びます。「認知症の理解」「障害の理解」では、それぞれに特有の症状や日常生活への影響などを整理して、対応を学びます。

テーマ 19日目 なぞって覚える

加齢に伴う心身の変化

学習日 / /

ポイント1 発達についての考え方

- ピアジェは、認知機能はシェマ（認知的枠組み）の形成により、
  感覚運動期 → 前操作期 → 具体的 操作期 → 形式的 操作期と発達するととらえました。
  （前操作期：保存の概念が確立します／形式的操作期：抽象的思考が可能となります）
- エリクソン は、発達段階を8段階に設定し、乗り越えるべき発達課題があるととらえました。
  （青年期：自我同一性対同一性混乱、老年期：自我の統合対絶望感など）
- ハヴィガースト は、発達段階を6段階に設定しました。
  （乳幼児期：善悪の区別、児童期：読み書き計算の基本的技能、青年期：大人たちからの情緒面の自立など）

ぶーん

ポイント2 老化と老性自覚

- WHOでは、高齢者を 65歳以上 と規定しています。
  （65歳以上の人口割合が7%以上を高齢化社会、14%以上を高齢社会といいます）
  （75歳以上：後期高齢者）
- 老いを自覚することを 老性自覚 といい、年齢やきっかけは個人差が大きいです。
  （サクセスフルエイジングは幸福な老いをいい、主観的幸福感です）
- エイジズム（年齢差別）を否定して、プロダクティブ・エイジングの概念が生まれました。
  （生涯を通じたプロダクティブな活動で高齢者の自立を目指します）
- ライチャード は、定年退職後の男性の人格特性を5類型に分けました。

類型	特徴	
円熟型	現実に対して柔軟な対応ができ、自分の人生を受容し、積極的に社会参加していく	適応
安楽椅子（ロッキングチェア）型	定年退職を歓迎し、責任から解放された現実を喜び、受動的・消極的ながらも、新しい環境に適応	適応
装甲（自己防衛）型	いつまでも忙しくすることで防衛	適応
憤慨（外罰）型	自分の過去や現在を受け入れることができない 他人に対して攻撃・非難、死に対する恐怖が強い	不適応
自責（内罰）型	自分の人生を失敗と評価、後悔や自己批判が強い	不適応

- 過去の人生経験の蓄積によって形成される知能を 結晶性 知能といい、加齢とともに発達し、生活習慣や訓練で維持が可能です。

ポイント3 加齢に伴う身体の変化と日常生活への影響

<table>
<tr><td>視覚</td><td colspan="3">近方視力の低下、視野が狭くなる、明暗順応鈍化、識別に必要な照度が
└いわゆる老眼　└明るさ暗さに目が慣れること
高くなる、赤色系に比べ青色系の識別困難</td></tr>
<tr><td>聴覚、
平衡感覚</td><td>高音域から障害、
平衡感覚低下</td><td>味覚</td><td>味覚の感受性低下、特に、塩味の感受性低下</td></tr>
<tr><td>体内水分量の減少</td><td>脱水を起こしやすくなる</td><td>血中ヘモグロビン量の減少</td><td>貧血傾向</td></tr>
<tr><td>腎血流量の低下</td><td colspan="3">薬の作用・副作用が出やすくなる</td></tr>
<tr><td>排尿障害</td><td colspan="3">がまんできずに漏れる切迫性尿失禁／くしゃみなどで漏れる腹圧性尿失禁／前立腺肥大症などの尿閉による溢流性尿失禁／身体障害や認知症による機能性尿失禁</td></tr>
<tr><td>睡眠</td><td colspan="3">高齢者では、眠りが浅く、中途覚醒が増え、睡眠の質が低下
└ノンレム睡眠（深い眠り）とレム睡眠（浅い眠り）を交互に繰り返します
ヒトにはほぼ24時間周期の概日リズムがある</td></tr>
</table>

ポイント4 高齢者の症状の一般的な特徴

- 高齢者の疾患は、QOLへの影響が大きいといえます。

非定型的	さまざまな症状が出現したり消失したりする
境界が不明瞭	正常な老化と疾患の境界が不明瞭
個人差が大きい	症状や検査値は個人差が大きい
多疾患の合併	一人でいくつもの疾患を抱える
潜在的臓器障害	各臓器の機能は低下傾向にあり、潜在的な臓器障害が多い
慢性疾患	完治が困難な慢性疾患が多い
うつ症状	さまざまな喪失体験でうつ症状を伴いやすい

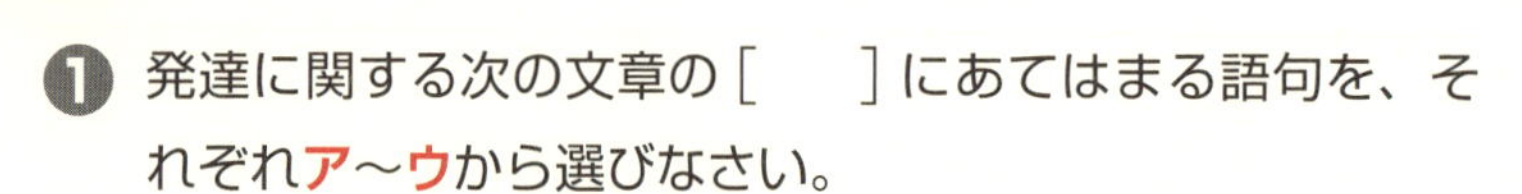

❶ 発達に関する次の文章の［　　］にあてはまる語句を、それぞれア〜ウから選びなさい。

(1) ピアジェによると、ごっこ遊びができるようになる認知発達段階は、［ア 感覚運動期　イ 前操作期　ウ 具体的操作期］である。

(2) エリクソンによると、老年期の発達課題は、［ア 自我同一性　イ 親密さ　ウ 自我の統合］である。

(3) ハヴィガーストによると、乳幼児期の発達課題は、［ア 善悪の区別の習得　イ 読み書き計算などの基礎的技能の習得　ウ 社会的に責任ある行動をとること］である。

ヒント エリクソンの発達段階説によると、30歳頃から60歳頃までの壮年期の発達課題は、生殖性で、次世代につながるものを育てることです。

❷ 次の文章の［　　］にあてはまる語句を、下記の語群から選びなさい。

(1) 介護保険制度の第1号被保険者になる年齢は、［ ① ］歳以上である。また、全人口に占める高齢者人口割合が14%以上の社会を［ ② ］という。

(2) 老性自覚には個人差が［ ③ ］、主観的幸福感による幸福な老いを［ ④ ］という。

(3) ライチャードによると、定年退職を歓迎し、責任から解放された現実を喜ぶタイプは、［ ⑤ ］といい、［ ⑥ ］型である。

(4) ライチャードによると、自分の人生を失敗と評価し、後悔や自己批判が強いタイプは、［ ⑦ ］といい、［ ⑧ ］型である。

(5) 過去の人生経験の蓄積によって形成される知能を、［ ⑨ ］知能といい、加齢に伴って［ ⑩ ］する。

＋One 社会情動的選択理論によると、高齢になると、残りの時間が限られていると知覚され、情動的な満足を求め、社会的関係を選択するようになるといいます。

語群

・60　・65　・70　・75
・高齢化社会　・高齢社会
・超高齢社会　・大きく
・小さく　・エイジズム
・プロダクティブ・エイジング
・サクセスフルエイジング
・円熟型　・安楽椅子型
・装甲型　・憤慨型　・自責型
・適応　・不適応　・流動性
・結晶性　・低下　・上昇

❸ 加齢に伴う身体の変化に関する次の文章の［　　］にあてはまる語句を、下記の語群から選びなさい。

加齢に伴い、視野は［ ① ］なり、［ ② ］に比べて［ ③ ］の識別が困難になる。聴覚は、［ ④ ］から障害される。味覚の感受性は低下し、特に［ ⑤ ］の感受性が低下する。体内の水分量は［ ⑥ ］する。咳やくしゃみ、笑ったときなどに尿が漏れてしまうものを［ ⑦ ］といい、高齢の女性に多い。尿閉が原因で、溜まった尿がだらだらと漏れるものを［ ⑧ ］といい、高齢の男性に多い。高齢者では睡眠の質が低下し、睡眠障害が増える。［ ⑨ ］には覚醒作用があり、不眠の原因となる。睡眠が不足すると［ ⑩ ］の働きが低下する。

❹ 高齢者の症状の特徴に関する次の文章の［　　］にあてはまる語句を、それぞれア～ウから選びなさい。

(1) 高齢者の疾患（しっかん）の症状は、［ア 定型的である　イ 非定型的である　ウ 合併症が少ない］。
(2) 高齢者の疾患は、［ア 急性疾患　イ 慢性疾患　ウ 軽度な疾患］が多い。
(3) 高齢者の疾患は、［ア うつ症状を伴いやすい　イ 環境の影響を受けにくい　ウ QOLへの影響が少ない］。

＋One 加齢に伴い、皮膚表面は乾燥し、知覚神経機能は鈍化します。

語群

・広く　・狭く　・青色系
・赤色系　・高音域
・低音域　・甘味　・塩味
・酸味　・苦味　・増加
・減少　・切迫性尿失禁
・腹圧性尿失禁　・溢流性尿失禁　・機能性尿失禁
・男性　・女性
・カフェイン　・プロテイン
・交感神経　・副交感神経

＋One **概日リズム**
ヒトにはほぼ24時間周期の概日リズムがあり、外界が暗くなるとメラトニンが分泌され眠りを誘い、明るくなるとセロトニンが分泌され、交感神経を刺激して脳を覚醒、体内時計を調節し、1日のリズムをつくり出します。

ヒント 高齢者は、ストレスによる影響を受けやすく、被災後に、イライラ、睡眠障害、夜中の覚醒など、過覚醒状態がみられる心的外傷後ストレス障害を引き起こしてしまうことも多いです。

高齢者に起こりやすい不調・疾患（しっかん）

ポイント1 加齢による運動器系の変化と疾患

- 加齢に伴って筋量は 減少 し、筋力が 低下 します（筋萎縮（きんいしゅく））。
  筋萎縮は、上肢よりも下肢に現れやすいです
- 加齢に伴う筋力の減少、または老化に伴う筋肉量の減少を、 サルコペニア といいます。
  ふらつきや転倒・骨折のリスク要因となります

サルコペニアの診断	①筋肉量減少／②筋力低下（握力など）／③身体機能の低下（歩行速度など）

- 加齢に伴って関節液は 減少 し、関節可動域は 制限 されます。
- 加齢に伴って骨量は減少し、骨密度は低下します。
  骨がスカスカ状態に
- 骨粗鬆症（こつそしょう） では、 脊柱（せきちゅう）の変化 や低身長化がみられます。
- ロコモティブ・シンドローム は、加齢による運動器系の機能の衰えにより、日常生活での自立度が低下し、介護が必要になったり、寝たきりになったりする可能性が高い状態をいいます。
  要支援者での介護が必要になった原因は、変形性膝関節症など「関節疾患」が最も多いです

ポイント2 加齢による循環器系の変化と疾患

脈拍数	加齢に伴い脈拍数は 減少 、刺激伝導系の障害で 不整脈 が増加
血圧	動脈硬化 の影響で、 収縮期血圧 が上昇傾向
心臓	高血圧の影響で、心臓は肥大

- 不整脈の一種である 心房細動（しんぼうさいどう） では、 頻脈（ひんみゃく） がみられ、合併症として 脳梗塞（のうこうそく） が多いです。
  高血圧がリスクファクターです
  ワルファリン投与で予防します
- 一過性脳虚血発作（いっかせいのうきょけつほっさ） を繰り返す場合、 脳梗塞 を発症しやすいです。
  一時的に脳の血流が悪くなり、めまいなどを生じます
- くも膜下出血は、突然の激しい頭痛、嘔気（おうき）（はきけ）、嘔吐（おうと）を伴って発症します。
- 虚血性心疾患（きょけつせいしんしっかん）には、 狭心症（きょうしんしょう） と 心筋梗塞（しんきんこうそく） があります。
  酸素不足
  胸痛は、数分～15分程度
  胸痛が30分以上持続、左肩への放散痛（離れて散らばる痛み）も

ポイント3 高齢者に起こりやすい疾患

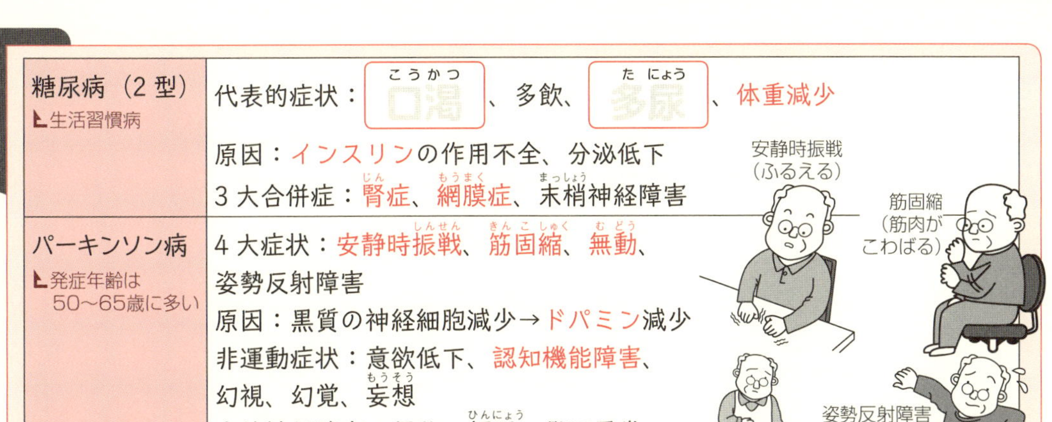

糖尿病（2 型） ∟生活習慣病	代表的症状：口渇、多飲、多尿、体重減少 原因：インスリンの作用不全、分泌低下 3 大合併症：腎症、網膜症、末梢神経障害
パーキンソン病 ∟発症年齢は 50〜65歳に多い	4 大症状：安静時振戦、筋固縮、無動、姿勢反射障害 原因：黒質の神経細胞減少→ドパミン減少 非運動症状：意欲低下、認知機能障害、幻視、幻覚、妄想 自律神経障害：便秘、頻尿、発汗異常、起立性低血圧
肺炎 ∟死因第 3 位	初発症状：高熱、咳、痰 ◢高齢者では高熱がみられないこともあります 原因：肺炎球菌、インフルエンザ（ワクチンで予防します）、誤嚥性肺炎 ◢口腔ケアで予防します
肝炎	B 型・C 型：◢ウイルスが原因 血液を介して感染 → 持続感染 → 慢性肝炎 → 肝硬変 → 肝がん
	アルコール性：大量飲酒 → 肝炎 → 肝硬変 ∟脂肪肝を背景とする非アルコール性の肝炎もあります

ポイント4 高齢者に起こりやすい精神症状

- 高齢期は、さまざまな  喪失体験 から  うつ病 を発症しやすいです。
  ∟身体の衰え・病気、社会的役割の喪失、親しい人との死別・離別など
- 高齢者のうつ病は、若年者と比べて、不安や焦燥感、心気的傾向を示しやすく、 妄想 、身体症状の訴えが多いです。
  ∟深刻な病気では、という不安
- 高齢者のうつ病は、自殺の原因です。
  ∟自殺を試みて死に至る率は、若年者より高いです
- 老年期に発症する統合失調症は、遅発性統合失調症といわれ、妄想が特徴的です。
  近隣からの被害妄想などを訴えます
- 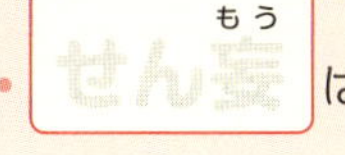 せん妄 は、夜間 に生じやすいです。◢夜間せん妄といいます。意識障害です

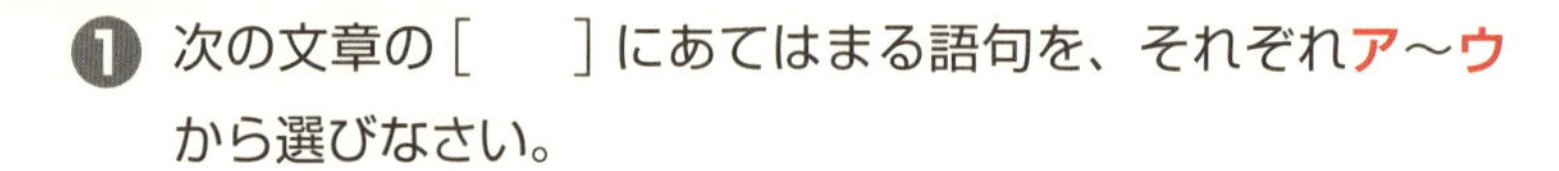

1 次の文章の［　　］にあてはまる語句を、それぞれア～ウから選びなさい。

(1) 加齢に伴い、筋力は［ア 低下する　イ 増加する　ウ 変化しない］。関節可動域は制限される。

(2) 要支援者の介護が必要になった原因は、［ア 脳血管障害　イ 変形性膝関節症　ウ 心疾患］が最も多い。

(3) 骨粗鬆症（こつそしょう）は、［ア 若い女性　イ 高齢の女性　ウ 高齢の男性］に多い。

+One 加齢に伴う筋肉量の減少は、上肢よりも下肢に顕著で、たんぱく質摂取量不足との関連が指摘されています。

+One 変形性膝関節症（へんけいせいひざかんせつしょう）
膝関節の軟骨が少しずつ減り、階段の昇降時に痛みが出たり、痛くて正座できなくなったりします。関節に負担の少ない運動やストレッチを心がけるようにします。

ヒント 要介護者の介護が必要となった原因で、最も多いのは認知症です。

2 次の文章の［　　］にあてはまる語句を、右記の語群から選びなさい。

加齢に伴い、血管の弾性線維（だんせいせんい）が［ ① ］し、血管壁は［ ② ］し、内腔（ないくう）は［ ③ ］なる。動脈硬化の影響で、［ ④ ］が高くなる傾向にある。高血圧の9割以上は、［ ⑤ ］といわれる。高血圧の影響で、心臓は［ ⑥ ］する。高血圧がリスクファクターとなる［ ⑦ ］は、［ ⑧ ］がみられ、合併症として［ ⑨ ］が多い。心筋に壊死（えし）が生じた［ ⑩ ］では、重篤な不整脈やショックをきたす。

+One メタボリック・シンドロームは、内臓脂肪型肥満に加え、高血糖、高血圧、脂質異常のうち２つ以上を併せもった状態です。

語群
・増加　・減少　・肥厚
・萎縮　・広く　・狭く
・拡張期血圧　・収縮期血圧
・本態性高血圧　・二次性高血圧
・肥大　・縮小　・心室細動
・心房細動　・頻脈　・徐脈
・脳出血　・脳梗塞
・くも膜下出血　・狭心症
・心筋梗塞

ヒント 血管の壁にコレステロールなどがたまって、血管の内側が狭くなったり、硬くなったりして、血液の流れが悪くなり、血液を送り出すときにより大きな力が必要になります。

❸ 次の文章の［　　］にあてはまる語句を、右記の語群から選びなさい。

(1) 糖尿病は、インスリンの作用不全・分泌不全で［ ① ］が続くもので、代表的症状に［ ② ］がある。

(2) 糖尿病の初期は、自覚症状が［ ③ ］ことが多く、健常者に比べ、感染症に［ ④ ］ことが知られている。

(3) パーキンソン病では、運動症状として［ ⑤ ］、自律神経症状として［ ⑥ ］がみられる。

(4) 高齢者の肺炎は、高齢者の死因順位［ ⑦ ］で、呼吸数は［ ⑧ ］する。

(5) 日本国内のウィルス肝炎の大部分を占めるのは［ ⑨ ］肝炎で、進行すると［ ⑩ ］へと病態が変化することが多い。

語群

- 高血糖 ・低血糖 ・多尿
- 乏尿 ・無尿 ・ある ・ない
- かかりにくい ・かかりやすい
- 多動 ・無動 ・下痢
- 便秘 ・第１位 ・第２位
- 第３位 ・減少 ・増加
- A型 ・C型 ・肝がん
- 肺がん ・大腸がん

+One パーキンソン病の姿勢反射障害では、曲がり角は大きく曲がってもらうようにします。

❹ 次の文章の［　　］にあてはまる語句を、それぞれア～ウから選びなさい。

(1) 高齢者のうつ病は、若年者に比べて、［ア 抑うつ気分　イ 不安や焦燥感　ウ 自殺］が目立たない。

(2) 老年期に発症した統合失調症では、［ア 自我障害　イ 妄想　ウ 陰性症状］が特徴的である。

(3) せん妄は、［ア 朝　イ 昼間　ウ 夜間］に悪化することが多い。

+One 「つらいから死にたい」という訴えには、「死にたいぐらい、つらいのですね」と共感的理解を示す対応が必要です。

21日目 テーマ 認知症の基本

なぞって覚える

学習日 ／

ポイント1 認知症とは何か

- 生後、一度、正常に発達した 知的機能 が、何らかの原因で 持続的に低下 し、日常生活や社会生活 に支障をきたすまで低下した状態をいいます。
  - 後天的障害で、進行性です

認知症	比較すると	せん妄
ゆるやか	発症	急激
徐々に進行、悪化	進行	急激に悪化、夜間 せん妄
不可逆的（もとにもどらない）	症状	一過性（回復する）
清明（意識障害がない）	意識	覚醒水準の低下（意識障害）

ポイント2 認知症の中核症状とBPSD

- 中核症状 ＝どの認知症にも共通してみられる症状
- 周辺症状＝出現には環境の影響が大きい
  - 認知症の行動・心理症状（BPSD）と呼ばれます

BPSD 行動症状	中核症状		BPSD 心理症状
攻撃的行動 暴力 暴言 徘徊 不潔行為 拒絶 など	記憶障害	新しい情報の学習、以前に学習した情報を思い出す能力の障害、忘れたことを自覚していない	抑うつ 不安 焦燥 幻覚 妄想 睡眠障害 など
	見当識障害	時間・場所・周辺の人物や状況の正しい把握・理解ができなくなる	
	理解・判断力 の低下	複数のことを同時に処理できなくなる、考えるスピードが遅くなる、いつもと違うと混乱する	
	実行機能障害	計画を立て実行することができない	
	失語・失行・失認	失語＝言語障害、失行＝動作ができない、失認＝対象を認識できない	

ポイント3 代表的な認知症の特徴

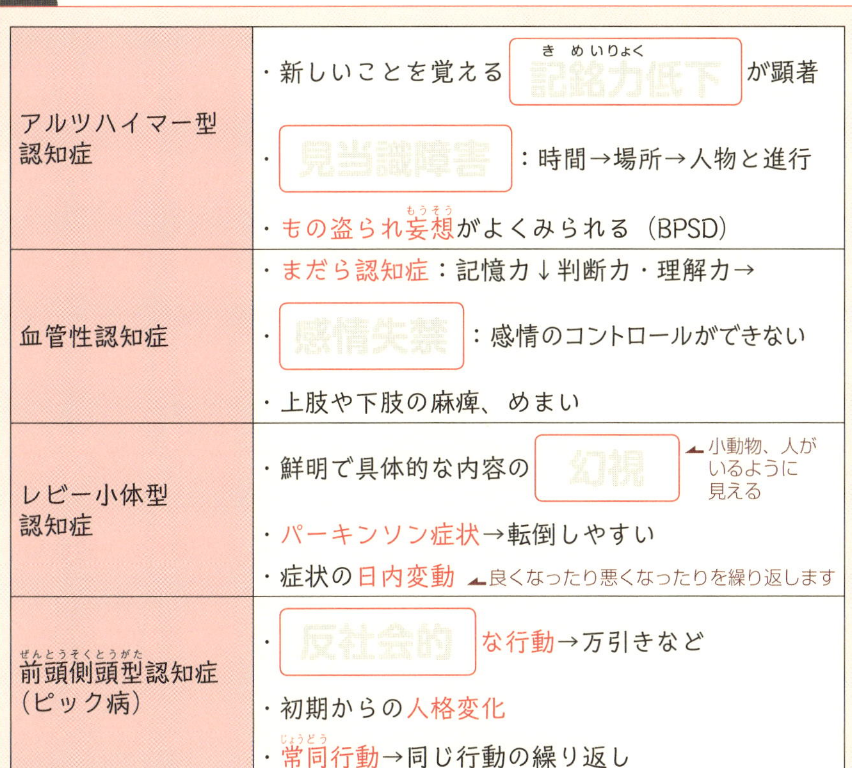

アルツハイマー型認知症	・新しいことを覚える 記銘力低下（きめいりょく） が顕著 ・見当識障害 ：時間→場所→人物と進行 ・もの盗られ妄想（もうそう）がよくみられる（BPSD）
血管性認知症	・まだら認知症：記憶力↓判断力・理解力→ ・感情失禁 ：感情のコントロールができない ・上肢や下肢の麻痺、めまい
レビー小体型認知症	・鮮明で具体的な内容の 幻視 ◢小動物、人がいるように見える ・パーキンソン症状→転倒しやすい ・症状の日内変動 ◢良くなったり悪くなったりを繰り返します
前頭側頭型認知症（ぜんとうそくとうがた）（ピック病）	・反社会的 な行動→万引きなど ・初期からの人格変化 ・常同行動（じょうどう）→同じ行動の繰り返し

ポイント4 認知症の検査・治療・予防

- 長谷川式認知症スケール（HDS-R）やMMSE（ミニ・メンタル・ステイト検査）は質問式の簡易評価スケールです。 ∟動作性課題（動作で答える）を含みます

認知症高齢者の日常生活自立度判定基準		ランク
日常生活は家庭内・社会的に自立		Ⅰ
支障をきたす症状・行動、意思疎通の困難さ	多少みられても誰かが注意していれば自立可能	Ⅱ
	ときどきみられ、介護を必要とする	Ⅲ
	頻繁にみられ、常に 介護を必要とする	Ⅳ
著しい精神症状・周辺症状、重篤な身体疾患（しっかん）がみられ、専門医療が必要		M

- 正常圧水頭症（せいじょうあつすいとうしょう）（◤シャント手術で改善）や慢性硬膜下血腫（こうまくかけっしゅ）は、早期発見で適切な治療を行えば、認知症の症状が大きく改善する可能性があります。 ∟原因疾患を治療します

学習日 ／ ／

❶ 認知症とせん妄(もう)に関する次の文章の[　　]にあてはまる語句を、右記の語群から選びなさい。

せん妄と比較した場合、認知症は、発症は[①]で、[②]進行、悪化する。症状は一般的に[③]で、意識は[④]である。一方、せん妄は、認知症と比べて、覚醒水準の低下を伴うこと、幻覚を伴うこと、日内変動を認めることが[⑤]といえる。

認知症の原因はさまざまだが、認知症に共通してみられる症状を[⑥]症状という。新しいことや大切なことが覚えられない[⑦]、親しい人がわからない[⑧]、計画を立てて段取りすることができない[⑨]、2つ以上のことが重なるとうまく処理できない[⑩]などがある。

ヒント せん妄は、薬剤が誘因となったり、入院や手術など環境の変化が誘因となったり、さまざまな原因で生じる一過性の意識障害で、2～3日から1週間程度で症状が改善することが多いです。

語群

・急激　・ゆるやか　・急激に
・徐々に　・階段状に
・可逆的　・不可逆的
・一過性　・清明　・混濁
・多い　・少ない　・中核
・周辺　・BPSD
・見当識障害　・実行機能障害
・記憶障害
・理解力・判断力の低下

❷ 認知症でみられる症状を説明している次の文章にあてはまる語句を、それぞれア～ウから選びなさい。

(1) 言葉を口に出すことができない→ ア 失語　イ 失行　ウ 失認

(2) トイレの水を流すことができない→ ア 中核症状　イ 周辺症状　ウ BPSD

(3) 目的もなく歩き回る→ ア 常同(じょうどう)行動　イ 徘徊(はいかい)　ウ 夕暮れ症候群

(4) 自動改札機をスムーズに通れない→ ア 記憶障害　イ 見当識障害　ウ 理解・判断力の低下

(5) 料理の手順がわからなくなる→ ア 実行機能障害　イ 見当識障害　ウ BPSD

ヒント 認知症の中核症状では、認知機能障害として、言語障害である失語、動作を遂行できない失行、対象を認識できない失認がみられます。

3 認知症に関する次の文章の［　　］にあてはまる語句を、右記の語群から選びなさい。

(1) アルツハイマー型認知症では、［ ① ］がよく現れ、［ ② ］に多い。
(2) 血管性認知症では、［ ③ ］が特徴的で、ちょっとしたことで泣いたり笑ったりする［ ④ ］が多くみられる。
(3) レビー小体型認知症では、［ ⑤ ］が現れ、［ ⑥ ］により転倒しやすい。
(4) 前頭側頭型（ぜんとうそくとうがた）認知症では、万引きなどの［ ⑦ ］や［ ⑧ ］が現れる。
(5) 認知症では、日常生活の中で、忘れたことを［ ⑨ ］、また、意欲低下と同時に［ ⑩ ］が認められることが多い。

+One アルツハイマー型認知症は女性に多く、血管性認知症、レビー小体型認知症は男性に多いといいます。

語群
・まだら認知症　・感情失禁
・無関心　・もの盗られ妄想
・罪業妄想　・希死念慮
・具体的な幻視　・反社会的行動
・常同行動　・パーキンソン症状
・舞踏病様運動　・四肢の麻痺
・自覚でき　・自覚できず
・男性より女性
・女性より男性

ヒント 認知症では、単なるど忘れ，物忘れと異なり、体験したこと自体を忘れてしまいます。うつ病でみられる落ち込んだ気分を伴う意欲低下と異なり、アパシーと呼ばれる意欲低下がみられます。

4 認知症に関する次の文章の［　　］にあてはまる語句を、それぞれア～ウから選びなさい。

(1) ［ア 長谷川式認知症スケール　イ MMSE　ウ FAST］は、記憶、見当識、計算などに関する質問からなる検査で、動作性課題を含まない。
(2) 認知症高齢者の日常生活自立度判定基準で、日常生活に支障をきたすような症状・行動や意思疎通の困難さが多少みられても、誰かが注意していれば自立できるのは、［ア ランクⅡ　イ ランクⅢ　ウ ランクM］である。
(3) ［ア 慢性硬膜下血腫（こうまくかけっしゅ）　イ 正常圧水頭症　ウ クロイツフェルト・ヤコブ病］は、シャント手術によって症状の改善が期待できる。

+One 長谷川式認知症スケール（HDS-R）
見当識障害、記憶など９項目からなる 30 点満点の認知機能テスト。20 点以下は「認知症の疑いあり」とされています。

+One シャント手術
水頭症により脳内に溜まった水をカテーテルを通して腹腔内や心房等へ流す手術です。

ヒント クロイツフェルト・ヤコブ病とは、異常プリオンたんぱくによる感染性疾患（しっかん）です。治療法はまだありません。

22日目 テーマ

認知症高齢者への対応

なぞって覚える

学習日 ／

ポイント1 認知症ケアの基本的な考え方

- 認知症の人の「その人らしさ」を支えるケアを、パーソン・センタード・ケアといいます。
  - イギリスの心理学者キットウッドが提唱しました
- 与えるケアではなく、寄り添うケアが求められます。
- BPSD を問題行動ととらえるのではなく、「その人のこころの表現」と解釈します。
  - 本人の立場で理解し、対応します
- バリデーションは、認知症の人の考えや感情を確認して共感するコミュニケーション方法です。
- ユマニチュードは、人間らしく、いつでもどこでもその人らしく暮らせるように支援するケアです。
  - 「見る」「話す」「触れる」「立つ」を４つの柱とします

ポイント2 認知症高齢者への心理的支援

- なじみの人間関係、暮らしの環境で、安心感を得られるようにします。
- リロケーション・ダメージは、認知症に悪影響を及ぼす場合があります。
  - 入院や転居など、環境を移すことの負荷をいいます
- 非薬物療法では、認知・刺激・行動・感情に焦点をあてたアプローチを行います。
  - 精神的安定を図り、日常生活への意欲を向上させます

リアリティ・オリエンテーション（RO）	現実の感覚や認識を確認して、見当識に働きかけます 24時間 RO とクラスルーム RO があります
回想法	思い出を語り合うグループワークです 長期記憶に働きかけ、語ることで自尊感情を高めます
アニマルセラピー	動物を介在させる療法です
音楽療法	音楽を聴いたり、演奏したりします

リアリティ・オリエンテーション

○月 1 2 3 4

今日は○月×日　今は○時

- 孤立したり、孤独・不安を感じることがないよう、役割をみつけ、参加する機会をつくるようにします。
  - 観察、見守り、声かけが大切です

- 認知症が進行しても、感情やプライドは残っていることをよく理解して対応します。

ポイント3 認知症高齢者への対応

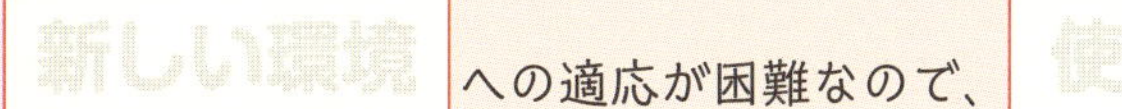

- 新しい環境への適応が困難なので、使い慣れた道具を使用します。
  家具の配置替えや部屋替えにも配慮します
- 部屋やトイレには、表示や目印をつけます。
  見当識障害で自分がいる場所がわからなくなってしまいます

- 食事では栄養の摂取とともに、食事を楽しむ雰囲気づくりを重視します。
- 受容的・共感的に接することが大切で、否定・叱責（しっせき）は避けます。

妄想（もうそう）	「財布が盗まれた」など（もの盗られ妄想）	訴えを受容し、一緒に探してみる 否定・説得しても誤りは訂正されません
失敗行動	失禁や弄便（ろうべん）（排泄（はいせつ）した便をいじる）など	厳しく叱責することは避ける
徘徊（はいかい）	「家に帰る」と出て行ってしまうなど	本人なりの理由・目的があると理解する 無理に連れ戻したり、閉じ込めたりしてはいけません

ポイント4 グループホームにおける認知症ケア

- 介護保険制度では、認知症対応型共同生活介護といいます。
  地域密着型サービスです
- 認知症高齢者が、家庭的な環境と地域住民との交流のもと、住み慣れた環境での生活を継続できるようにすることを目指します。
  役割をもつことで、達成感や満足感を得、自信を回復するなどの効果が期待されます
- 利用者一人ひとりの人格を尊重し、利用者がそれぞれの役割をもって家庭的な環境のもとで日常生活を送ることができるよう配慮します。
- 通所介護等の活用、地域における活動への参加の機会の提供等により、利用者の多様な活動の確保に努めます。

- 家事等は、原則として利用者と介護従業者が共同で行います。
- 利用者の精神的な安定と行動障害の減少、認知症の進行緩和が図られるように支援します。
  自主性を保ち、意欲的に日常生活が送れることを念頭におきます

学習日 ／ ／

❶ 認知症ケアの基本的考え方に関する次の文章の［　　］にあてはまる語句を、それぞれア～ウから選びなさい。

(1) パーソン・センタード・ケアとは、［ア 認知症の人の行動・心理症状をなくす　イ 認知症の人を特別な存在として保護する　ウ 認知症の人の「その人らしさ」を支える］ことである。

(2) 認知症では、［ア 与えるケア　イ 寄り添うケア　ウ 治療すること］が重要である。

(3) 認知症ケアの基本は、［ア 尊厳の保持　イ 介護負担の軽減　ウ 身体的な自立］である。

＋One もの盗られ妄想に中核症状の記憶障害が関係していたり、不適切なケアによって興奮が生じたり、BPSDには、認知症の症状やケアの環境がかかわっています。

❷ 認知症高齢者の心理的支援に関する次の文章の［　　］にあてはまる語句を、それぞれア～ウから選びなさい。

(1) リアリティ・オリエンテーションとは、［ア 見当識に働きかける療法　イ 思い出を語り合うグループワーク　ウ 主体的な生活を獲得するための作業療法］である。

(2) 認知症では、中核症状として［ア 忘れたことを自覚している　イ 判断力が低下する　ウ 不安な状態が続く］。

(3) リロケーションダメージは、認知症に［ア よい影響を与える　イ 悪い影響を与える　ウ 影響しない］。

＋One 認知症の人に豊かな情動をもたらすことが期待できる回想法は、昔の話を聞くことで、参加した家族も認知症の人に対する理解が深まり、関係が良好になることが多いです。

❸ 認知症高齢者への対応に関する次の文章の［　　］にあてはまる語句を、右記の語群から選びなさい。

(1) ［ ① ］道具より、［ ② ］道具を使用する。
(2) 施設では、家や家族を思い出させるものを［ ③ ］、部屋や家具の配置は［ ④ ］。
(3) 部屋やトイレは［ ⑤ ］、照明は［ ⑥ ］。
(4) 食事は［ ⑦ ］、準備等は［ ⑧ ］。
(5) 「財布が盗まれた」に対しては訴えを［ ⑨ ］、亡くなっているのに「夫が待っているので家に帰ります」に対しては［ ⑩ ］。

+One 回想法の実施も、毎回、異なる場所で行うと混乱をきたします。

語群

・新しい便利な　・使い慣れた
・身近に置き　・持ち込ませず
・変えない　・飽きないように変える　・目印をつけ
・扉を外し　・できるだけ明るくする　・明るさの差に配慮する　・雰囲気を大切にし
・栄養摂取を最優先し
・介護福祉職のみで行う
・利用者本人にも手伝ってもらう　・否定し　・説得し
・受容し　・出かけないよう閉じ込める　・共感する
・事実を説明する

❹ 次の文章の［　　］にあてはまる語句を、右記の語群から選びなさい。

認知症の人が共同で生活しながら、［ ① ］や［ ② ］、［ ③ ］を受けるサービスに、［ ④ ］がある。［ ⑤ ］に位置づけられている。［ ⑥ ］な環境と［ ⑦ ］との交流が重視されている。共同生活住居の定員は、［ ⑧ ］で、居室の定員は、［ ⑨ ］とされている。通いを中心に、宿泊と訪問を組み合わせたサービスに［ ⑩ ］があり、住み慣れた地域で住み続けることに役立つ。

+One 認知症の人のできることを見つけ、一緒に行い、動作が止まってしまったら、ジェスチャーでヒントを出すなどします。

語群

・医療　・介護
・日常生活上の世話　・療養上の世話　・機能訓練
・認知症対応型通所介護
・認知症対応型共同生活介護
・小規模多機能型居宅介護
・介護療養型医療施設
・居宅サービス　・施設サービス
・地域密着型サービス
・家庭的　・規律的
・地域住民　・専門職
・29人以下　・19人以下
・9人以下　・4人　・2人
・1人

テーマ 23日目 なぞって覚える

認知症高齢者へのサポート体制

学習日 ／ ／

ポイント1 認知症高齢者対象のサービス

地域密着型サービス	認知症対応型 通所介護	対象を認知症に限定した通所介護サービスで、単独型・併設型・共用型がある
	認知症対応型 共同生活介護	少人数で共同生活を営みながら介護や機能訓練を受けるサービス
短期入所系・介護保険施設	認知症行動・心理症状緊急対応加算	認知症の症状が悪化し、在宅での対応が困難となった場合に一時的に受入れ
介護保険施設・特定施設	認知症専門ケア加算	専門的な認知症ケアを提供
介護保健施設	認知症短期集中リハビリテーション実施加算	認知症の利用者に集中的なリハビリテーションを個別に提供

- 老人性認知症疾患療養病棟は、BPSDのために在宅やほかの施設での療養生活が難しい要介護者が入院する施設です。
- 認知症老人徘徊感知機器は、福祉用具貸与種目です。

ポイント2 認知症高齢者をサポートする体制

- 認知症コールセンター…認知症の本人や家族が気軽に電話相談できる機関。
  - 厚生労働省の「認知症対策普及・相談・支援事業実施要綱」に基づき実施
- 認知症カフェ…認知症の人、その家族、地域住民、専門職等が集う場で、認知症の人を支えるつながりを支援。
- 認知症疾患医療センター…地域の認知症医療の連携を強化する役割。
  - 専門医療相談、認知症の鑑別診断（見極め）、BPSDと身体合併症への対応等
- 認知症初期集中支援チーム…複数の専門職が、認知症が疑われる人とその家族を訪問し、初期の支援を包括的・集中的に行います。
  - 地域包括支援センター・認知症疾患医療センター等に設置
- 認知症ケアパス…発症予防から人生の最終段階まで、生活機能障害の進行状況にあわせて医療・介護サービスを標準的に示したもの。

初期集中支援チーム

医師 1人

専門職 2人

ポイント3 認知症高齢者をサポートする人材

・認知症サポーター…認知症の人や家族を**見守り・支援する**応援者。
（1,200万人を目標に、都道府県、市町村、職域団体等が養成講座を行っています）

・認知症地域支援推進員…医療・介護・地域の連携コーディネーター。
（市町村・地域包括支援センター等に配置されます）

・認知症サポート医…地域で、かかりつけ医の認知症診断等に関する相談役等。

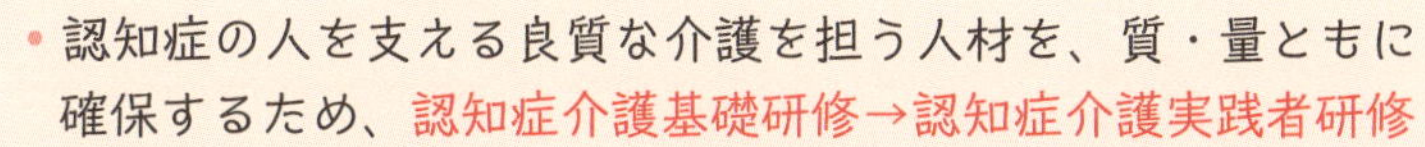

・認知症の人を支える良質な介護を担う人材を、質・量ともに確保するため、**認知症介護基礎研修→認知症介護実践者研修→認知症介護実践リーダー研修→認知症介護指導者養成研修**というステップアップ研修が実施されています。

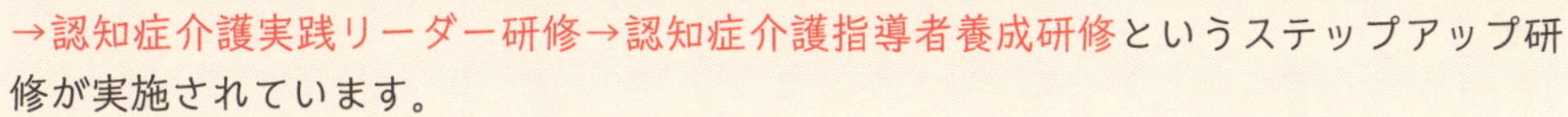

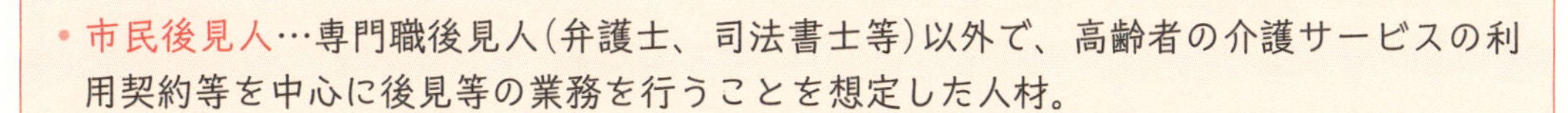

・**市民後見人**…専門職後見人（弁護士、司法書士等）以外で、高齢者の介護サービスの利用契約等を中心に後見等の業務を行うことを想定した人材。

ポイント4 認知症高齢者支援対策の課題

・「認知症施策推進総合戦略～認知症高齢者等にやさしい地域づくりに向けて～」（**新オレンジプラン**）が策定されています。

・**団塊世代が**75歳以上**となる**2025（令和7）年を見据え、認知症の人の意思が尊重され、できる限り住み慣れた地域で自分らしく暮らし続ける社会の実現を目指します。
（認知症高齢者は約700万人、65歳以上の約5人に1人となる見込み）

・**7つの柱**に沿って、施策を総合的に推進していきます。

①普及・啓発／②医療・介護等／③若年性認知症／④介護者支援／⑤認知症など高齢者にやさしい地域づくり／⑥研究開発／⑦認知症の人や家族の視点の重視

・若年性認知症…65歳未満で発症する認知症。全国で推計**約4万人**。
（血管性認知症、アルツハイマー型認知症、アルコール性認知症などがあり、罹患率は男性のほうが多い）

・若年性認知症の人は、就労や生活費等の経済的問題が大きく、特性に配慮した**就労・社会参加支援等**の推進が必要です。
（発症後、約7割が収入減）

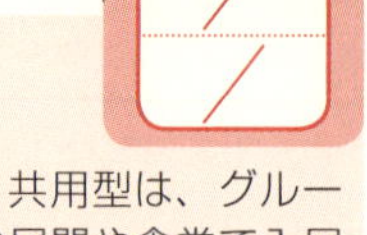

❶ 認知症高齢者に対するサービスに関する次の文章の［　　］にあてはまる語句を、それぞれア～ウから選びなさい。

(1) 対象を認知症に限定した通所介護サービスは、［ア 認知症対応型共同生活介護　イ 認知症対応型通所介護　ウ 小規模多機能型居宅介護］である。

(2) 認知症老人徘徊（はいかい）感知機器は、［ア 福祉用具貸与　イ 福祉用具購入　ウ 日常生活用具給付］種目である。

(3) 認知症行動・心理症状緊急対応加算は、認知症の行動・心理症状が認められ、［ア 短期入所　イ 長期入所　ウ 往診］が必要であると医師が認めた場合に算定される。

ヒント 共用型は、グループホームの居間や食堂で入居者とともに行われます。

❷ 認知症高齢者をサポートする体制に関する次の文章の［　　］にあてはまる語句を、下記の語群から選びなさい。

(1) ［ ① ］は、認知症が疑われる人やその家族を［ ② ］が訪問し、初期の支援を包括的・集中的に行う。

(2) ［ ③ ］は、都道府県が指定する病院に設置され、［ ④ ］。

(3) ［ ⑤ ］は、精神科病院で、認知症で［ ⑥ ］がある人が入院できる。

(4) ［ ⑦ ］は、認知症の人を支えるつながりを支援する［ ⑧ ］である。

(5) ［ ⑨ ］では、権利擁護業務として、［ ⑩ ］を行う。

＋One 若年性認知症の人とその家族へは、雇用保険制度や障害福祉サービス等を組み合わせて利用できるような支援が必要です。

語群

- 地域包括支援センター
- 認知症疾患医療センター
- 老人性認知症疾患療養病棟
- 認知症カフェ
- 認知症コールセンター
- 認知症初期集中支援チーム
- 認知症サポート医
- 複数の専門職
- 地域住民
- 認知症医療の連携を強化する
- 成年後見人を選ぶ
- 成年後見制度の活用促進
- 集う場
- 電話相談
- BPSD

3 認知症高齢者をサポートする人材に関する次の文章の［　　］にあてはまる語句を、それぞれア～ウから選びなさい。

(1) 認知症サポーターは、［ア 認知症ケア専門の介護福祉職　イ 認知症の人や家族を見守り支援する人　ウ 養成目標は10万人］である。

(2) 認知症地域支援推進員は、［ア 認知症ケア専門の介護福祉職　イ 認知症の人や家族を見守り支援する人　ウ 医療・介護・地域の連携に関するコーディネーター］である。

(3) 市民後見人は、［ア 市町村が選任　イ 市町村が育成を推進　ウ 国が養成］する。

ヒント 認知症サポーターは、自分なりにできる簡単なことから実践し、地域でできることを探してネットワークをつくり、まちづくりを担う地域のリーダーとして活躍することが期待されており、新オレンジプランでも「量的に養成するだけでなく、できる範囲で手助けを行うという活動の任意性は維持しつつ、さまざまな場面で活躍してもらえるようにすることに、これまで以上に重点を置く」としています。

4 次の文章の［　　］にあてはまる語句を、右記の語群から選びなさい。

わが国の認知症高齢者の数は、団塊の世代が［ ① ］以上となる2025（令和7）年には［ ② ］、65歳以上の高齢者の［ ③ ］に1人に達することが見込まれている。認知症の人が、［ ④ ］のよい環境で、［ ⑤ ］暮らし続けることができる社会の実現を目指し、［ ⑥ ］が策定された。

［ ⑦ ］を基本とした医療・介護等の連携により、認知症の容態の変化に応じて、適時・適切に切れ目なくサービスが提供される［ ⑧ ］のしくみを目指す。

全国で［ ⑨ ］近くいるといわれる若年性認知症の人に対しては、特性に配慮した［ ⑩ ］を推進する。

語群
・65歳　・75歳　・80歳
・約4万人　・約10万人
・約500万人　・約700万人
・約7人　・約5人
・住み慣れた地域
・最新設備の施設　・自分らしく
・患者らしく　・オレンジプラン
・新オレンジプラン　・本人主体
・医療主体　・介護主体
・循環型　・直線型
・就労・社会参加支援
・治療支援

＋One 厚生労働省の調査結果によると、認知症高齢者の日常生活自立度Ⅱ以上の認知症高齢者数は、2020年に410万人、2025年に470万人と予測されています。

テーマ 24日目 なぞって覚える

身体障害の特性と介護

学習日 ／ ／

ポイント1 視覚障害とその介護

白内障	水晶体白濁→目のかすみ、羞明(まぶしさ)、視力低下→人工水晶体挿入
緑内障	眼圧上昇→視神経の障害→点眼薬、手術で進行を防ぐ→失明
加齢黄斑変性症	加齢に伴う黄斑変性→視力低下、中心暗点、ゆがみ→進行性
糖尿病性網膜症	糖尿病→高血糖→網膜出血→自覚症状がないまま進行→失明
網膜色素変性症	網膜視細胞変性→視野狭窄、夜盲→失明
ベーチェット病	ぶどう膜炎→視力低下→失明

- 中途失明者は、残存感覚に対しても自信を失うことが多いといいます。
  （今まで意識せずにできていたことができなくなります）
- 視覚障害者は、非言語的コミュニケーションを活用することが難しく、会話に不自由することもあります。
  （「あれ」「これ」の指示代名詞の多用も避けます）
- 盲導犬がハーネスをつけているときは仕事中です。

ハーネス

ポイント2 言語機能・聴覚機能の障害とその介護

- 聴覚障害は、外耳から大脳の聴覚中枢までの損傷で生じます。

伝音性難聴	外耳から中耳までの損傷	滲出性中耳炎など
感音性難聴	内耳から聴覚中枢までの損傷	突発性難聴、音響外傷、ウイルス感染、老人性難聴など

- 老人性難聴は、高音域から聞き取りにくくなります。
  （通常、両側性で、徐々に進行し、言葉が明瞭に聞き取れないことも多いです）
- 失語症は、大脳言語野の障害で生じます。
  （脳血管障害や頭部外傷などが原因となります）

運動性失語症	ブローカ領域の障害	言葉の意味は理解できるが、うまく発語できない
感覚性失語症	ウェルニッケ領域の障害	言葉の意味が理解できない

- 失語症では、あいさつなどの定型化している言葉は障害されにくいといいます。
- 構音障害は、発声発語器官の障害で、言語理解は正常です。

ポイント3 肢体不自由者の介護

- 片麻痺とは、片側の上下肢の麻痺をいいます。
  - 脳血管障害では、脳の損傷部位の反対側に生じます
- 運動失調は、麻痺はないのに運動がうまくいかない状態です。
- 片麻痺の人が操作する車いすでは、健側の片足で操作することを考慮します。
  - 健側足底部が床に着くように座面の高さを設定し、麻痺側のブレーキレバーを延長します

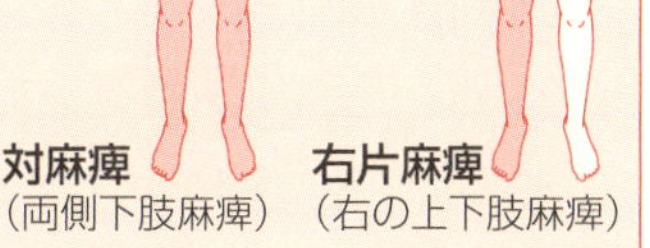

- 筋萎縮性側索硬化症(ALS)は、全身の筋肉の萎縮と筋力低下をきたします。
  - 身体を起こすときに起立性低血圧や呼吸困難を生じるので、安楽な体位を工夫します

  球麻痺症状や呼吸困難が生じ、やがて人工呼吸器の導入となります。
  - 嚥下障害や構音障害を生じます
- 関節リウマチでは、関節保護に留意して、できる限り病気になる前の日常生活が維持できるよう支援します。
  - 物は両手で持ったり、補高便座を使います

ポイント4 内部障害者の介護

- 身体障害者福祉法では、心臓・腎臓・呼吸器・膀胱・直腸・小腸・HIVによる免疫機能・肝臓の機能障害を、内部障害としています。
- 内部障害は、医療機器が必要となる場合が多いです。

心臓機能障害	完全房室ブロックなど	埋込式心臓ペースメーカー
腎臓機能障害	慢性腎不全など	透析療法
呼吸器機能障害	慢性閉塞性肺疾患など	在宅酸素療法
直腸・膀胱機能障害	大腸がんなど	消化管ストーマ
小腸機能障害	クローン病など	中心静脈栄養法

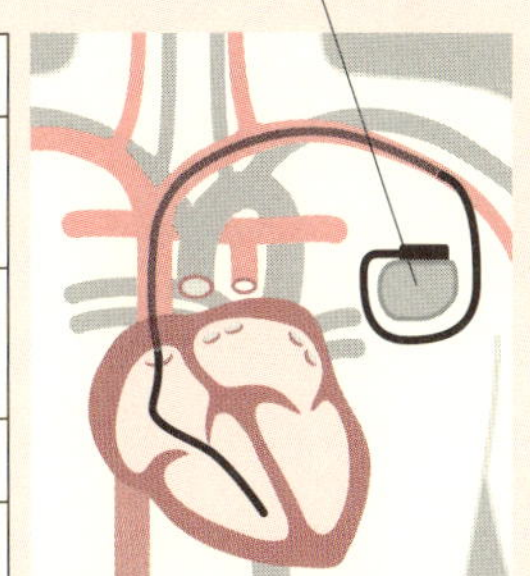
心臓ペースメーカー

- 慢性閉塞性肺疾患では、日常生活動作は、息切れや呼吸困難を自覚しない程度とします。
  - 動作中は、息を止めないで、ゆっくり動かします
  - 体重増加を防ぐことも大切です
- 上肢リンパ浮腫では、皮膚を傷つけないこと、リンパの流れを滞らせないことに留意します。

学習日 ／ ／

❶ 次の文章の［　　］にあてはまる語句を、それぞれア～ウから選びなさい。

(1) 糖尿病では、［ア 視力　イ 聴力　ウ 嗅覚］の低下の有無に注意する。
(2) 視覚障害者のコミュニケーションでは、［ア 会話に不自由しない　イ 会話に不自由することがある　ウ 会話補助装置が有効である］。
(3) 盲導犬がハーネスをつけているときは、仕事中なので、［ア 声をかけてはげます　イ 見守る　ウ 水や食べ物を与える］。

ヒント 視覚障害では、「あれ」「これ」と指示代名詞で説明することは避け、視覚情報は整理して口頭で伝えるなど聴覚機能で補えるよう支援します。

❷ 次の文章の［　　］にあてはまる語句を、それぞれア～ウから選びなさい。

(1) 老人性難聴は、［ア 両側　イ 片側　ウ 突然］に発症する。
(2) ［ア 伝音性　イ 感音性　ウ 混合性］難聴は、補聴器の使用が有効な場合が多い。
(3) 失語症は、［ア 大脳　イ 聴覚　ウ 発声発語器官］の障害で生じる。

＋One 脊髄小脳変性症(せきずいしょうのうへんせいしょう)
言語機能に障害をもたらす難病です。起立時や歩行時のふらつき、舌のもつれ、ろれつが回らないなどの運動失調症状や起立性低血圧、発汗障害、排尿障害などの自律神経症状、下肢のつっぱり、筋萎縮などが見られます。

＋One 失語症では、日常会話で使用する簡単な単語が理解できるのであれば、「あした、散歩」などと短い言葉で伝えます。

＋One 麻痺は脳の損傷部位の反対側に現れます。右利きの場合大脳の優位半球が左半球である場合が多く、左半球が損傷されると右片麻痺と失語症とが生じやすくなります。

3 次の文章の［　　］にあてはまる語句を、右記の語群から選びなさい。

関節リウマチでは、関節の変形の程度と日常生活の不便さは［ ① ］。発症してから長い経過をたどることが多いので、［ ② ］を活用して、［ ③ ］の日常生活が維持できるよう支援する。

関節保護の方法としては、コップは［ ④ ］で持つ。荷物は［ ⑤ ］持つ。ドアの取っ手は［ ⑥ ］を使う。便座は［ ⑦ ］する。トイレットペーパーの位置は［ ⑧ ］の高さとする。スプーンは［ ⑨ ］。

40歳以上の関節リウマチの人が優先的に利用する訪問系サービスは、［ ⑩ ］に規定する制度である。

+One 関節リウマチでは、朝の手のこわばりが特徴的な日内変動がみられるので、活動は、早朝の散歩ではなく、午後の温水プールの運動が適しています。

語群

- 一致する　・一致しない
- 自助具　・補装具　・義肢
- 寝たきり　・閉じこもり
- 病気になる前　・安静
- 指先　・片手　・両手
- 肩からかけて　・丸型
- レバーハンドル型　・高く
- 低く　・和式に
- 大腿骨骨頭　・鎖骨
- 腓骨中間部　・大きくする
- すくう部分を曲げる
- 障害者総合支援法
- 介護保険法　・生活保護法
- 難病法

4 次の文章の［　　］にあてはまる語句を、右記の語群から選びなさい。

(1) 慢性閉塞性肺疾患（まんせいへいそくせいはいしっかん）では、［ ① ］療法、慢性腎不全では、［ ② ］が必要になることがある。

(2) 慢性閉塞性肺疾患では、立ち上がるときは［ ③ ］、食事は［ ④ ］を摂取する。

(3) 免疫力が低下したHIV感染者では、生ものを［ ⑤ ］、日和見（ひよりみ）感染を防ぐために［ ⑥ ］。

(4) 上肢（じょうし）リンパ浮腫（ふしゅ）では、庭の手入れは［ ⑦ ］行い、サウナ浴を［ ⑧ ］。

(5) 埋込式心臓ペースメーカー装着者は、携帯電話は装着部位から［ ⑨ ］程度以上離し、在宅酸素療法では、［ ⑩ ］以内は火気厳禁である。

語群

- 透析　・在宅酸素
- 息を止め　・息を止めないで
- 高カロリー　・低カロリー
- 積極的に摂取し
- 積極的に摂取することは避け
- 日光にあたらない
- 日光に適度にあたる
- 手袋を外して
- 手袋をつけて　・行う
- 避ける　・2m　・15cm

ヒント 慢性閉塞性肺疾患など呼吸機能障害では、呼吸困難を生じやすいので、腕を上げる動作が必要なかぶり式の上着や、心肺に負担をかける湯船に肩までつかっての入浴、息切れを起こすようなすばやい歩きは適切ではありません。

認知・行動障害の特性と支援

ポイント1 精神障害者への支援

- 統合失調症では、さまざまな症状がみられます。

陽性症状	幻聴、幻覚、妄想、自我障害（思考奪取、思考吹入（すいにゅう）、思考伝播（でんぱ）、思考途絶（とぜつ）、作為体験など）、思考障害（連合弛緩（しかん）、滅裂思考など）
陰性症状	感情鈍麻（どんま）、感情の平板化（へいばん）、意欲低下、思考の貧困、自閉など

- 前兆期→急性期→消耗期（休息期）→回復期という経過をたどります。
  - 急性期：薬物療法と安全な環境
  - 消耗期（休息期）：あせらず、十分な休養
- 統合失調症では、家族の感情表出が再発に影響を及ぼすことが研究で示されており、家族の心理教育プログラムへの参加が有効です。
- 社会生活技能訓練（SST）は、行動療法理論に基づいて、生活の中で必要とされる対人的行動の習得を目指して行われます。
  - 「できること」を評価して、具体的な行動に取り組みます

ポイント2 高次脳機能障害

- 高次脳機能障害とは、脳に損傷を受けることで、認知機能などの高次脳機能が障害され、日常生活・社会生活に支障が生じた状態をいいます。

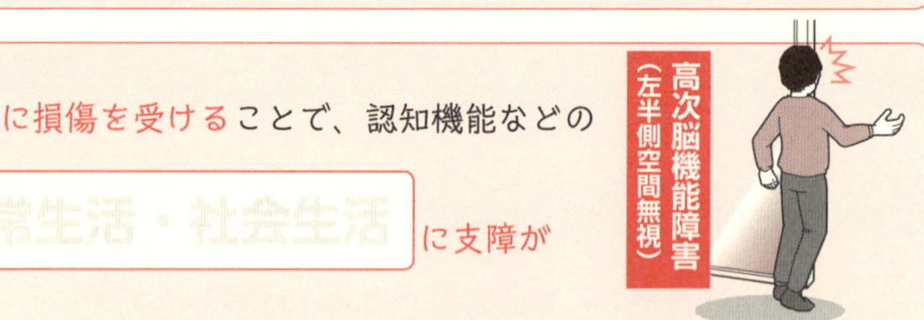

左側の障害物にぶつかる

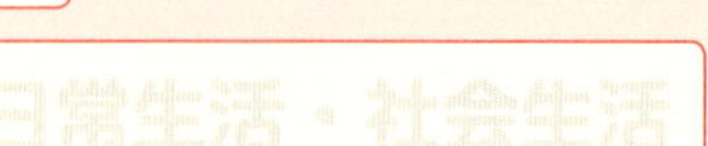

- おもな原因疾患（しっかん）は、脳卒中、脳外傷、低酸素脳症、脳腫瘍（しゅよう）、脳炎などです。
  - 原因疾患：先天性疾患、発達障害、進行性疾患であるアルツハイマー型認知症等は除外されます

- 日常生活・社会生活を制約する要因として、記憶障害、注意障害、遂行機能（すいこうきのう）障害、社会的行動障害などの認知障害があります。

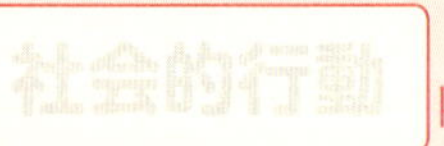

記憶障害	物の置き場所や約束を忘れる　など
注意障害	集中力がない・同時に２つ以上のことをすると混乱する　など
遂行機能障害	決まった方法にこだわり、状況に応じた判断ができない　など
社会的行動障害	ちょっとしたことですぐ興奮して怒鳴る　など

ポイント3 知的障害者への支援

- 知的機能の障害が **発達期**（おおむね18歳まで）に現れ、日常生活に支障が生じているため、何らかの特別な支援を必要とする状態とされています。
- **ダウン症候群** は染色体異常が原因で、知的障害を伴います。
  （知的障害の原因には、ほかに先天性代謝異常、胎児期の感染症、中枢神経感染症、脳奇形などがあります）
- 知的障害者に対して、何かを伝えるときは、言葉だけでなく、身振りや絵などを使います。
  （非言語的コミュニケーションを活用し、本人が決定できるよう支援します）
- 社会的マナーに違反したときは、**時間をあけずに** 注意します。
  （子ども扱いしたり、失敗経験をさせないよう先回りすることは、自立を阻害します）
- ライフステージに応じた支援が求められます。

乳児期	家族が子どもの障害を受容できるよう支援
少年期	身体的な成長と精神的な成長のアンバランスに配慮した支援
青年期・成人期	将来の就職を考えた自立支援プログラムの提供
壮年期	親と死別した後の生活への適応の支援

ポイント4 発達障害の特性に配慮した援助方法

- **発達** 障害…脳機能の障害で、症状が通常低年齢に発現するもの。
- **自閉症スペクトラム** 障害…コミュニケーション障害・対人関係・社会性の障害・固執性が特徴。
- **注意欠陥・多動性** 障害…多動性・不注意・衝動性が特徴的。

これから
遊園地へ
行きます

- **学習** 障害…全般的な知的発達に遅れはないのに、特定の学習能力が著しく劣って、困難がある状態。
  （聞く・話す・書く・計算する・推論するなど）
- 発達障害者とのコミュニケーションでは、具体的に簡潔に伝えます。
  （否定的な表現は避けます）

❶ 統合失調症に関する次の文章の[　　]にあてはまる語句を、右記の語群から選びなさい。

(1) 統合失調症で、陽性症状とは[①]ような症状をいい、陰性症状とは[②]症状をいう。

(2) 統合失調症では、あるはずのない声が聞こえる[③]、危険な状態にあると思い込み、強い不安や敵意を抱く[④]がよくみられる。

(3) 統合失調症の回復期では、[⑤]という目標を立て、[⑥]発症前の生活リズムに戻すよう支援する。

(4) 感情表出のしかたを学ぶため、[⑦]が[⑧]へ参加する。

(5) 生活技能の習得を目指し、[⑨]が[⑩]へ参加する。

語群

・感情の動きが乏しくなる　・誰かに支配されているような感覚を抱く　・妄想　・幻聴　・同世代の人と同じように生活する　・やれることから始めてできることを増やしていく　・新しいことを多く体験する　・すぐに　・あせらずゆっくり　・本人　・家族　・心理教育プログラム　・社会生活技能訓練

ヒント SSTは、個別の課題を設定して訓練する場合と、基本会話や服薬管理など、領域を設定して、カリキュラムに沿って訓練する場合があります。

❷ 高次脳機能障害に関する次の文章の[　　]にあてはまる語句を、右記の語群から選びなさい。

高次脳機能障害とは、[①]で、認知機能などの高次脳機能が障害され、日常生活・社会生活に支障が生じた状態をいう。おもな原因疾患(しっかん)は、[②]、[③]などで、[④]、[⑤]などの疾患は除外される。

日常生活・社会生活を制約する要因として、物の置き場所や約束を忘れる[⑥]、同時に2つ以上のことをすると混乱する[⑦]、決まった方法にこだわり、状況に応じた判断ができない[⑧]、ちょっとしたことですぐ興奮して怒鳴る[⑨]などの認知障害がある。左半側空間無視では、食事のときに[⑩]隣の人の分に手を出して

+One 高次脳機能障害では、失行により、着替えの動作の手順がわからなくなることがあるので、きっかけをつくり、着替え始められるように支援します。

語群

・脳に損傷を受けること　・先天性疾患　・発達障害　・脳卒中　・脳炎　・アルツハイマー型認知症　・自閉症スペクトラム障害　・注意障害　・記憶障害　・社会的行動障害　・遂行機能障害　・右　・左

しまう。

❸ 次の文章の［　　］にあてはまる語句を、それぞれア～ウから選びなさい。

(1) 知的障害者に対しては、［ア 子どもに接するようにかかわる　イ 失敗経験をさせないよう先回りする　ウ 身振りや絵なども交えて伝える］ことが必要である。
(2) 知的障害は、［ア 正常に発達した知的機能が脳の器質的障害で低下する　イ 障害はおおむね18歳までに現れる　ウ 日常生活に支障はみられない］。
(3) ダウン症候群の原因は、［ア 染色体異常　イ 劣性遺伝　ウ 胎内感染］である。

+One ダウン症候群では、聴覚障害がみられ、伝音性難聴で、軽度から中等度のものが多いといいます。

❹ 発達障害に関する次の文章の［　　］にあてはまる語句を、それぞれア～ウから選びなさい。

(1) 自閉症スペクトラム障害の障害特性として、［ア 言葉の遅れがみられる　イ 自分のことばかり話す　ウ 何度言っても忘れ物をする］。
(2) 自閉症スペクトラム障害に対しては、［ア 一度に多くの指示をする　イ 大きな声で話しかける　ウ 一緒に予定を確認する］ことが有効である。
(3) 自閉症スペクトラム障害の人が利用できる障害者総合支援法に基づくサービスに、［ア 同行援護　イ 行動援護　ウ コミュニケーション支援］がある。

+One 自閉症スペクトラム障害のこだわり行動に対しては、受容し、適度に介入して、プラス方向へもっていくことが有効とされ、強く制止することは避けます。

26日目 テーマ

障害者の心理と日常生活への支援

なぞって覚える

学習日 ／ ／

ポイント1 障害の概念・定義

・ICF にしたがって状態を定義すると、次のようになります。

機能障害	片麻痺（かたまひ）で手足が動かない／言葉が理解できない
活動	片足を切断しても義足で歩くことができる／片麻痺があるが福祉用具の活用で食事をつくることができる
活動制限	片麻痺でトイレに行けない
参加	片麻痺があっても復職した
参加制約	片麻痺で旅行に行けない／尿失禁があるので外出を控える

・ソーシャルインクルージョン…すべての人を社会の一員として包み込み、共に支え合うという理念。

ポイント2 障害が及ぼす心理的影響とそれに対する援助

・障害の程度と障害受容の容易さ・困難さは比例しません。

∟障害のとらえ方や受容には、個人差が大きいです

・先天性障害は、周囲との  を把握して障害を自覚するといいます。

ショック・回復への期待・混乱と苦悩・適応への努力・適応という過程を経ます

・中途障害は、今までできたことができなくなり、 や  が大きいといいます。

・障害を受容する過程で、適応機制反応がみられることもあります。

抑圧	認めたくない欲求、不安や苦痛を意識下に抑え込んでしまおうとする
否認	障害を認めず、元に戻ると信じる
退行	子どものように泣いたり甘えたり、発達の未熟な段階に後戻りして自分を守ろうとする
合理化	自分に都合のよい理由をつけて、自分を正当化しようとする
反動形成	周囲の手助けを拒否して、自分を強くみせようとする
同一化	名声や権威に自分を近づけることで、自分の価値を高めようとする
昇華	直ちに実現できない欲求を、価値ある行為に置き換えようとする

ポイント3 障害にかかわる制度

- 障害者総合支援法に基づいて障害福祉サービスが提供されます。

外出支援（介護給付）	同行援護	視覚障害者の移動に必要な情報提供・移動の援護等
	行動援護	自己判断力が制限されている人（知的障害・精神障害者）が行動の際に危険を回避するために必要な支援
就労支援（訓練等給付）	就労移行支援	一般企業等への就労を目指す
	就労継続支援	一般企業等への就労が困難な障害者に、生産活動等の機会の提供（雇用契約を締結するA型・しないB型）
	就労定着支援	就労後の問題や課題の把握と解決のために、本人へのアドバイスや勤務先等への働きかけを行う
地域相談支援	地域移行支援	施設利用の障害者に、地域移行支援計画作成、外出の同行支援、住居確保など
	地域定着支援	在宅単身障害者に、常時の連絡体制の確保、緊急時の支援

- 障害児には、児童福祉法に基づき障害児通所支援などのサービスが提供されます。
  （児童発達支援、医療型児童発達支援、放課後等デイサービス、保育所等訪問支援があります）
- 発達障害者支援センターは、発達障害者と家族に専門的な相談・助言を行ったり、発達支援・就労支援等を行います。

ポイント4 障害福祉サービスの利用

- 障害福祉サービスの利用申請は、市町村へ行います。
  （相談支援事業者が申請を代行することもできます）
- 申請があると、市町村は、サービス等利用計画案の提出を求めます。
- 訪問調査とサービス利用意向の聴き取りが行われます。
- 地域相談支援給付を希望する場合も、サービス等利用計画案の提出は必要です。
- 指定特定相談支援事業所の

が、サービス等利用計画を作成します。

学習日 ／ ／

❶ 次の文章の［　　］にあてはまる語句を、それぞれア～ウから選びなさい。

(1) ICIDHにおける能力障害を、ICFでは［ア 機能障害　イ 活動制限　ウ 参加制約］に置き換えた。
(2) ICFでは、片麻痺（かたまひ）のある人がトイレに行けないのは、［ア 機能障害　イ 活動制限　ウ 参加制約］である。
(3) すべての人を社会の一員として包み込み、共に支え合うという理念を、［ア ノーマライゼーション　イ エンパワメント　ウ ソーシャルインクルージョン］という。

+One 障害者の権利に関する条約で、「合理的配慮」の概念が、国際条約上初めて取り上げられました。

❷ 適応機制に関する次の文章の［　　］にあてはまる語句を、それぞれア～ウから選びなさい。

(1) 子どものように甘えたり、すぐに泣いたりするのは、［ア 抑圧　イ 反動形成　ウ 退行］である。
(2) 周囲の手助けを拒否して、自分を強くみせようとするのは、［ア 反動形成　イ 合理化　ウ 昇華］である。
(3) 名声や権威に自分を近づけることで、自分の価値を高めようとするのは、［ア 同一化　イ 昇華　ウ 合理化］である。

+One 「障害を認めず、元に戻ると信じている」のは、「否認」です。

❸ 次の文章の［　　］にあてはまる語句を、右記の語群から選びなさい。

(1) 障害福祉サービスで、［ ① ］は、主として昼間に施設で提供され、［ ② ］は、主として昼間に病院で提供される。

(2) 障害福祉サービスで、一般企業等への就労を目指すのは、［ ③ ］で、それが困難な障害者に生産活動等の機会を提供するのは、［ ④ ］である。

(3) 障害福祉サービスの［ ⑤ ］で、［ ⑥ ］により定期的な通院に付き添うことが可能となる。

(4) ［ ⑦ ］に基づく放課後等デイサービスは、［ ⑧ ］利用できる。

(5) 発達障害者支援センターは、［ ⑨ ］に基づいて、［ ⑩ ］に対し、専門的な発達支援･就労支援を行う。

ヒント 入所施設のサービスは、昼のサービス（日中活動事業）と夜のサービス（居住支援事業）に分かれ、日中の生活介護サービスでは、創作的活動・生産活動の機会が提供されます。在宅でのホームヘルプサービスでは、生活全般にわたる援助が行われます。

語群

・居宅介護　・生活介護
・療養介護　・就労移行支援
・就労継続支援　・同行援護
・通院等介助
・障害者総合支援法　・発達障害者支援法　・児童福祉法
・小学校３年生まで　・小学校卒業まで　・中学校卒業まで
・高等学校卒業まで　・身体障害者　・知的障害者
・精神障害者　・発達障害者

❹ 次の文章の［　　］にあてはまる語句を、右記の語群から選びなさい。

［ ① ］に基づく障害福祉サービスを利用する場合、［ ② ］へ申請を行う。申請を受け付けると、［ ③ ］と［ ④ ］が行われる。［ ⑤ ］を希望する場合、［ ⑥ ］の認定が必要である。審査判定業務は、［ ⑦ ］が行う。

［ ⑧ ］の事業所ごとに配置される［ ⑨ ］によりサービス等利用計画が作成され、［ ⑩ ］により個別支援計画が作成される。

ヒント サービス管理責任者は、療養介護、生活介護、自立訓練、共同生活援助、就労移行支援、就労継続支援、就労定着支援を提供する事業所に配置され、個別支援計画を作成し、定期的なモニタリングを行います。居宅介護では、サービス提供責任者が個別計画を作成します。

語群

・児童福祉法　・障害者総合支援法
・都道府県　・市町村
・市町村審査会　・介護認定審査会
・指定特定相談支援事業者
・訪問調査　・サービス利用意向の聴き取り　・介護給付
・訓練等給付　・相談支援
・障害支援区分　・障害程度区分
・相談支援専門員　・介護支援専門員
・サービス管理責任者

27日目 テーマ なぞって覚える

人間のこころとからだのしくみの基礎

学習日 ／ ／

ポイント1 人間の基本的なこころのしくみ

・記憶には、記銘（きめい）→保持→想起（そうき）の３過程があります。

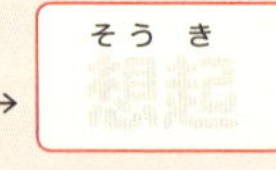

・記憶の貯蔵庫の違いで分類すると、感覚記憶→短期記憶→長期記憶があります。
（感覚記憶は１～２秒、短期記憶は数秒しか保持できません）

長期記憶の種類		内容
顕在記憶	エピソード記憶	自分に起こった出来事の記憶
潜在記憶（無意識に思い出す記憶です）	意味記憶	一般的な知識としての記憶
	手続き記憶	「やり方」に関する記憶（高齢になっても長く保存されていることが多いです）

・記憶の処理では、大脳辺縁系（だいのうへんえんけい）の海馬（かいば）が重要な役割を果たしています。

・基本的欲求は、①生理的欲求→②安全欲求→③所属・愛情の欲求→④承認欲求→⑤自己実現の欲求と、次第に高い階層へと進むとされます。（第１層から第４層までを欠乏欲求、第５層を成長欲求といいます（マズローの要求階層説））

ポイント2 人体の基本

肩関節	外転→三角筋　内転→大胸筋（だいきょうきん）
肘（ちゅう）関節	伸展（しんてん）→上腕（じょうわん）三頭筋（さんとうきん）　屈曲（くっきょく）→上腕二頭筋（にとうきん）、上腕筋
手関節	背屈（はいくつ）→指伸筋（ししんきん）、尺側手根伸筋（しゃくそくしゅこんしんきん）　掌屈（しょうくつ）→長掌筋（ちょうしょうきん）、橈側手根屈筋（とうそくしゅこんくっきん）（屈曲ともいい、手のひら側に曲げることです）
股（こ）関節	伸展→大殿筋（だいでんきん）　屈曲→腸腰筋（ちょうようきん）
膝（しつ）関節	伸展→大腿（だいたい）四頭筋（しとうきん）、縫工筋（ほうこうきん）　屈曲→大腿二頭筋（だいたいにとうきん）、半膜様筋（はんまくようきん）、半腱様筋（はんけんようきん）
足関節	背屈→前脛骨筋（ぜんけいこっきん）　底屈（ていくつ）→腓腹筋（ひふくきん）・ヒラメ筋＝下腿三頭筋（かたいさんとうきん）（伸展ともいい、足の甲側に曲げることです）

内転・外転
外転
内転

屈曲・伸展
屈曲
伸展

・小脳には、平衡感覚の中枢があります。

・間脳の視床下部（ししょうかぶ）には、自律神経や内分泌の中枢があります。

・延髄（えんずい）には、呼吸、嚥下（えんげ）、唾液などの中枢があります。

・心臓から血液を送り出す血管を動脈、血液が戻ってくる血管を静脈といいます。
（例外として肺静脈には酸素を多く含んだ動脈血が流れています）

ポイント3 人体の解剖生理

- 鼻腔に通じる軟口蓋（なんこうがい）と、気管に通じる喉頭蓋（こうとうがい）が閉じることで、誤嚥（ごえん）を防いでいます。
- 唾液は、顎下腺（がくかせん）、耳下腺（じかせん）、舌下腺（ぜっかせん）、小唾液腺（しょうだえきせん）から、1日に 約1ℓ 分泌されます。
  - 顎下腺：約3分の2
  - 耳下腺：約3分の1
- 唾液は、ほとんどが 水分 ですが、アミラーゼやムチンが含まれています。
  - アミラーゼ：糖質の消化酵素です
  - ムチン：たんぱく質です

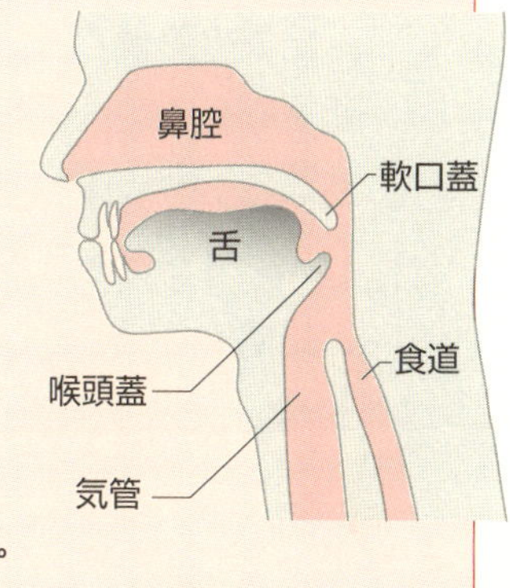

- 膵臓（すいぞう） のランゲルハンス島からは、 インスリン が分泌されます。
  - インスリン：血糖値を下げるホルモンです
- 皮膚の表面は 弱酸性 で、 真皮（しんぴ） に汗腺（かんせん）があります。
  - アポクリン腺が体臭の原因となります

ポイント4 バイタルサイン等の確認

- 高血圧とは、 140／90mmHg 以上をいいます。
  - 家庭での測定では 135/85mmHg 以上
  - 診察室で測定すると高くなる傾向にあり、白衣高血圧と呼ばれます
- 血圧は、緊張や興奮をしていると 上昇 します。
  - 排尿をがまんしているときや、気温が低いと上昇します
- 動脈は、 頸動脈（けい） 、上腕動脈、 橈骨動脈（とうこつ） 、後脛骨動脈（こうけいこつ）などで体表面から触れることができます。

- 心拍数は、緊張や興奮で 増加 し、 睡眠時 は減少します。

- 1分間の脈拍値が 100回 以上を頻脈（ひんみゃく）といいます。

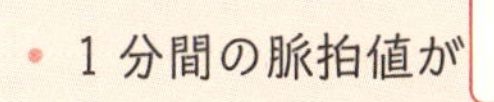

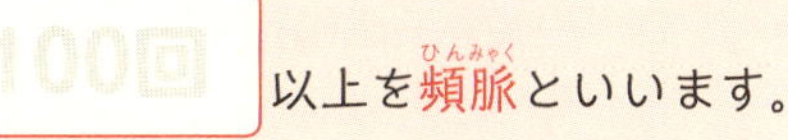

- 体温は、麻痺（まひ）がある場合は、 健側（けんそく） で測定します。

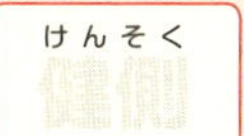

学習日 ／

❶ 記憶に関する次の文章の［　　］にあてはまる語句を、右記の語群から選びなさい。

記憶の処理では、［ ① ］が重要な役割を果たしている。記憶は［ ② ］、［ ③ ］、［ ④ ］という3つの過程からなる。貯蔵庫の違いで分類すると、［ ⑤ ］、［ ⑥ ］、［ ⑦ ］がある。長期記憶のうち、一般的な知識についての記憶を［ ⑧ ］、自分に起こった出来事に関する記憶を［ ⑨ ］、「やり方」に関する記憶を［ ⑩ ］という。

語群
・中脳　・小脳　・海馬
・想起　・保持　・記銘
・感覚記憶　・短期記憶
・長期記憶　・エピソード記憶
・手続き記憶　・意味記憶

脳の構造

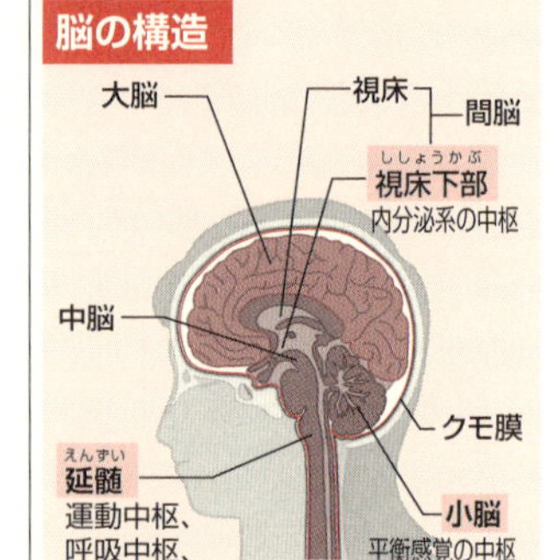

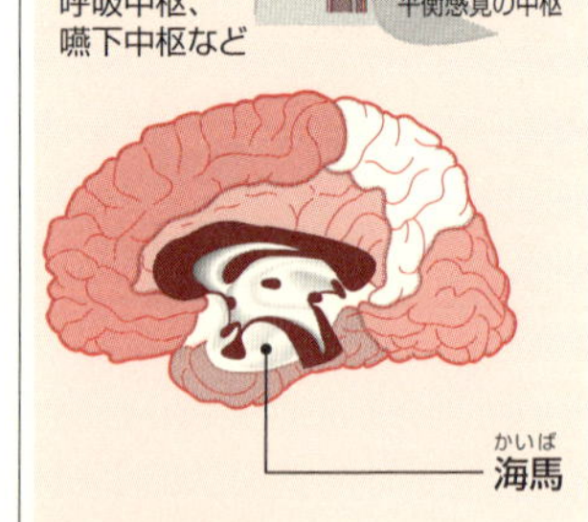

❷ 次の文章の［　　］にあてはまる語句を、右記の語群から選びなさい。

(1) 肩関節の外転には［ ① ］、内転には［ ② ］が主動作筋として働く。
(2) 股関節の伸展には［ ③ ］、屈曲には［ ④ ］が主動作筋として働く。
(3) 膝関節の伸展には［ ⑤ ］、屈曲には［ ⑥ ］が主動作筋として働く。
(4) 自律神経の中枢は［ ⑦ ］に、嚥下の中枢は［ ⑧ ］にある。
(5) 肺動脈には［ ⑨ ］が、肺静脈には［ ⑩ ］が流れている。

語群
・上腕三頭筋　・上腕二頭筋
・三角筋　・大胸筋
・大腿四頭筋　・大腿二頭筋
・大殿筋　・腸腰筋
・小脳　・視床下部　・延髄
・中脳　・動脈血　・静脈血

＋One 長期臥床などで血流が停滞すると、深部の静脈に血栓を生じます。深部静脈血栓症といい、離床して動くようにして予防します。

❸ 次の文章の［　　］にあてはまる語句を、それぞれア～ウから選びなさい。

(1) 唾液は、1日に約［ア 100ml　イ 1ℓ　ウ 3ℓ］分泌される。

(2) ランゲルハンス島は、［ア 腎臓　イ 肝臓　ウ 膵臓（すいぞう）］にある。

(3) 皮膚の表面は、［ア 無菌で　イ 弱酸性で　ウ 汗腺が］ある。

+One 唾液分泌量が減少したり、歯垢があったり、咳反射が低下すると、口腔（こうくう）内の清潔が保てなくなり、口内炎を生じやすくなります。

❹ 次の文章の［　　］にあてはまる語句を、それぞれア～ウから選びなさい。

(1) 排尿をがまんしているとき、血圧は［ア 上昇する　イ 低下する　ウ 変化しない］

(2) ［ア 精神的緊張　イ 体温の上昇　ウ 睡眠］は、心拍数が減少する要因となる。

(3) 体温は、［ア 腋窩（えきか）　イ 口腔　ウ 直腸］が最も低く測定される。

ヒント 体温計をわきの下（腋窩）の中心にあて、わきをしっかり締めて測定します。

筋肉とからだの動き

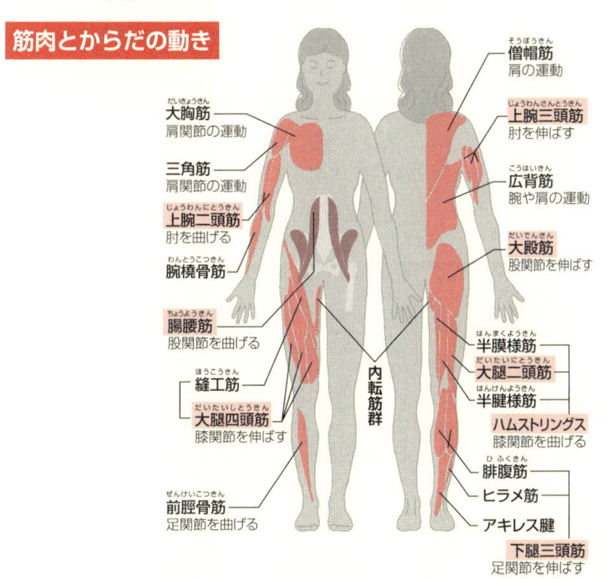

+One 自分の身体で覚える記憶である手続き記憶は、認知症になっても比較的保たれていることが多いです。人の顔や風景など、自覚せずに残される感覚記憶は、加齢の影響を受けます。

日常生活と健康

学習日 / /

ポイント1 アセスメントによる適切な援助

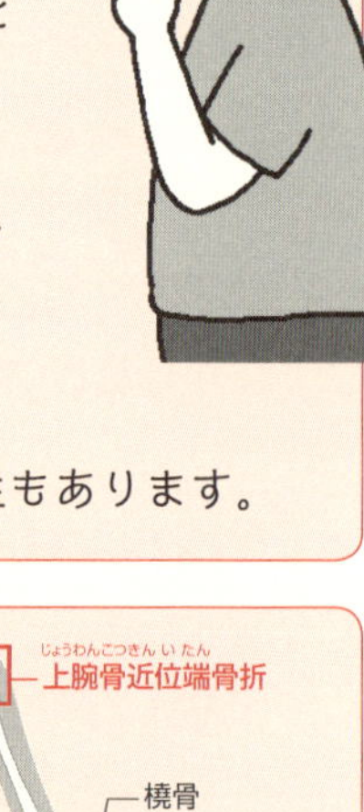

- 糖尿病の合併症である糖尿病性 神経障害 で、下肢末端の知覚障害などの末梢神経症状がみられ、進行すると潰瘍や壊疽を生じることがあるので、足趾（指）の観察は重要です。
- 糖尿病の合併症である糖尿病性 網膜症 で、進行すると失明することがあるので、視力低下の有無の確認は重要です。
- 配偶者を亡くすという喪失体験からしばらくして、ふさぎ込んだり、不眠を訴える場合、 抑うつ状態 に陥っていると考えられます。
- 「死にたい」と周囲にもらすようになったら、うつ病を発症している可能性もあります。

ポイント2 日常生活の動作にかかわる基本

□ 骨折

上腕骨近位端骨折
橈骨
脊椎椎体圧迫骨折
橈骨遠位端骨折
大腿骨頸部骨折
大腿骨

- 大腿骨頸部 骨折は、転倒して膝をついたときに起こりやすく、寝たきりの原因ともなります。（足の付け根の骨折です）
- 脊椎椎体圧迫 骨折は、転倒して尻もちをついたときに起こりやすいです。（背中の骨の骨折です）
- 橈骨遠位端 骨折は、転倒して手をついたときに起こりやすいです。（手首の骨折です）
- 上腕骨近位端骨折は、転倒して肘をついたときに起こりやすいです。
- 疾患に伴う特徴的な歩行

歩行	特徴	疾患
小刻み歩行	歩幅が狭くなる	パーキンソン病
すくみ足歩行	歩き出しの一歩がうまく出せない	
加速歩行	だんだんテンポが速くなって止まれなくなる	
間欠性跛行	しばらく歩くと下肢などに痛みやしびれを生じ、少し休むとまた歩けるようになる	脊柱管狭窄症、閉塞性動脈硬化症
失調性歩行	ふらついた歩行	脊髄小脳変性症
動揺性歩行	お腹を前に突き出して腰を大きく揺らす歩行	デュシェンヌ型筋ジストロフィー

ポイント3 廃用症候群

- 過度の安静・活動低下によるさまざまな心身機能の低下を、廃用症候群といいます。
  ※生活不活発病ともいわれます

運動器障害	筋萎縮（きんいしゅく）／関節拘縮（こうしゅく）／骨粗鬆症（こつそしょう）　など
循環器障害	起立性低血圧／静脈血栓（けっせん）症／肺炎／褥瘡（じょくそう）　など
自律神経障害	便秘／尿失禁／低体温症　など
精神障害	抑うつ傾向／認知症症状／不眠　など
その他	尿路感染症／尿路結石　など

ポイント4 食生活や栄養にかかわる知識

5大栄養素	3大栄養素	糖質	エネルギー源 1g → 4kcal
		たんぱく質	エネルギー源 1g → 4kcal
			身体の構成成分（細胞質の主成分）
		脂質	エネルギー源 1g → 9kcal
			ホルモンの原料
	ミネラル		身体の構成成分、生体機能の調節
	ビタミン		生体機能の調節
			水溶性：B、C など
			脂溶性：A、D、E、K

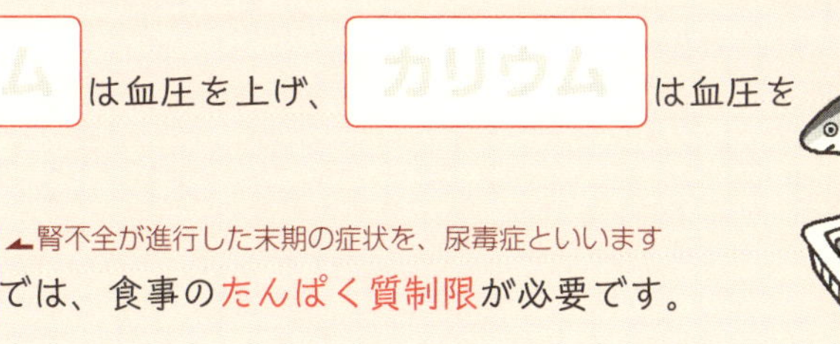

- ビタミンDは、カルシウム代謝に関与しています。
  ※皮膚で、紫外線によって産生されます
- ナトリウムは血圧を上げ、カリウムは血圧を下げます。
- 腎障害では、食事のたんぱく質制限が必要です。
  ※腎不全が進行した末期の症状を、尿毒症といいます

学習日 /　/

❶ 次の文章の［　　］にあてはまる語句を、それぞれア～ウから選びなさい。

(1) 糖尿病のある人の身じたくの介護では、［ア 毛髪　イ 耳介　ウ 足趾(指)］の異変の有無について、特に観察すべきである。

(2) 糖尿病のある人の日常生活の中で、合併症の早期発見のために、［ア 視力の低下の有無　イ 聴力の低下の有無　ウ 嗅覚の低下の有無］の観察を行う。

(3) 糖尿病で血糖降下薬を内服している人が、「夕方になると『ふわふわする』と感じる」と訴えたので、［ア 甘いものは食べないように　イ 早めに主治医に相談するように　ウ めまい外来を受診するように］助言した。

+One 糖尿病でインスリンの自己注射をしている利用者に、下痢便がみられ、嘔吐し、腹痛と発熱があり、本人が食欲がないと訴えるような場合、インスリンの自己注射をしないで、朝食も食べず、看護職に報告して、指示を待ちます。

❷ 次の文章の［　　］にあてはまる語句を、それぞれア～ウから選びなさい。

(1) 高齢者は、転倒して尻もちをついたとき、［ア 脊椎椎体圧迫骨折　イ 上腕骨近位端骨折　ウ 橈骨遠位端骨折］を生じやすい。

(2) パーキンソン病では、［ア 間欠性跛行　イ 動揺性歩行　ウ 小刻み歩行］がみられる。

(3) 脊柱管狭窄症では、［ア 間欠性跛行　イ 動揺性歩行　ウ 小刻み歩行］がみられる。

+One 脳性麻痺では、はさみ歩行がみられます。

❸ 廃用症候群に関する次の文章の［　　］にあてはまる語句を、右の語群から選びなさい。

廃用症候群では、活動量が低下することで、［　①　］に症状が現れる。臥床が続くと、まず［　②　］がみられる。急に起きあがろうとすると、［　③　］を生じることもある。褥瘡（じょくそう）は、［　④　］に最もできやすい。そのまま［　⑤　］を続けると、［　⑥　］となってしまうおそれがある。日中は、なるべく［　⑦　］過ごすようにし、生活を［　⑧　］することが大切である。疲れやすい場合は、［　⑨　］で、［　⑩　］活動する。

+One 運動制限があると関節拘縮（こうしゅく）を生じたり、過度の安静が褥瘡を生じたり、入院でせん妄を生じたり、廃用症候群を引き起こします。

語群
・身体機能のみ　・心身機能
・精神機能のみ　・筋力低下
・嚥下障害　・褥瘡　・高血圧
・起立性低血圧　・仙骨部
・大転子部　・踵部
・肩甲骨周辺　・寝たきり
・寝かせきり　・ベッド上
・起きて　・安静に　・活発化
・少量頻回の原則　・多量寡回の原則　・休みをはさみ
・休まないで

❹ 次の文章の［　　］にあてはまる語句を、下記の語群から選びなさい。

(1) ［　①　］は細胞質の主成分となり、［　②　］はホルモンの原料となる。
(2) ［　③　］は血圧を上げ、［　④　］は血圧を下げる。
(3) ビタミン［　⑤　］は水溶性で、［　⑥　］代謝に関与している。
(4) ビタミン［　⑦　］は脂溶性で、［　⑧　］をもつ。
(5) ［　⑨　］は栄養管理が必須で、十分な［　⑩　］を摂取する。

+One ビタミンDは、皮膚で紫外線によっても産生されます。適度な日光浴でビタミンDを産生することは、筋萎縮（きんいしゅく）予防にも効果的です。

語群
・糖質　・たんぱく質　・脂質
・エネルギー　・カルシウム
・カリウム　・ナトリウム
・B_1　・C　・A　・D　・E
・K　・抗酸化作用
・整腸作用　・慢性腎不全
・慢性胃炎　・関節リウマチ

褥瘡（床ずれ）のできやすいところ

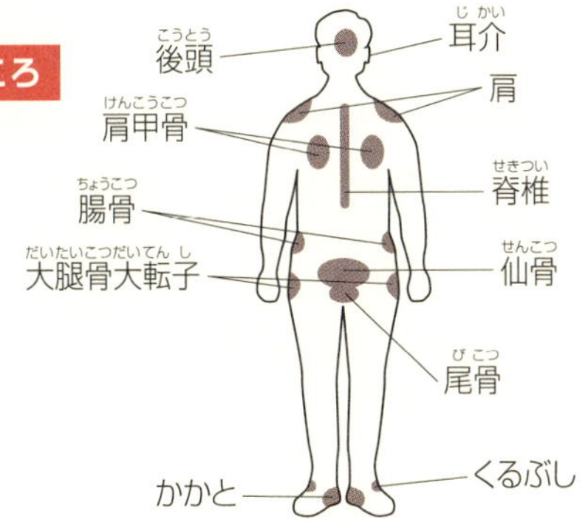

ここもチェック！

医療関連で知っておきたいこと

バイタルチェック

- バイタルサインとはヒトが生きていることを表す様々な兆候です
- 体温、脈拍、血圧、呼吸数　等があります
- これらの基本サインを総合的に判断し、体の異常を早期に発見することが目的です

体温（BT）	平熱：35～37℃ 高熱：38.5度以上
脈拍（心拍数）	正常：60～80回/分 徐脈：50回/分以下 頻脈：100回/分以上
呼吸	正常：15～20回／分
血圧（BP）	至適血圧：120／80 正常血圧：130／85 （家庭）：125／80

- パルスオキシメーター

検知器を指先や耳などに付けて簡単に脈拍数、経皮的動脈血酸素飽和濃度（SPO_2／正常値96％以上）をリアルタイムに測定する医療機器。各組織に酸素が十分に送られているかどうか確認できます。

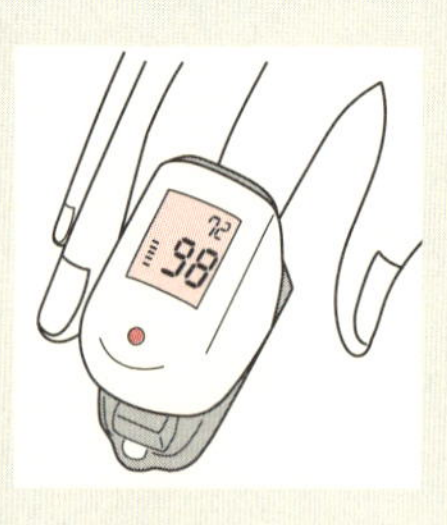

緊急時の対応（一次救命処置）

①倒れている人（反応なし）を発見したとき

➡ 119番通報、AED要請。

②呼吸なし、または正常な呼吸でない

➡ 胸骨圧迫から心肺蘇生（CPR）を開始する。胸骨圧迫は1分間に100～120回の速さで、強めに5cm（6cmを超えない）くらい圧迫する。

③人工呼吸ができる場合

➡ 胸骨圧迫30回：人工呼吸2回。

※AED（自動体外式除細動器）

自動的に心電図を解析し、必要な場合は電気ショックを与えます。電源を入れ、音声メッセージに従うことで、誰でも比較的簡単に操作できます。

服薬介助のポイント

- 水または白湯で飲む

薬によっては牛乳、ジュース、お茶等で飲むと薬の作用が現れなかったり、逆に作用が強く出たりすることがあるので注意します。

- 食事をしなかったとき

食事に関係なく服用が必要な薬は、いつもの時間に飲むようにします。ただし、空腹時の服用は胃腸障害を招くので何かしら軽く食べてからがよいでしょう。

一方、糖尿病薬の中には食事を取らないで服用すると低血糖を起こす薬もあるので、薬剤師等にそのつど確認しましょう。

- 誤って薬を飲んでしまったとき

介護職だけでの判断は危険なので、状況を正確に主治医や薬剤師等に伝え、指示を仰ぎましょう。

いつも服用している薬の誤服用よりも、他人の薬を服用してしまったときなどは特に注意が必要です。

心臓病の薬などのように有効域の狭い薬の誤服用は至急医師へ連絡しましょう。

- 飲み忘れたとき

その薬により対応が異なります。次の服用時間まで待つ場合や、すぐに服用するほうがよい場合もあります。ただし、飲み忘れた分を次に2回分服用することは避けます。飲み忘れたときの対応を、あらかじめ薬剤師に確認しておくとよいでしょう。

- 寝たきりの人の場合

必ず上体を起こしてから服用します。寝たままの服用は咽頭や食道にひっかかったりし、その場所で薬が溶けると潰瘍のもとになり危険です。また誤嚥の原因にもなります。

第4章

医療的ケア

「医療的ケア」は、以前は医療職の行為だったことを、時代の流れと介護現場の必要性に応じて、介護職が行える行為として法で定められたものです。制度の概要と基礎知識を学びます。医療職との連携の下、医療的ケアを安全かつ適切に行うことができるように、必要な知識や手順をしっかり身につけましょう。

29日目 テーマ

なぞって覚える

法律による規定とリスクマネジメント

学習日 ／ ／

ポイント1 医療行為の禁止

医師	看護師	介護福祉士
 ＝医業の業務独占	 ＝診療の補助の業務独占	 ＝医行為を行うことは認められていない

- 医師法や保健師助産師看護師法などで、医療にかかわる行為は、一部の医療専門職にその業務を独占させる旨が規定されています。
  - 医師法第17条：医師でなければ医業をなしてはならない
  - 保健師助産師看護師法：看護師でないものは第5条に規定されている業をしてはならない
- ただし、介護福祉士は「保健師助産師看護師（保助看法）の規定にかかわらず、診療の補助として 喀痰吸引等 を業とすることができる」とされています。

ポイント2 医療的ケアに関する法の規定

- 喀痰吸引等（医療的ケア）は社会福祉士及び介護福祉士法に規定された行為で、介護福祉士 の業として行うことが認られています。
  - 第2条第2項「専門的知識及び技術をもって、身体上又は精神上障害があることにより日常生活を営むのに支障があるものにつき心身の状況に応じた介護（喀痰吸引その他のその者が日常生活を営むのに必要な行為であって医師の指示の下に行われるもの）をおこなう」
- 医療的ケアは、医師の指示の下 に行われます。（厚生労働省令・施行通知で定めています。）

喀痰吸引	口腔内・鼻腔内（咽頭の手前まで）／ 気管カニューレ内部
経管栄養	胃ろう・腸ろう（胃ろう・腸ろうの状態を医師または看護職が確認） 経鼻経管栄養（栄養チューブが胃の中に挿入されていることを医師または看護職が確認）

ポイント3 スタンダードプリコーション

- スタンダードプリコーション は感染予防の 標準予防策 といわれています。
- すべての患者・利用者 と 医療・介護従事者 に適応されます。
  └医療・介護を提供するすべての場所で適用
- 病原微生物の有無にかかわらず、血液、すべての体液、汗を除く分泌物、排泄物、粘膜、傷のある皮膚は 感染原因になりうる という考え方に基づいたものです。

ポイント4 リスクマネジメント（危機管理）

- リスクマネジメントには事故を起こさない 予防対策 と事故が起きたら速やかに対応する 事故対策 があります。
- 普段から準備はしていても事故は起こり得るものです。事故が起きても、一人で収めず 報告 し、組織でマニュアルに沿って対応、速やかに家族へ連絡し誠実に対応することが重要です。
- インシデント とはヒヤリ・ハット事例のことで、利用者の状態の悪化を未然に防いだこと。アクシデント とは起こってしまった利用者の事故のことです。
- 緊急止むを得ず 身体拘束 を行ったときは記録が必要です。
  └ベッドを柵で囲む、部屋の施錠、過剰な薬物投与は身体拘束

1 法律による規定について次の①～⑩までの[　　]に当てはまる語句を右記の語群より選びなさい。

[　①　]や[　②　]などで医療に関わる行為は、一部の[　③　]にその[　④　]させる旨が規定されている。
ただし[　⑤　]の第2条第2項の[　⑥　]の定義で、「[　⑦　]その他その者が[　⑧　]を営むのに必要な行為であって、[　⑨　]に行われるものを含む」と規定し、第48条の2で、「介護福祉士は、保健師助産師看護師法の規定にかかわらず[　⑩　]として喀痰吸引等を行うことを業とすることができる」とされている。

語群

- 医療保険法
- 医師法
- 保健師助産師看護師法
- 看護専門職
- 医療専門職
- 介護専門職
- 介護福祉士
- 診療
- 業務を独占
- 社会福祉士及び介護福祉士法
- 介護保険法
- 経管栄養
- 喀痰吸引
- 日常生活
- 医師の指示の下
- 看護職の指示の下
- 診療の補助
- 看護の補助

+One

看護職員と介護職員との関係
介護保険サービスの訪問看護では、訪問看護事業所の看護職員と訪問介護事業所の訪問介護員等の連携により、看護・介護職員連携加算が算定されます。

2 医療的ケアについて、次の文章の[　　]にあてはまる適切な語句を、右記の語群より選びなさい。

(1) 医師の指示の下に行う[　①　]には喀痰吸引と[　②　]がある。

(2) 口腔内・鼻腔内の[　③　]について、チューブの挿入は咽頭の[　④　]までを限度とする。

(3) 胃ろうまたは腸ろうの状態に問題がないことを[　⑤　]または[　⑥　]が確認する。

(4) 経管栄養には胃ろうのほか、[　⑦　]、[　⑧　]がある。

(5) 経鼻経管栄養の実施の際には、[　⑨　]が正確に[　⑩　]に挿入されていることを医師または看護職が確認する。

語群

- 医療的ケア
- 治療的ケア
- 経管栄養
- 経鼻経管栄養
- 喀痰吸引
- 手前
- 奥
- 看護職
- 介護職
- 医師
- 介護支援専門員
- 胃ろう
- 腸ろう
- チューブ
- バルーン
- 胃の中
- 口の中

ヒント 口腔内・鼻腔内の喀痰吸引の際、チューブの挿入は咽頭の手前までを限度とします。

❸ スタンダードプリコーションについて、次の文章の[　　]にあてはまる語句をそれぞれア〜ウから選びなさい。

(1) スタンダードプリコーションとは微生物感染における[ア 特別対策　イ 重要対策　ウ 標準予防策]のことである。

(2) スタンダードプリコーションが適応されるのは[ア 利用者　イ 介護従事者　ウ 利用者と介護従事者]である。

(3) 病原微生物の有無にかかわらず[ア 汗　イ 痰・鼻水　ウ 髪の毛]は感染の原因となりえる。

ヒント　スタンダードプリコーションとは、血液、すべての体液、汗を除く分泌物、排泄物、粘膜、傷のある皮膚は、病原微生物の有無にかかわらず感染の原因になりうるという考え方です。

❹ リスクマネジメントについて、次の文章の[　　]にあてはまる語句を、それぞれア〜ウから選びなさい。

(1) リスクマネジメントとは[ア 事務管理　イ 危機管理　ウ 在庫管理]のことである。

(2) 介護現場におけるリスクマネジメントには予防対策と[ア 残業対策　イ 事故対策　ウ 離職対策]の2つの柱がある。

(3) ヒヤリ・ハット報告とは[ア インシデント　イ アクシデント　ウ 苦情・クレーム]報告のことである。

+One　何かあったとき、それがヒヤリ・ハットかアクシデントか気づくことが大切で、ためらわずに報告することも重要です。気になっても「大したことではない」と都合よく判断し、放置することは、その後の大きなリスクとなります。

30日目 テーマ

喀痰吸引と経管栄養

なぞって覚える

学習日 ／ ／

ポイント1 喀痰吸引の実施者

- 喀痰吸引の指示書は、医師により作成され、有効期限は6か月です。
- 喀痰吸引を行えるのは、看護師・介護福祉士・一定の研修を修了した介護職員です。
- 介護福祉士と一定の研修を修了した介護職員は口腔内、鼻腔内、気管カニューレ内部の吸引を行えます。
- 長期療養や気管切開・気管挿管を受けていると、自力で気道内の分泌物を喀出できないことも多いので、気道確保のために喀痰吸引が必要となります。

鼻腔内
口腔内
咽頭
管カニューレ内

介護福祉士が痰の吸引でチューブを挿入できる範囲（青の部分）

ポイント2 喀痰吸引のおもな流れ

- ①利用者に吸引の説明を行い、吸引を受けやすい姿勢に整えます。
  プライバシー保護に留意。←必要に応じてカーテン等
- ②分泌物の貯留状態の確認、口鼻腔に異常がないか確認します。←出血や損傷の有無。義歯の確認
- ③吸引圧が設定どおりか確認し、利用者に開始の声をかけてから実施。
- ④実施後の後片付けと吸引終了の声かけを行い、姿勢を整えます。
- ⑤利用者の状態と吸引物の性状を確認します。←吸引ビンの排液量は70～80%になる前に捨てます
- ⑥利用者の状態に吸引前と吸引後で変化があるかを確認します。
  ←顔色、呼吸状態、分泌分残留の有無の確認
- ⑦手洗い ←開始前も同様に石鹸と流水でよく洗います

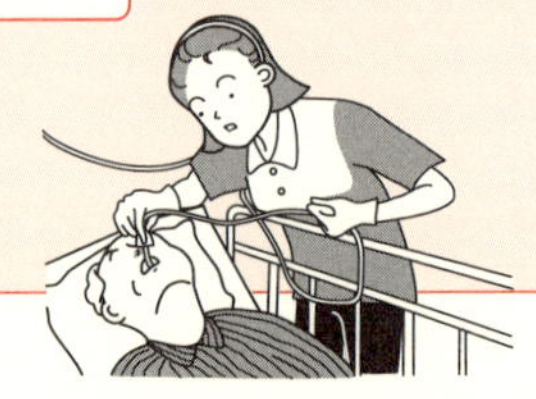

ポイント3 経管栄養とその種類

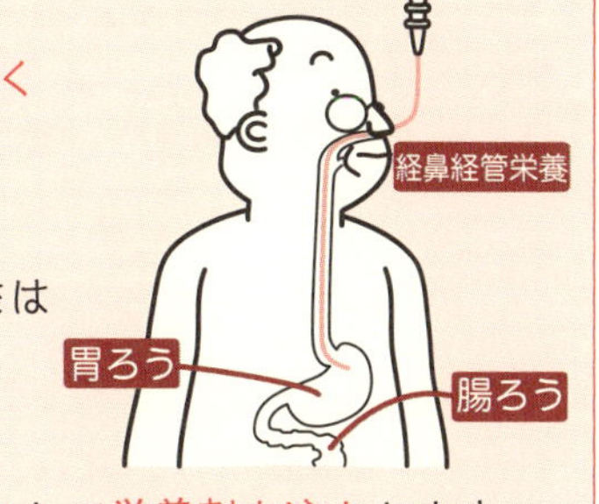

- 経管栄養は、口から十分に食べ物が摂取できなくなった場合に、実施されます。
- 胃ろう（または腸ろう）とは胃（または空腸）に穴をつくり、直接栄養剤を注入します。
- 経鼻経管栄養は鼻から胃までチューブを挿入して栄養剤を注入します。
  ∟食事が取れないときなど一時的に行うことが多い
- 胃ろうを造設しても口から食物を食べる（経口摂取）ことは可能で、できる限り経口摂取を並行していきます。
  ∟口から食事が摂れるようになれば胃ろう中止も可能
- 胃ろうの固定方法

胃内固定	バルーン型	交換が容易であるが、壊れやすい
	バンパー型	カテーテルが抜けにくく交換までの期間は長いが、交換時に痛みや圧迫感を生じる
体外固定	ボタン型	目立たず、じゃまにならず、自己抜去しにくい
	チューブ型	栄養チューブとの接続は容易であるが、自己抜去しやすい

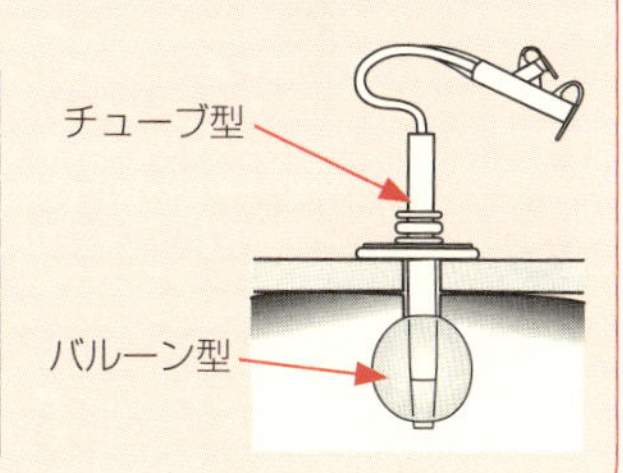

ポイント4 経管栄養の留意点

- 経管栄養にすると、口腔内の自浄作用が低下し、口腔内の細菌が増えやすく、誤嚥性肺炎を発症することがあります。
  ∟口腔ケアは大切
  ∟食べ物や唾液などが誤って気道に入って起こる
- 経管栄養が終わった後、すぐの口腔ケアは避けます。
  ∟栄養剤が逆流することがあります
- 嘔吐や下痢をする場合は栄養剤の温度が低い、注入速度が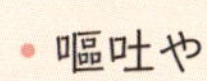速い、浸透圧が高い等の理由が考えられます。
- 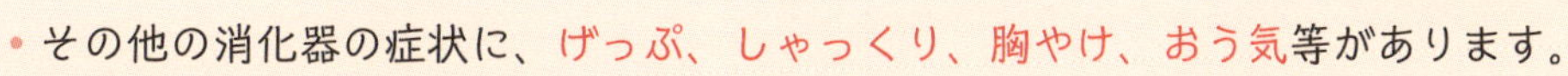その他の消化器の症状に、げっぷ、しゃっくり、胸やけ、おう気等があります。
- 注入時の体位の角度が平坦であると、逆流して嘔吐の原因になります。
- イルリガートル（栄養剤注入ボトル）内の栄養剤の液面は胃から50cm位高くします。
  人が食事をする自然な流れに近い高さ

1 次の文章の[　　]にあてはまる語句を、それぞれア～ウから選びなさい。

(1) 喀痰吸引の指示書は、[ア 医師　イ 看護師　ウ サービス提供責任者] が作成する。

(2) 有効期間は [ア 3か月　イ 6か月　ウ 12か月] とされている。

(3) 喀痰吸引を実施するのは看護師、介護福祉士、一定の研修を受けた [ア 介護支援専門員　イ 作業療法士　ウ 介護職員] である。

ヒント 喀痰吸引の指示書は医師により作成され、有効期間は6か月です。

2 喀痰吸引について、次の文章の[　　]にあてはまる語句を、それぞれア～ウから選びなさい。

(1) 一度の喀痰吸引で痰がとりきれないときは [ア 太いチューブに変更して　イ 呼吸の状態が落ち着いてから再度　ウ なるべく時間をかけて] 行う。

(2) 喀痰吸引はできるだけ短時間で [ア 10～15秒以内　イ 15～30秒以内　ウ 30～45秒以内] で行うのがよいとされている。

(3) 室内の湿度は [ア 30～40　イ 50～60　ウ 70～80] %位に保ち、室内の空気清浄にも気をつける。

+One 感染予防対策には室内の空気清浄と湿度を50～60%に保つのが良く、また吸引がしやすい姿勢は上半身を10～30度挙上させ、あごを少し上げると良いとされています。

❸ 経管栄養について、次の文章の[　　]に当てはまる語句を右記の語群から選びなさい。

(1) [①]は口から食べ物を接種できなくなったときに、[②]を用いて栄養剤を注入する方法である。
(2) 胃に穴をつくり直接栄養剤を注入する方法を[③]といい、腸に穴をつくる場合を[④]という。
(3) 経鼻経管栄養は[⑤]から[⑥]までチューブを挿入して栄養剤を注入する。
(4) 胃ろうの胃内固定方法のバルーン型は交換が[⑦]だが、その反面[⑧]。
(5) [⑨]型はカテーテルが抜けにくく交換までの期間が長いが、交換時に[⑩]がある。

語　群

・経口摂取　・経管栄養
・チューブ　・バルーン
・鼻ろう　・胃ろう　・腸ろう
・口　・鼻　・胃　・大腸
・困難　・容易　・壊れにくい
・壊れやすい　・バンパー型
・ボタン型　・チューブ型
・掻痒感　・痛みや圧迫感

ヒント 胃ろうの体外固定には、目立たず邪魔になりにくいボタン型と、栄養チューブとの接続は容易ですが自己抜去しやすいチューブ型とがあります。

❹ 経管栄養における注意点として、[　　]にあてはまる語句を右記の語群より選びなさい。

(1) 栄養剤は[①]にお湯に入れて、[②]程度に温めておく。
(2) 栄養剤を流し始めた後に[③]が見られたときは、[④]看護職へ報告する。
(3) チューブ挿入部の皮膚の[⑤]やびらんの原因として、固定の不備等による機械的なものや、消化液の[⑥]によるもののほかに[⑦]によるものがある。
(4) ろう孔部の周辺が[⑧]なったり、滲出液、痛み、出血、[⑨]があるときは、速やかに[⑩]へ連絡する。

語　群

・注入前　・注入後　・人肌
・60度　・しゃっくり
・びらん　・炎症
・そのまま注入を続けて
・注入を中止して　・漏出
・感染　・赤く　・悪臭
・看護職　・医師や看護職

+One 経管栄養の状態やチューブの挿入状況の確認は、医師または看護職が行います。

ここもチェック！

介護福祉士国家試験の概要

介護福祉士資格の取得方法と国家試験受験資格

介護福祉士資格の取得のルートには、おもに次の３つの方法があります。

(1) ３年以上介護等の業務に従事し、養成施設等における実務者研修、または介護職員基礎研修と喀痰吸引等研修を修了し、介護福祉士国家試験に合格する。

(2) 福祉系高等学校等で福祉に関する所定の教科目および単位数を修めて卒業し（一部は９か月以上の介護等の業務に従事し）、介護福祉士国家試験に合格する。

(3) 高等学校等を卒業後、一定の介護福祉士養成施設を卒業し、介護福祉士国家試験に合格する※。

※養成施設を令和３年度末までに卒業する人は、卒業後５年間、介護福祉士になることができます。
この間に国家試験に合格するか、卒業後５年間続けて介護等の業務に従事することで、５年経過後も介護福祉士の登録を継続することができます。

国家試験受験による資格取得までの流れ

公益財団法人　社会福祉振興・試験センターが、厚生労働大臣の指定を受け、介護福祉士国家試験の実施と登録の事務を行っています。

試験は毎年１回行われています。

【試験期日】 筆記試験 １月下旬
実技試験 ３月上旬（筆記試験合格者のみ）

【受験申込期間】 ８月上旬から９月上旬

【試験科目】

筆記試験（11科目群）	①人間の尊厳と自立、介護の基本、②人間関係とコミュニケーション、コミュニケーション技術、③社会の理解、④生活支援技術、⑤介護過程、⑥発達と老化の理解、⑦認知症の理解、⑧障害の理解、⑨こころとからだのしくみ、⑩医療的ケア、⑪総合問題
実技試験※	介護等に関する専門的技能

※実技試験の免除
- 介護福祉士養成施設等が実施する「介護技術講習」を受講し、修了認定を受けると、受験申込時の申請により、実技試験が免除されます。
- 「実務経験３年以上」で、実務者研修を受講し修了すると、実技試験が免除されます。

【合格発表】 ３月下旬

介護福祉士国家試験に関する問い合わせ先

試験内容については、変更になる可能性もありますので、事前に試験の実施団体である公益財団法人　社会福祉振興・試験センターにお問い合わせください。

◉公益財団法人社会福祉振興・試験センター
【住所】 〒150-0002 東京都渋谷区渋谷 1-5-6
【電話】 03-3486-7521
【試験案内専用電話（音声・FAX）】 03-3486-7559
【ホームページ】 http://www.sssc.or.jp

ここもチェック!

最近の試験傾向と攻略のヒント

試験の傾向

●試験科目

筆記試験は、4領域13科目を11科目群にくくっています。11科目群のすべてに得点できないと、合格することはできません。

①人間の尊厳と自立、介護の基本
②人間関係とコミュニケーション、コミュニケーション技術
③社会の理解
④生活支援技術
⑤介護過程
⑥発達と老化の理解
⑦認知症の理解
⑧障害の理解
⑨こころとからだのしくみ
⑩医療的ケア
⑪総合問題

総合問題は、4領域(人間と社会、介護、こころとからだのしくみ、医療的ケア)の知識および技術を横断的に問う問題を、事例形式で出題することとされています。

●出題形式

筆記試験の出題形式は五肢択一を基本とする多肢選択形式とされています。5つの選択肢から、「正しいもの」「適切なもの」「最も適切なもの」を1つ選ぶという形式で出題されます。「最も適切なもの」を選ぶ出題は、年々増加しているようです。

29回試験から「医療的ケア」5問が追加され、出題数は125問、総試験時間数は220分です。午前問題と午後問題に分かれ、午前問題は68問(110分)、午後問題は総合問題を含み57問(110分)が出題されます。

●図表等の出題

第27回の出題から、「筆記試験の出題形式は五肢択一を基本とする多肢選択形式とし、問題に図表等を用いることがある。」と示されました。

●事例形式の問題

総合問題の出題予定数は12問で、1事例に対して3問の出題で、4事例が出題されます。

総合問題以外でも、1事例に対して2問の出題というパターンが、コミュニケーション技術や介護過程でみられます。出題科目や出題数は、年度によって異なるようです。ほかにも、1問のなかで事例的な文章を読んで解答する出題があります。

試験攻略のヒント

●選択肢の取捨選択

「適切なもの」「最も適切なもの」を選ぶ問題では、正解以外の選択肢のなかで、必ずしも「誤り」ではないものが含まれている場合もあります。正解は1つですから、優先順位をつけていくことになります。

しかし、明らかに「正しい」といえるもの以外は、「最も適切なもの」を選ばせる出題とする傾向があるようで、正答以外の選択肢は誤りであるとすぐに判断できるものも多いです。

「必要ない」「関係ない」「どんな場合も」など、極端に否定したり、限定したり、例外を認めない選択肢は、誤りであることが多いということを覚えておくとよいでしょう。また、こうした誤りの選択肢は、日本語の文章として、違和感がある場合が多いです。

●問題文や選択肢の中にもヒントがある

目新しい項目や用語が出題されたときは、「知らない」から「解けない」とあきらめるのではなく、正解のヒントがどこかにないか、探してみましょう。

併記されている英語や通称がヒントとなったり、同じ事柄を取り上げた出題が125問の中にあったり、実は問題文や選択肢の中に正解への大きなヒントがあったりします。

介護福祉士国家試験模擬試験問題

模擬試験について

本試験と同様、125 問の構成となっています。

領域	科目	出題数
人間と社会	人間の尊厳と自立	2 問
	人間関係とコミュニケーション	2 問
	社会の理解	12 問
介護	介護の基本	10 問
	コミュニケーション技術	8 問
	生活支援技術	26 問
	介護過程	8 問
こころとからだのしくみ	発達と老化の理解	8 問
	認知症の理解	10 問
	障害の理解	10 問
	こころとからだのしくみ	12 問
医療的ケア	医療的ケア	5 問
総合問題（4 事例）		12 問

配点は 1 問 1 点で、125 点満点です。

採点したあとは、解説もしっかり読んで、追加の知識として覚えましょう。参照ページに戻って復習することも忘れないようにしましょう。

目標得点

まずは、時間がかかってもよいので、75 点（総得点の 60%）を目指しましょう。

また、得点のない科目群がないようにしましょう。

本試験直前は、時間を計って解きましょう。午前・午後問題は共に 110 分です。

時間配分

午前問題も午後問題も、最後の 5 分間は全体の見直し時間としましょう。

10 分間で 6 ～ 8 問程度（1 問につき 100 秒～ 75 秒）を目標としてみましょう。総合問題は、1 事例を 10 分間で解くことを目安にしてもよいでしょう。

得意分野・苦手分野がある場合は、苦手分野により時間を割けるよう時間配分します。

介護福祉士国家試験の合格基準では、問題の総得点の 60%程度を基準として、問題の難易度で補正した点数以上の得点の者とされています。72 点～ 77 点がひとつの目安です。

この模擬試験は、過去に出題された試験問題より、ほんの少し難易度を上げています。

時間内に、77 点以上を得点できるようになれば、本試験も余裕で合格ラインを超えられるはずです。

人間と社会

人間の尊厳と自立

「すべての人間は、生れながらにして自由であり、かつ、尊厳と権利とについて平等である。」という一文が明記されているものとして、正しいものを１つ選びなさい。

1 日本国憲法
2 世界人権宣言
3 国際人権規約
4 人種差別撤廃条約
5 障害者権利条約

Aさん（83歳、女性）は、求職中の息子（54歳）と二人暮らしである。Aさんはレビー小体型認知症（dementia with Lewy bodies）と診断されており、訪問介護（ホームヘルプサービス）のみを利用していたが、今回、要介護３で更新認定を受けた。Aさんは、身の回りのことに常に見守りが必要で、最近、一人で外出して道がわからなくなって警察に保護されたこともあった。息子は、このまま二人暮らしを続けながら、フルタイムで働くことを希望しているが、Aさんが心配で、求職活動も思うようにいっていないと、訪問介護員（ホームヘルパー）に訴えた。

訪問介護員（ホームヘルパー）が、アドボカシー（advocacy）の視点から、サービス担当者会議の場で発言する内容として、最も適切なものを１つ選びなさい。

1 息子の外出時にはAさんが部屋から出られないように、施錠する必要があると説明した。
2 息子が安心して外出できるよう、通所介護（デイサービス）やボランテイアの見守りなどのサービスが必要であると説明した。
3 息子がフルタイムで働けるよう、Aさんを施設へ入所させる必要があると説明した。
4 息子が生活保護を申請する必要があると説明した。
5 サービスを増やすために、息子に当面のアルバイトを紹介する必要があると説明した。

人間関係とコミュニケーション

積極的傾聴に関する次の記述のうち、最も適切なものを１つ選びなさい。

1 「なぜ」「どうして」で始まる質問を繰り返す。
2 自分の価値観で判断しながら聴く。
3 相手の立場に立って理解し、それを示す。
4 聴きながら、解決策を提案する。
5 沈黙しないよう、相手が黙ったら自分が話す。

Bさん(90歳、男性)は、要介護3である。車いすで座位は保持できるが、自分で移動することはできない。加齢性難聴で、声は大きいが、聞き取りにくい。食堂にいたBさんが、玄関の方向を指さして何か言ったが、少し離れた場所で作業していた介護福祉職には聞き取れなかった。

そのときの介護福祉職の対応として、**最も適切なもの**を1つ選びなさい。

1 後で、ゆっくり聞くから待つように作業の手を止めずに伝えた。
2 黙ってBさんを玄関へ案内した。
3 Bさんのそばに行き、目を見てもう一度話すように依頼した。
4 Bさんのそばに行き、耳元で聞き取れなかったことを大きな声で伝えた。
5 その場所から、Bさんに聞こえないとジェスチャーを使って伝えた。

社会の理解

NPO法人に関する次の記述のうち、**最も適切なもの**を1つ選びなさい。

1 所轄庁の認定を受けなければならない。
2 事業を行うのに必要な資産を備えなければならない。
3 収益事業を行うことはできない。
4 認定の有効期間が定められている。
5 ほかのNPO法人や社会福祉法人と合併することができる。

問題 006

少子高齢化に関する次の記述のうち、**適切なもの**を1つ選びなさい。

1 都道府県別でみると、合計特殊出生率が2.0を超えている県がある。
2 高齢化率は、「令和元年版　高齢社会白書」によると28%を超えている。
3 高齢者人口は、生産年齢人口を上回っている。
4 団塊の世代は、後期高齢者に達している。
5 出生数は、近年は約1.8で推移している。

被保険者に関する次の記述のうち、**適切なもの**を1つ選びなさい。

1 市町村国民健康保険の保険料は、世帯主から徴収する。
2 生活保護受給者は、住所があれば、市町村国民健康保険の被保険者となることができる。
3 75歳以上の者は、市町村国民健康保険の被保険者となることができる。
4 介護保険の第1号被保険者の保険料は、医療保険者が徴収する。
5 国民年金の第1号被保険者の保険料は、事業者負担がある。

2018（平成30）年の介護保険法改定内容として、正しいものを１つ選びなさい。

1 介護療養型医療施設の転換先として「介護老人保健施設」が位置づけられた。
2 要介護・要支援認定の有効期限が５年へ延長された。
3 介護保険料の自己負担割合が最大で２割負担となった。
4 介護老人福祉施設入所は要介護４以上が対象となった。
5 介護保険と障害福祉両方の制度に新たな「共生型サービス」が位置づけられた。

問題 009

市町村介護保険事業計画に関する次の記述のうち、正しいものを１つ選びなさい。

1 市町村は、総合確保方針に即して介護保険事業計画を策定する。
2 老人福祉計画と整合性の確保が図られたものでなければならない。
3 医療計画と整合性の確保が図られたものでなければならない。
4 地域福祉計画と調和が保たれたものでなければならない。
5 介護保険事業計画は、毎年、策定しなければならない。

社会保障制度に関する次の記述のうち、最も適切なものを１つ選びなさい。

1 家族を介護するために休業した場合、介護保険から給付が行われる。
2 業務上の事由で負傷した場合、雇用保険から給付が行われる。
3 被保険者である母が死亡した場合、生計を維持されていた父子に、年金が支給される。
4 児童扶養手当は、保険料を支払った人に受給権を保障する。
5 小学校就学前の子どもが病気になり休暇を取った場合、雇用保険から給付が行われる。

障害者を対象とする法律に関する次の記述のうち、適切なものを１つ選びなさい。

1「障害者虐待防止法」では、雇用主による障害者虐待を禁止している。
2「障害者差別解消法」では、障害者差別について具体的に定義している。
3「障害者基本法」では、障害者の自立への努力が規定されている。
4「障害者総合支援法」では、障害者手帳について規定している。
5「精神保健福祉法」では、知的障害者の入院について規定している。

Cさん（55歳、女性）は、関節リウマチ（rheumatoid arthritis）である。医療保険には加入している。最近、日常の家事が十分にできなくなったので、ホームヘルプサービスを利用したいと考えて、知り合いの介護福祉士に尋ねた。
介護福祉士の対応に関する次の記述のうち、最も適切なものを１つ選びなさい。

1 要介護認定を受ける必要があることを説明する。
2 障害支援区分の認定を受ける必要があることを説明する。
3 難病法の指定難病であるので、指定医の診断書が必要であることを説明する。
4 身体障害者手帳が必要であることを説明する。

5 市町村が実施する生活支援サービスがすぐに利用可能であることを説明する。

サービス提供主体に関する次の記述のうち、適切なものを1つ選びなさい。

1 ボランティアは、介護予防サービスの提供主体となることはできない。
2 指定介護予防サービス事業者の指定は、都道府県知事が行う。
3 指定障害福祉サービスの利用定員は、事業者が自由に決めることができる。
4 介護サービス事業者の指定には有効期間があるが、障害福祉サービス事業者の指定には有効期間はない。
5 介護サービス事業者も障害福祉サービス事業者も、第三者評価の受審が義務づけられている。

権利擁護に関する次の記述のうち、最も適切なものを1つ選びなさい。

1 法定後見制度では、親族の中から後見人が選任される。
2 任意後見制度では、判断能力が低下してから、公正証書で契約する。
3 日常生活自立支援事業は、市町村が実施している。
4 日常生活自立支援事業の専門員が、法定後見開始の申立てを行うことができる。
5 高齢者や障害者本人が、虐待を受けた旨を市町村に届け出ることができる。

「地域共生社会」の目指すものとして、適切なものを1つ選びなさい。

1 地域の扶助
2 家族同士の助け合い
3 専門職主体の支援体制
4 社会構造や暮らしの変化に応じて「支え手」「受け手」という関係をつくる
5 住み慣れた地域で自分らしく、地域住民等がともに支え合う地域づくり

生活保護制度に関する次の記述のうち、正しいものを1つ選びなさい。

1 要保護者が急迫した状況にあるときは、保護の実施機関は職権で保護を開始する。
2 被保護者が保護を必要としなくなったときは、保護の実施機関は職権で、一方的に保護を停止する。
3 保護は、最低限度の生活の需要を満たす以上のものでなければならない。
4 生活扶助は、被保護者を施設に入所させて行う。
5 介護扶助は、すべてが現物給付である。

介護

介護の基本

「国民生活基礎調査」(厚生労働省)に関する次の記述のうち、適切なものを1つ選びなさい。

1 65歳以上の者の家族形態は、「子夫婦と同居」より「配偶者のいない子と同居」が多い。
2 65歳以上の者のいる世帯の世帯構造は、「単独世帯」より「三世代世帯」が多い。
3 おもな介護者が同居の家族の場合、「配偶者」より「子の配偶者」が多い。
4 おもな介護者が「事業者」である割合は、3割を超えている。
5 同居のおもな介護者の介護時間は、「要介護3」以上でも、「必要なときに手を貸す程度」が最も多い。

介護福祉士に関する次の記述のうち、最も適切なものを1つ選びなさい。

1 介護キャリア段位の取り組みが義務づけられている。
2 資格取得のためには、国家試験の受験が義務づけられている。
3 実務経験で資格取得する場合、実務者研修を修了しなければならない。
4 心身の状況に応じた介護を行う業務独占資格である。
5 都道府県知事の登録証の交付を受けなければならない。

Dさん（72歳、男性）は、介護老人保健施設に入所している。認知症（dementia）はあるが、普段は、ほかの利用者とも穏やかに話したり、一緒に過ごしたりしている。しかし、食事の準備が始まると、落ち着きがなくなり、食堂をうろうろしたり、突然、大声を出したりすることがある。
介護福祉職の対応として、最も適切なものを1つ選びなさい。

1 Dさんの言動を理解するために、若い頃の仕事や生活のことなどDさん自身の話を聞く。
2 ほかの利用者の迷惑になるので、食事は居室のベッド上でとってもらう。
3 料理に出た食材を話題に、季節についての質問をする。
4 食事の準備中は、部屋から出られないように、外から鍵をかける。
5 箸の使い方など、食事中の動作を観察する。

介護を必要とする人の自己決定に関する次の記述のうち、最も適切なものを1つ選びなさい。

1 判断能力が低い人の場合、家族が決定する。
2 所得が低い人の場合、援助機関が決定する。
3 ADLが低い人の場合、介護福祉職が決定する。
4 本人が自己決定をしようとしているときは、働きかけを行わない。

5 自己決定能力は、働きかけによって高めることができる。

小規模多機能型居宅介護に関する次の記述のうち、**正しいもの**を１つ選びなさい。

1 定期巡回サービスが提供される。
2 訪問介護と訪問看護が一体的に提供される。
3 通いを中心として、随時訪問と宿泊を組み合わせてサービス提供される。
4 小規模多機能型居宅介護計画が作成されれば、居宅サービス計画の作成は任意である。
5 登録定員の上限は決まっていない。

施設での介護のあり方に関する次の記述のうち、**最も適切なもの**を１つ選びなさい。

1 終末期では、家族とゆっくりと過ごす時間をもてるよう、居室環境を整える。
2 「すぐに退所したい」という利用者の訴えは、利用者の思いを最優先して退所手続きをする。
3 少しでも早くなじんでもらえるよう、新規利用者は愛称をつけて呼ぶ。
4 いつでも気分を変えてもらえるよう、テレビはつけたままにしておく。
5 利用者相互の交流を促進するために、多床室を基本とする。

地域包括支援センターに関する次の記述のうち、**最も適切なもの**を１つ選びなさい。

1 要介護者にかかわるケアマネジメント業務を行う。
2 地域相談支援の窓口になる。
3 地域ケア会議を開催する。
4 介護福祉士が配置されている。
5 介護支援専門員が配置されている。

次のマークは何を意味しているか、**適切なもの**を１つ選びなさい。

1 心臓体外式除細動器 AED の設置場所
2 妊娠後期の人
3 救急外来
4 ナーシングホーム（Nursing home）
5 外見からはわからないが、援助や配慮を必要としている人

リスクマネジメントに関する次の記述のうち、**最も適切なもの**を１つ選びなさい。

1 小さな介護事故は、利用者に謝罪すれば報告は必要ない。

2 介護事故を起こしてしまったら、処分が決まるまで業務から外れなければならない。

3 介護福祉職が取り扱いに慣れた道具を使用すれば、事故は起こらない。

4 やむを得ず身体拘束を行った場合は、記録しておかなければならない。

5 事故が起きてから、対応マニュアルを読む。

感染対策に関する次の記述のうち、**最も適切なもの**を１つ選びなさい。

1 ノロウイルスの消毒は、逆性石けんが有効である。

2 インフルエンザの予防には、マスクの着用が最も有効である。

3 手洗いは、こまめに石けんと流水で行う。

4 疥癬は感染力が弱いので、集団感染することは少ない。

5 MRSAは感染力が弱いので、集団感染することは少ない。

コミュニケーション技術

バイステック（Biestek, F.）の７原則を介護場面に適用したときの記述として、**適切なもの**を１つ選びなさい。

1「受容」とは、介護福祉職を受け入れてもらうことである。

2「個別化」とは、利用者に個別にケアを提供することである。

3「意図的な感情表出」とは、介護福祉職の感情表出を大切にすることである。

4「統制された情緒的関与」とは、利用者の感情をコントロールしてかかわることである。

5「非審判的態度」とは、介護福祉職の価値観で評価せずに利用者にかかわることである。

介護福祉職が利用者や家族とかかわるときの基本的対応として、**最も適切なもの**を１つ選びなさい。

1 専門職であることの緊張感が伝わるように、背筋を伸ばして接する。

2 利用者と家族のそれぞれの主観的な訴えに耳を傾ける。

3 利用者と家族の話を聞いたあとに、ほかの家族の解決例を紹介する。

4 利用者と家族のどちらが正しいか、専門職として判断する。

5 専門職としての役割と責任を果たすため、最後まで一人で対応する。

Fさん（79歳、女性）は、認知症対応型共同生活介護（グループホーム）で暮らしている。みんなで昼食を済ませ、片付けも一段落したところで、「お昼ご飯の用意をしなければ」と言い出した。ほかの利用者が「さっき食べたでしょう」と言うと、「食べてないです」と答えた。

このときのFさんに対する介護福祉職の言葉かけとして、**最も適切なもの**を１つ選びなさい。

1「さっき、食べたばかりですよ。忘れてしまったのですか」

2「うどんを食べましたよ。片付けまでFさんも手伝ってくれましたよね」

3「おやつの時間まで、がまんしてください」

4「今日のお昼の献立は何ですか」

5「これからは散歩の予定です」

Gさん（80歳、女性）は、アルツハイマー型認知症（dementia of the Alzheimer's type）である。介護老人福祉施設に入所しているが、いつも職員に「夫を家に一人にしてしまって申し訳ない」と言っている。ある日、夫が面会に来たが、「こんにちは」と挨拶しながらも、誰なのかわかっていない様子であった。

Gさんへの介護福祉職の最初の言葉かけとして、**最も適切なもの**を１つ選びなさい。

1「忘れてしまったのですか」

2「がんばって思い出しましょう」

3「ご主人が来てくださってよかったですね」

4「一人にしてしまって申し訳ないと伝えましょう」

5「さあ、誰が来てくれたのでしょう」

Hさん（84歳、女性）は、最近、長い間介護をしていた夫を亡くして、一人暮らしとなった。外出好きであったのが、日中もずっと家にこもるようになり、ぼんやりとした表情で、何事にもやる気がない様子である。訪問介護（ホームヘルプサービス）に来た介護福祉職に、「夫も逝ってしまったし、生きている意味がない、つらい」と漏らすようになった。

Hさんの訴えに対する介護福祉職の応答として、**最も適切なもの**を１つ選びなさい。

1「ご主人の分まで長生きしましょう」

2「ご主人のことは早く忘れましょう」

3「ご主人に先立たれてつらいのですね」

4「外出してみませんか」

5「つらいと言うと、つらい気持ちが強くなりますね」

Jさん（73歳、男性）は、脳梗塞（cerebral infarction）の後遺症で、聴覚的理解と視覚的理解に障害がある。日常会話で使用する単語は理解できるが、発語がうまくできなかったり、コミュニケーションがとれないことがある。介護福祉職が「明日は晴れたら午後から散歩に行きますが、Jさんは行きますか」と早口で問うと、Jさんは話の内容がわからなかった様子である。

Jさんが理解できるようなかかわり方として、**最も適切なもの**を１つ選びなさい。

1「明日、散歩」、「行く、行かない」と短い言葉で伝える。

2「あした、さんぽ、いく」とひらがなで書いて伝える。
3 Jさんに携帯用会話補助装置を渡し、もう一度、同じ言葉を伝える。
4 もう一度、大きな声で同じ言葉を伝える。
5 言葉を１音ずつに区切って、もう一度、ゆっくり同じ言葉を伝える。

次の事例を読んで、問題33、問題34について答えなさい。

〔事例〕 Kさん（76歳、男性）は、介護老人保健施設に入所している。脳梗塞（cerebral infarction）の後遺症のため、構音障害と嚥下障害がある。食事は、とろみをつけたりして一人で摂取できるが、むせることが多い。よだれが流れて、衣服が濡れてしまうことも多い。
介護福祉職がKさんに、「何か食べたいものはありますか」と尋ねると、「おいうああえあい」（「お肉が食べたい」の意味）という不明瞭な発話が返ってきた。

Kさんが「おいうああえあい」と話したときの介護福祉職の対応として、**最も適切なもの**を１つ選びなさい。
1「これに書いてください」とメモ用紙とペンを渡す。
2「よだれを拭きましょう」とタオルを渡す。
3「おにく？」と自分が聞き取れた通りに繰り返す。
4「もう一度、正確に言い直してください」とお願いする。
5 もう一度、大きな声でゆっくりと、同じ質問をする。

Kさんの食事場面でのコミュニケーションに関する次の記述のうち、**最も適切なもの**を１つ選びなさい。
1 メニューを説明する程度の声かけにとどめる。
2 会話しながら食事できるよう、絶えず話しかける。
3 介護福祉職がスプーンに乗せたおかずを、黙って食べてもらう。
4 一口ごとに水を飲むように促す。
5 ご飯とおかずを混ぜてから口に運ぶように促す。

生活支援技術

生活支援に関する次の記述のうち、**最も適切なもの**を１つ選びなさい。
1 利用者のできないことではなく、できることに焦点をあてる。
2 その人らしい生活の実現よりも、一人で生活行為ができることを目的に支援する。
3 利用者の自己決定よりも、支援者側の決定に慣れることを優先して支援する。
4 理想の生活様式に、画一的にあてはめるように支援する。

5 生活空間を限定して、安全を重視した生活を送れるよう支援する。

介護保険の給付について、**正しいもの**を1つ選びなさい。

1 認知症老人徘徊感知器は、福祉用具販売の対象になる。
2 特殊寝台（付属品を含む）は、福祉用具貸与の対象になる。
3 入浴補助用具は、福祉用具貸与の対象となる。
4 ガスコンロから電磁調理器への取替えは、住宅改修の給付の対象となる。
5 階段への昇降機の設置は、住宅改修の給付対象となる。

住環境と健康に関する次の記述のうち、**最も適切なもの**を1つ選びなさい。

1 ヒートショックは、夏に起こりやすい。
2 ヒートショックは、低血圧の人に起こりやすい。
3 熱中症は、屋内でも発生する。
4 布団についてダニアレルゲンは、陰干しして除去する。
5 シックハウス症候群は、急激な温度差で生じる。

高齢者の整容支援の注意点として、**最も適切なもの**を1つ選びなさい。

1 電気かみそりは、ひげの流れに沿って剃る。
2 目やには、目頭から目尻に向かって拭く。
3 耳垢は、ピンセットで除去する。
4 義歯は、熱湯で消毒する。
5 鼻は、左右同時にかむ。

高齢者の感覚機能低下について、**適切なもの**を1つ選びなさい。

1 視覚機能が低下するため、室内やトイレ、廊下などの明るさに差をつけるほうがよい。
2 夜間は、トイレなどの移動時、廊下の足元に光源をつけるのはよくない。
3 体温調節機能の低下に配慮して、猛暑日には冷房器具を使用しないで、自然の風を取り入れる。
4 皮膚感覚が低下しても、暖房器具により低温やけどを起こすことはない。
5 嗅覚の低下に配慮して、電磁調理器を使用する。

視覚障害のある利用者に食事の内容を説明するときに、利用者が座る位置として、**最も適切なもの**を１つ選びなさい。

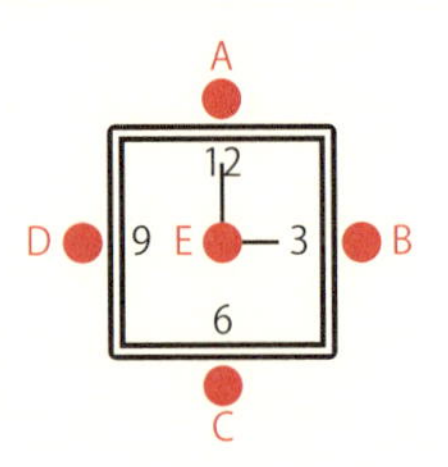

1 A

2 B

3 C

4 D

5 E

車いすで外出するときの留意点として、**適切なもの**を１つ選びなさい。

1 車いすの走行スピードは、遅ければ遅いほどよい。

2 曲がり角では、速度を速めてすばやく曲がる。

3 短時間の停止なら、ブレーキをかける必要はない。

4 電車に対して車椅子が直角になるようにして、後ろ向きで乗車する。

5 砂利道などではグリップを押し下げ、テッィッピングレバーを強く踏みつけ、キャスターを持ち上げた状態で操作する。

歩行支援に関する次の記述のうち、**最も適切なもの**を１つ選びなさい。

1 視覚障害がある人が狭い通路を通るときは、後ろから誘導する。

2 パーキンソン病で姿勢反射障害がある人は、曲がり角は直角に曲がってもらう。

3 シルバーカーは、自立歩行ができない人が利用する。

4 車いすでは、急な下り坂は、後ろ向きで下りる。

5 ロフストランドクラッチは、関節リウマチの人に適している。

ボディメカニクスの基本原則に関する次の記述のうち、**適切なもの**を１つ選びなさい。

1 介助者は体幹を45度にねじる。

2 介助者の重心は、できるだけ低くする。

3 介助者の支持基底面積は、狭くとる。

4 介助者と利用者の距離は、できるだけ離す。

5 ベッド上では、利用者を垂直に持ち上げてから移動する。

問題044

食中毒に関する記述について、**適切なもの**を１つ選びなさい。

1 カキ等の二枚貝の調理は、内部が85～90度で５秒間以上加熱する。

2 カキ等を扱ったまな板、食器等はしっかり洗い流す。

3 煮物は毎日、加熱することで菌の増殖を抑えられる。

4 鶏肉を触った後は、手をよく洗う必要はない。

5 解凍した冷凍食品は、再度冷凍すれば安全である。

ビタミンと主な働きについて、正しい組み合わせを１つ選びなさい。

1 ビタミンA ――― 糖代謝に関与

2 ビタミンD ――― 抗酸化作用

3 ビタミンE ――― カルシウム代謝に関与

4 ビタミンB_1 ――― 視覚や皮膚の正常を保つ

5 ビタミンK ――― 血液凝固に関与

Lさん（77歳、女性）は、週３回、通所介護（デイサービス）を利用している。真夏のある日、通ってきたLさんは、提供された食事をほとんど食べなかった。食事以外に摂取した水分は、お茶を２杯（200～300ml程度）だという。唇が乾燥しており、手の甲の皮膚をつまむと、つまんだ形がそのまま残った。排尿回数も少なく、尿の色はいつもより濃いという。

Lさんへの対応として、最も適切なものを１つ選びなさい。

1 冷たいお茶を勧める。

2 経口補水液を勧める。

3 温かい牛乳を勧める。

4 入浴を勧める。

5 食事の一時休止を勧める。

食事の支援に関する次の記述のうち、最も適切なものを１つ選びなさい。

1 はじめにお茶や汁物で口の中を湿らせてもらう。

2 全介助の場合は、介護福祉職に向けて食事を並べる。

3 頭部を後屈させてもらい、立って、上から介助する。

4 嚥下障害がある場合、食事の温度は、体温と同程度にする。

5 唾液分泌が低下している場合、主食をパンにする。

総義歯の取り扱いについて、適切なものを１つ選びなさい。

1 総義歯を装着するときは、最初に下の義歯から装着する。

2 装着するときは、前歯の部分をつまみ、まっすぐに口に入れる。

3 総義歯を外すときは、最初に上の義歯を外す。

4 下の義歯を装着するときは、両手の人差し指を左右の奥歯に当て、下あごに沿って静かに押し込む。

5 上の義歯を装着するときは、義歯床の中央部を人差し指で上あごにゆっくり押し付ける。

食事と排泄支援について、**適切なもの**を１つ選びない。

1 食事に時間がかかるので、すべて食べさせた。

2 噛みにくそうなので、食事を刻んだ。

3 利用者本人に、食べやすい方法を確認した。

4 排泄の支援では、尿意の有無にかかわらず定期的にトイレ誘導をする。

5 自立支援を実現するには、利用者自身の意思より専門家の意見を尊重する。

問題
050

入浴に関する次の記述のうち、**最も適切なもの**を１つ選びなさい。

1 酸素療養中の人は、鼻カニューレを外して入浴する。

2 消化管ストーマのある人は、装具を外して入浴する。

3 埋込式ペースメーカーを装着している人は、入浴を控える。

4 血液透析を受けている人は、透析直後に入浴する。

5 右片麻痺がある人は、浴槽に右足から入る。

排泄介護に関する次の記述のうち、**最も適切なもの**を１つ選びなさい。

1 トイレのＬ字型手すりの縦手すりは、洋式便座の先端よりも後方の側面に設置する。

2 トイレの扉は、内開きが良い。

3 ポータブルトイレは、ベッドの高さより低い座面のものを選ぶ。

4 ベッドで尿器を使用する場合、ベッドの背もたれを上げる。

5 差し込み便器は、開口部の中央に、仙骨がくるようにする。

変形性膝関節症の人の日常生活で、**適切なもの**を１つ選びななさい。

1 トイレは洋式トイレより、和式トイレのほうがよい。

2 運動療法では、プールの水中歩行はよいとされている。

3 進んで階段の上り下りをするとよい。

4 トイレ便座の高さは、低いほうがよい。

5 なるべく動かないで、座って過ごすほうがよい。

Mさん(80歳、女性)は、介護老人福祉施設に入所している。脳梗塞（cerebral infarction）の後遺症で右片麻痺があり、最近は、筋力の低下が目立つようになった。Mさんは、日中はポータブルトイレ、夜間は紙おむつを使用している。
Mさんへの対応として、**最も適切なもの**を１つ選びなさい。

1 ポータブルトイレは、ベッドの右側に置く。

2 排泄が終了したら、立ち上がる前に下着やズボンを大腿部まで上げておく。

3 ポータブルトイレの中の排泄物は、１日分をまとめて片づける。

4 おむつは、腹部との間に隙間をつくらないよう止める。

5 陰部は、肛門から恥骨に向かって拭く。

口腔ケアに関する次の記述のうち、最も適切なものを１つ選びなさい。

1 ベッド上で実施する場合、仰臥位とする。
2 経管栄養で口腔から摂取していない場合、不要である。
3 スポンジブラシは、したたるほど水を含ませて使用する。
4 ブラシは大きく、硬い歯ブラシを選ぶ。
5 ブラッシング前に、うがいをする。

悪質商法や詐欺にあわないための助言として、適切なものを１つ選びなさい。

1 訪問販売によるリフォームは、工事が始まってしまったら期間内でもクーリング・オフできなくなると助言した。
2 通信販売で購入した場合、クーリング・オフ期間は８日間であると助言した。
3 注文した覚えのない商品が送りつけられてきた場合、受け取らないよう助言した。
4 一方的に「点検に来た」と言って訪問があった場合、この機会に点検してもらうよう助言した。
5 公的機関を名乗る電話は、信用できるので、そのまま一人で対処してよいと助言した。

衣類に付された次のマークは、洗濯のときにどのような取り扱いをしたらよいか、正しいものを１つ選びなさい。

1 ドライクリーニング禁止
2 酸素系漂白剤は使用できるが、塩素系漂白剤は使用禁止
3 ぬれつり干し乾燥が良い
4 非常に弱い処理によるウェットクリーニングができる
5 タンブル乾燥ができる

不眠を訴える人への介護に関する次の記述のうち、最も適切なものを１つ選びなさい。

1 睡眠薬の服用を勧める。
2 午後に昼寝をすることを勧める。
3 なるべく早い時間から床につくことを勧める。
4 日中に適度な運動をすることを勧める。
5 寝る前に熱めのお風呂に入ることを勧める。

Aさん（86歳、男性）は、自宅で妻と二人暮らしである。末期がん（cancer）と診断され、麻薬性鎮痛剤を使用している。本人も妻も「延命治療はせずに、できるだけ自宅で最期を迎えたい」と希望している。Aさんは寝ていることが多く、食欲が低下し、食事を残すことが多くなってきた。がんによる疼痛の訴えも増えている。妻もこのままでいいのかと不安を訴えている。

介護福祉職の助言として、最も適切なものを１つ選びなさい。

1 「なるべく安静に寝ているようにしましょう」
2 「家では心配なので、入院しましょう」
3 「好きなものを食べてもらうようにしましょう」
4 「胃ろうの造設を検討しましょう」
5 「麻薬は怖いので、増やさないようがまんしてもらいましょう」

問題 059

服薬について正しいものを１つ選びなさい

1 朝用の薬を飲み忘れたので、昼の分と一緒に服用した。
2 食間服用の漢方薬を食事の最中に服用した。
3 食前服用の薬を食事の30分前に服用した。
4 カプセル剤が飲みにくいので、カプセルをはずして服用した。
5 舌下錠をそのまま飲み込んだ。

施設での終末期から死後における支援として、最も適切なものを１つ選びなさい。

1 本人が死への恐怖を訴えた場合は、話を変える。
2 入所時の本人と家族の意思を尊重する。
3 家族が希望しても、介護や死後の処置には参加させない。
4 家族の悲嘆へのケアは、死亡直後から行う。
5 臨終期は、意識がなくなっても声かけを続ける。

介護過程

介護過程に関する次の記述のうち、最も適切なものを１つ選びなさい。

1 介護の目的を実現するための、客観的で科学的な思考と実践の過程である。
2 介護福祉職の業務効率を優先させることを可能にする過程である。
3 介護福祉職が理想とする、よりよい生活を実現することである。
4 介護福祉職の経験に基づく実践方法を、個別の利用者にあてはめていく過程である。
5 １回限りの介護を提供する過程である。

介護福祉職の情報収集に関する次の記述のうち、**最も適切なもの**を１つ選びなさい。

1 利用者の主観的情報を優先して収集する。
2 収集した情報は、取捨選択し、１つに絞る。
3 利用者がやりたくないことについての情報は収集しない。
4 利用者の同意を得て、他職種からも情報を収集する。
5 情報は、そのつど、介護福祉職が主観で判断して記録する。

アセスメントと介護計画の立案に関する次の記述のうち、**最も適切なもの**を１つ選びなさい。

1 潜在的な課題は取り上げない。
2 今できている活動の分析はしない。
3 課題が明らかであれば、アセスメントせずに計画する。
4 複数の生活課題は優先順位をつけ、計画する。
5 実現不可能でも理想的な目標をもって計画する。

介護計画の評価に関する次の記述のうち、**最も適切なもの**を１つ選びなさい。

1 介護計画通りで実施できていれば、記録や評価は必要ない。
2 介護計画の短期目標は、評価の際の基準になる。
3 結果が重視され、実践過程は評価しない。
4 介護計画で最初に定めた時期まで、評価を行うことはない。
5 ほかの利用者と比較した目標の達成度が最も重要である。

Ｂさん（76歳、女性）は、アルツハイマー型認知症（dementia of the Alzheimer's type）で、認知症対応型共同生活介護（グループホーム）に入居している。普段は、週末に長男の妻が訪れることを楽しみにしている。最近、もの盗られ妄想がひどくなり、「財布がない」「嫁が盗んだに違いない」と言い、長男の妻に対して「どこに隠したの」と言っている。ほかの利用者は巻き込まれないように、かかわりを避けている。
Ｂさんへの介護目標として、**最も適切なもの**を１つ選びなさい。

1 ほかの利用者とかかわりをもてるようになる。
2 長男の妻が訪れなくても、週末を穏やかに過ごすことができる。
3 訪れた長男の妻と穏やかに過ごすことができる。
4 財布を自分で見つけることができる。
5 ほかの利用者に迷惑をかけない。

Cさん（82歳、男性）は一人暮らしで、訪問介護（ホームヘルプサービス）を利用している。介護計画に基づいて、いつものように食事の準備をしようとしたら、「何やっているんだ、出て行け」と大声をあげた。このようなことが数回、続いた。
この場面の介護福祉職のアセスメントとして、**最も適切なもの**を１つ選びなさい。

1 大声をあげる背景を確認する必要がある。
2 介護計画で決められたことなのでやらなければならない。
3 声が近所に漏れないよう工夫する必要がある。
4 認知症の診断を急いでもらう必要がある。
5 サービスを打ち切る必要がある。

次の事例を読んで、問題67、問題68について答えなさい。

〔事例〕

Dさん（75歳、男性、要介護１）は、娘と孫と３人で暮らしている。左片麻痺があるが、杖があれば一人で歩行できる。現在は、小規模多機能型居宅介護を利用して在宅生活を送っている。昔から散歩が好きで、天気の良い日には、一人で杖をついて散歩に出かけていく。
Dさんの小規模多機能型居宅介護における介護計画の長期目標は「安全に散歩に出かける」、短期目標は「転倒しない」で、事業所内での起立訓練と歩行訓練が順調に実施されている。
最近、近所の人から、Dさんが、公園の階段でよろけたり、階段を前に困っている姿を見かけたという情報がたびたび聞かれるようになった。

Dさんの主観的情報を得る方法として、**正しいもの**を１つ選びなさい。

1 Dさん本人に困っていないか確認する。
2 近所の人からさらに目撃情報を収集する。
3 娘に家での様子を聞く。
4 孫にDさんと今後も暮らしたいか聞く。
5 Dさんの体力測定を行う。

Dさんの状況を受けて、関係職員が集まり、カンファレンス（conference）を開催することになった。チームアプローチに関する次の記述のうち、**最も適切なもの**を１つ選びなさい。

1 理学療法士が、事業所内の起立訓練と歩行訓練の見直しについて提案した。
2 介護福祉職が、要介護認定の区分変更申請を代行することを提案した。
3 介護支援専門員が、効果がないのでサービス提供を止めることを提案した。
4 看護職員が、訪問介護（ホームヘルプサービス）を追加することを提案した。
5 ボランティアが、Dさんの散歩の様子を監視する必要があることを提案した。

こころとからだのしくみ

発達と老化の理解

発達についての考え方を示した次の記述のうち、**最も適切なもの**を１つ選びなさい。

1 ハヴィガーストによると、乳幼児期の発達課題は、善悪の区別を習得することである。
2 エリクソンによると、青年期の発達課題は、自我の統合である。
3 ピアジェによると、「保存の概念」が確立するのは、前操作期である。
4 ワトソンによると、発達は遺伝的要因に影響される。
5 ゲゼルによると、発達は遺伝と環境が相互に作用する。

加齢に伴う変化に関する次の記述のうち、**最も適切なもの**を１つ選びなさい。

1 収縮期血圧が上昇する。
2 心臓が縮小する。
3 下肢の筋肉量が増加する。
4 体内水分量が増加する。
5 低音域の聴覚が低下する。

老化が及ぼす心理的影響に関する次の記述のうち、**最も適切なもの**を１つ選びなさい。

1 エイジズムを肯定して、プロダクティブ・エイジングの概念が生まれた。
2 離脱理論では、高齢者になって活動量が低下することが、幸福度を下げるととらえる。
3 サクセスフルエイジングは、主観的な幸福感をいう。
4 社会情動的選択理論では、安心できる旧友とばかり付き合う生活に不満をもっているととらえる。
5 老性自覚の出現時期は、高齢者に共通している。

老年期の精神疾患と精神症状に関する次の記述のうち、**最も適切なもの**を１つ選びなさい。

1 せん妄は、夜間よりも昼間に生じやすい。
2 若年者のうつ病に比べて、老年期うつ病は、抑うつ気分が強い。
3 疾患にうつ症状を伴うことが多い。
4 双極性感情障害を発症することが多い。
5 妄想を訴えることは少ない。

高齢者に起こりやすい疾患や症状に関する次の記述のうち、**最も適切なもの**を１つ選びなさい。

1 めまいや立ちくらみが時々ある場合、首を左右に振る体操が有効である。

2 機能性尿失禁には、骨盤底筋群を鍛える体操が有効である。

3 誤嚥性肺炎の予防には、口腔ケアが有効である。

4 変形性膝関節症では、階段の昇り降りの運動が効果的である。

5 溢流性尿失禁は男性より女性に多い。

パーキンソン病（Parkinson's disease）に関する次の記述のうち、**正しいもの**を１つ選びなさい。

1 筋肉の異常が原因である。

2 多動となる。

3 すくみ足がみられる。

4 高血圧がみられる。

5 手指の動きは円滑である。

Eさん（74歳、男性）は、糖尿病（diabetes mellitus）で朝食前に血糖降下薬を内服している。医師からは、インスリンの分泌を増やす薬であると説明を受けている。最近、糖尿病の影響で、腎臓の機能が悪くなっているとも指摘されている。Eさんは、「最近、夕方になるとお腹が空いて『ふわふわ』とめまいを感じる。昨日も、今日も、クッキーを１つ食べたら良くなった。」と言っている。

介護福祉職の対応として、**最も適切なもの**を１つ選びなさい。

1 薬の服用を止めるように、助言する。

2 朝食の量を増やすように、助言する。

3 おやつは食べないように、助言する。

4 １週間ほど様子をみるように、助言する。

5 主治医に相談するように、助言する。

高齢者の疾患の特徴として、**適切なもの**を１つ選びなさい。

1 合併症は起こりにくい。

2 症状が定型的である。

3 薬の副作用は出にくい。

4 老化と疾患の区別が難しい。

5 環境因子の影響を受けにくい。

問題 077

リアリティ・オリエンテーション（reality orientation）に関する次の記述のうち、最も適切なものを１つ選びなさい。

1 思い出を語り合い、豊かな情動をもたらすことを期待する療法である。
2 現実の感覚や認識を確認して、日常的に、見当識に働きかける療法である。
3 動物を介在させて行われる療法である。
4 行動療法理論に基づいて、対人的行動の習得を目指す療法である。
5 正しい知識や情報を提供したり、教育的側面を含んだ療法である。

問題 078

認知症高齢者の日常生活自立度判定基準「ランクⅡ」の内容として、正しいものを１つ選びなさい。

1 日常生活に支障をきたすような症状・行動や意思疎通の困難さが多少みられても、誰かが注意していれば自立できる。
2 日常生活に支障をきたすような症状・行動や意思疎通の困難さがみられ、介護を必要とする。
3 日常生活に支障をきたすような症状・行動、意思疎通の困難さが頻繁にみられ、常に介護を必要とする。
4 著しい精神症状・周辺症状、重篤な身体疾患がみられ、専門医療を必要とする。
5 日常生活は家庭内・社会的に自立している。

問題 079

Fさん（71歳、男性）は、ある日、転倒して後頭部を強く打ったが、そのときは、いつもと様子は変わらなかった。しかし、４週間経った頃から、物忘れが急速に強くなり、ここ数日はふらつくようになった。
Fさんの状態として、最も可能性の高いものを１つ選びなさい。

1 前頭側頭型認知症
2 血管性認知症
3 レビー小体型認知症
4 慢性硬膜下血腫
5 後縦靱帯骨化症

問題 080

早期発見で改善が可能な認知症（dementia）として、最も適切なものを１つ選びなさい。

1 クロイツフェルト・ヤコブ病
2 アルツハイマー型認知症
3 正常圧水頭症
4 前頭側頭型認知症
5 レビー小体型認知症

Gさん（67歳、女性）は、レビー小体型認知症（dementia with Lewy bodies）を発症している。認知症対応型共同生活介護（グループホーム）に入居しているGさんに認められる状態として、**最も可能性の高いもの**を1つ選びなさい。

1 ちょっとしたことで泣いたり笑ったりする。
2 グループホーム内で、迷子になったり徘徊したりする。
3 ほかの入居者のものを盗んだり、他人に迷惑をかけたりする。
4 ほかの入居者が自分の財布を盗んだと訴える。
5「自分の部屋に知らない人が座っている」など、実際にはないことを口にする。

認知症（dementia）の原因となる疾患の特徴として、**最も適切なもの**を1つ選びなさい。

1 前頭側頭型認知症では、社会のルールや常識的な規範がわからなくなる。
2 アルツハイマー型認知症では、記憶力は低下しても判断力や理解力は維持されている。
3 血管性認知症では、現実的で具体的な幻視がある。
4 クロイツフェルト・ヤコブ病は、進行が遅い。
5 パーキンソン病では、脳内にプリオンという特異なたんぱく質が沈着する。

認知症の行動・心理症状（BPSD）に関する次の記述のうち、**最も適切なもの**を1つ選びなさい。

1 大切なことが覚えられない。
2 親しい人がわからない。
3 計画を立てて段取りすることができない。
4 不安な状態が続く。
5 数の計算ができない。

認知症対応型共同生活介護（グループホーム）における認知症ケアに関する次の記述のうち、**最も適切なもの**を1つ選びなさい。

1 認知症の利用者と認知症でない利用者が共同生活をしている。
2 行動・心理症状（BPSD）の治療に焦点をあてている。
3 利用者同士がなじみの関係になれることを重視する。
4 食堂で通所介護（デイサービス）を行う。
5 介護保険制度では、施設サービスに位置づけられる。

一人暮らしのHさん（80歳、女性）は初期の認知症（dementia）である。最近、家賃の支払いを忘れて、家主から催促されることが数回続いた。介護保険制度では、訪問介護（ホームヘルプサービス）を利用している。Hさんは、来月も家賃を忘れてしまうのではないかと心配で、介護福祉職に相談した。

介護福祉職の対応として、最も適切なものを１つ選びなさい。

1 訪問介護（ホームヘルプサービス）として、来月からは自分が家賃を支払うことを請け負った。

2 日常生活自立支援事業の利用を専門員に相談することを勧めた。

3 認知症対応型共同生活介護（グループホーム）の利用を勧めた。

4 成年後見制度を利用するために、市町村長に申立てを行ってもらうことを勧めた。

5 認知症サポーターに頼むことを勧めた。

問題 086

認知症初期集中支援チームに関する次の記述のうち、最も適切なものを１つ選びなさい。

1 複数の専門職が、認知症が疑われる人を訪問し、必要なサービスの導入・調整や家族支援など、初期の支援を包括的・集中的に行う。

2 自分なりにできることから、認知症の人やその家族を見守り、支援する。

3 認知症の鑑別診断や、行動・心理症状（BPSD）と身体合併症に対する急性期医療、専門医療相談、関係機関との連携、研修会の開催等を行う。

4 認知症の人、その家族、地域住民、専門職等が集う場で、認知症の人を支えるつながりを支援する。

5 医療・介護・地域の連携に関するコーディネーターの役割を担う。

障害の理解

問題 087

図の標識が示すものとして、正しいものを１つ選びなさい。

1 聴覚障害者が乗車している普通自動車である。

2 聴覚障害者が運転している普通自動車である。

3 聴覚障害者が運転しているタクシーである。

4 70歳以上の高齢者が運転している普通自動車である。

5 肢体不自由者が運転している普通自動車である。

※実際の表示では、白地部分は黄色、外側の黒色部分は緑色、外側の丸枠は黒色です。

問題 088

片麻痺のある人のICF（International Classification of Functioning, Disability and Health：国際生活機能分類）における「活動制限」として、適切なものを１つ選びなさい。

1 外食できない。

2 言葉がうまく出てこない。

3 お風呂に入れない。

4 手足が動かない。

5 就職できない。

高次脳機能障害（higher brain dysfunction）の遂行機能障害として、**正しいもの**を１つ選びなさい。

1 約束を忘れる。
2 自己中心的になる。
3 集中力がない。
4 指示されないと行動できない。
5 同時に２つ以上のことをすると混乱する。

知的障害のある人に対する支援方法として、**最も適切なもの**を１つ選びなさい。

1 家族の障害受容の支援は必要ない。
2 いつまでも子どもに接するようにかかわる。
3 性への関心に対する支援は必要ない。
4 失敗しないように先回りして支援する。
5 言葉だけでなく、ジェスチャーやイラストも使って伝える。

脊髄小脳変性症に関する記述のうち、**正しいもの**を１つ選びなさい。

1 大脳に何らかの病変が現れる。
2 起立時、歩行時にふらつくことはない。
3 口や舌がもつれてうまくしゃべられない。
4 急激に進行する。
5 誤嚥性肺炎に気をつけることはない。

統合失調症（schizophrenia）の陰性症状に関する次の記述のうち、**適切なもの**を１つ選びなさい。

1 誰かが襲ってくると思い込む。
2 考えていることが誰かに抜き取られたように感じる。
3 周りに誰もいないのに、声が聞こえる。
4 感情の動きが乏しくなる。
5 会話にまとまりがなくなる。

難病に関する次の記述のうち、**正しいもの**を１つ選びなさい。

1 広範脊柱管狭窄症では、膀胱直腸障害を伴うことはない。
2 潰瘍性大腸炎では、血便を伴わないことがある。
3 クローン病では、消化管以外には病変は起こらない。
4 筋萎縮性側索硬化症（ALS）では、人工呼吸器を導入することはない。
5 悪性関節リウマチでは、内臓障害は伴わない。

内部障害のある人が日常生活で心がけることとして、**適切なもの**を１つ選びなさい。

1 慢性閉塞性肺疾患の人で在宅酸素療法を行う場合、火気に注意する必要はない。
2 腎臓機能障害のある人は、透析後に入浴を行う。
3 HIVによる免疫機能障害のある人は、日和見感染を防ぐために、日光に当たらない。
4 心臓機能障害のある人は、便秘に注意する。
5 膀胱・直腸機能障害のある人は、外出は避ける。

「障害者総合支援法」に基づく訓練等給付の内容として、**適切なもの**を１つ選びなさい。

1 共同生活を行う住居で、相談や日常生活上の援助を行う。
2 低額な料金で、居室等を提供するとともに、日常生活に必要な支援を行う。
3 短期間、夜間も含め施設等で、入浴、排泄、食事の介護等を行う。
4 施設で、創作的活動・生産活動の機会の提供、社会との交流等を行う。
5 施設を利用する障害者を対象に、地域移行支援計画を作成する。

Hさん（44歳、男性）は、精神障害（障害支援区分３）があるが、アパートで一人暮らしをしている。服薬管理はできており、経済的な心配はない。ただし、両親との関係は悪く、今後の生活に漠然とした不安を抱いている。
Hさんが利用する障害福祉サービスとして、**最も適切なもの**を１つ選びなさい。

1 共同生活援助（グループホーム）
2 就労移行支援
3 福祉ホーム
4 地域活動支援センター
5 自立訓練

こころとからだのしくみ

若いときに習得した技術や技能の記憶は、高齢になっても長く保存されていることが多い。この記憶として、**最も適切なもの**を１つ選びなさい。

1 感覚記憶
2 意味記憶
3 エピソード記憶
4 手続き記憶
5 作動記憶

マズローの欲求階層説（Maslow, A.H.）における最下層の欲求に関する次の記述のうち、適切なものを１つ選びなさい。

1 他者から認められたいという欲求である。
2 経験や学習から獲得される欲求である。
3 成長欲求と呼ばれる。
4 情緒的満足との関係が深い欲求である。
5 ホメオスタシスの働きによって制御される。

「日常生活動作（Activities of Daily Living：ADL」に分類されるものとして、正しいものを１つ選びなさい。

1 交通機関の利用
2 食事
3 買物
4 薬の管理
5 金銭管理

廃用症候群で起こる可能性のある病態とその対策の組合せとして、最も適切なものを１つ選びなさい。

1 褥瘡 ――――――― 発赤部分のマッサージ
2 関節拘縮 ――――― 運動制限
3 筋萎縮――――――― たんぱく質摂取
4 深部静脈血栓症 ―― 臥床
5 尿路感染症 ―――― 水分制限

栄養素に関する次の記述のうち、正しいものを１つ選びなさい。

1 脂質は、1gあたり9kcalのエネルギーを発生する。
2 ビタミンKは、皮膚でも産生される。
3 ビタミンCは、脂溶性ビタミンである。
4 糖質は、細胞質の主成分となる。
5 ナトリウムは、血圧を下げる。

脱水に伴う症状として、最も適切なものを１つ選びなさい。

1 多尿
2 浮腫
3 低体温
4 徐脈

5 めまい

褥瘡の発生部位として、**最も頻度が高いもの**を１つ選びなさい。

1 仙骨部
2 大転子部
3 踵骨部
4 後頭部
5 肩甲骨部

臓器に関する次の記述のうち、**正しいもの**を１つ選びなさい。

1 唾液は１日に約100ml分泌される。
2 結腸は、上行結腸、S状結腸、横行結腸、下行結腸の順に並んでいる。
3 腎臓は、ランゲルハンス島を有する。
4 心臓の左心房には、静脈血が流れている。
5 副腎皮質からコルチゾールが分泌される。

入浴による静水圧の直接的な作用として、**最も適切なもの**を１つ選びなさい。

1 老廃物の排泄の促進
2 下肢のむくみの軽減
3 関節への負担の軽減
4 体重による負担の軽減
5 毛細血管の拡張

便秘の原因になるものとして、**最も適切なもの**を１つ選びなさい。

1 麻薬性鎮痛剤
2 経管栄養剤
3 インスリン製剤
4 過活動膀胱
5 緩下剤

睡眠に関する次の記述のうち、**正しいもの**を１つ選びなさい。

1 メラトニンは、睡眠を促進するホルモンである。
2 適度な運動では浅い眠りになる傾向がある。
3 最も深い眠りの段階は、レム睡眠である。
4 睡眠が不足すると、副交感神経が活発になる。
5 抗ヒスタミン薬は、覚醒作用がある。

利用者は、老衰が進行して寝たきり状態にある。経口摂取はごく少量で、主治医から、予後は１週間以内であろうという説明が、家族にあり、このまま自宅で看取る方針が合意されている。看取りの助言として、**最も適切なもの**を１つ選びなさい。

1「口腔ケアはもう必要ありません」と助言した。
2「急変することはありません」と助言した。
3「尿量が増加します」と助言した。
4「角膜の混濁がみられます」と助言した。
5「下顎を動かして息を吸おうとする呼吸がみられます」と助言した。

医療的ケア

スタンダードプリコーションに関する次の記述のうち、**適切なもの**を１つ選びなさい。

1 感染症についての特別対策である。
2 感染症を発症している利用者・患者への対応策である。
3 感染症を発症していない利用者・患者への対応策である。
4 医療・介護を提供する職員への対応策である。
5 感染の有無に関わらない標準予防策である。

喀痰吸引時の対応として、**適切なもの**を１つ選びなさい。

1 利用者を上向きに寝かせ、あごを下げて鼻からチューブを挿入した。
2 介護職がかぜ気味だったが、マスクをせずに吸引した。
3 痰が溜まりそうなところへ、チューブをしばらく留めた。
4 痰の色がいつもと違うので、看護職へ報告した。
5 吸引後、チューブはそのまま保管容器に戻した。

経管栄養を行う利用者に対する生活支援として、**適切なもの**を１つ選びなさい。

1 栄養剤を注入した後はすぐに口腔ケアを行う。
2 経管栄養には経鼻経管栄養と、胃ろう経管栄養の２種類がある。
3 注入速度や栄養剤の温度により、下痢を起こすことはない。
4 経管栄養では便秘を起こすことはない。
5 注入が終わったときに「食事が終わりましたよ」と声をかけた。

医療的ケアについて**適切なもの**を１つ選びなさい。

1 喀痰吸引は、介護職であれば誰でも行える。
2 医療的ケアは、介護保険法で定められた介護福祉士の業として規定されている。
3 喀痰吸引を行う医師の指示書の有効期間は、３か月である。
4 胃ろう、腸ろうのろう孔付近は、消化液の漏出によりびらんを起こすことがある。

5 経鼻経管栄養のチューブ留めテープが外れていたので貼りなおした。

Jさん（89歳男性）は自宅で85歳の妻と２人暮らしである。訪問した際、ベッドに臥床中のJさんの咽頭付近で痰の絡むゴロゴロ音がしていたため、医師の指示通りに痰の吸引を行うこととした。訪問時の介護福祉士の対応として、**最も適切なもの**を１つ選びなさい。

1 Jさんの姿勢を上半身60度挙上させる。
2 入れ歯（義歯）がきちんと装着されているか確認した。
3 Jさんには何も知らせずに、吸引を開始した。
4 吸引圧を調節しながら、吸引をした。
5 普段の水分を控えめにするよう伝えた。

総合問題

総合問題 1

次の事例を読んで、問題114から問題116までについて答えなさい。

〔事例〕 Kさん（40歳、男性）は、知的障害で、療育手帳（重度）を所持している。これまでは両親と同居し、衣服の着脱介助など、両親が必要以上の世話を行っていた。しかし、両親が高齢になり、家庭でKさんの介護を続けることが困難となったため、障害者支援施設に入所することとなった。
Kさんは、言葉によるコミュニケーションは、簡単な単語の理解ができる程度で、生活全般に指示や見守りが必要である。日中は、空き缶つぶしなどの軽作業を行うことになった。しかし、対人関係をうまく築けないようで、慣れない人たちの中に入ると、自傷行為が現れることがわかった。また、ときどき一人で施設の近所まで出歩くなどの行動もみられた。

入所当日に、Kさんが初めて衣服を着替えるときに、介護福祉職が行う支援として、**最も適切なもの**を１つ選びなさい。

1 Kさんが自分で着替えるまで待つ。
2 Kさんが着られなくなると、そのたびに支援する。
3 Kさんが着てから、間違いを訂正する。
4 Kさんの衣服の前後・表裏に印をつける。
5 Kさんが早く着替えられるようはげます。

Kさんが利用している日中のサービスとして、**最も適切なもの**を１つ選びなさい。

1 療養介護
2 生活介護
3 就労継続支援
4 就労移行支援
5 自立訓練（機能訓練）

Kさんは、介護福祉職が時間ごとに次の行動を支援すると、大きな混乱もなくできるようになり、施設での生活リズムが少しずつ身についてきた。そこで、Kさんが他者と円滑な関係をつくれるような支援を行っていくこととした。
提案する内容として**最も適切なもの**を１つ選びなさい。

1 日中活動として、複雑な作業課題に取り組む。
2 一人で出歩かないように、居室内に活動範囲を限定する。
3 自傷行為がみられたら、向精神薬の服用を検討する。
4 少人数のレクリエーションを行う。
5 入所者全員での旅行に参加する。

総合問題２

次の事例を読んで、問題117から問題119までについて答えなさい。

〔事例〕 Lさん（73歳、女性）は、夫（75歳）と二人暮らしをしていた。Lさんは、糖尿病性網膜症（diabetic retinopathy）で、左目を失明した。右目はかすかに見える状態である。聴覚機能、言語機能、認知機能に問題はない。要介護認定で、要介護１である。
夫が体調を崩して、近所の病院に入院することになったので、Lさんは、夫の入院する病院に併設されている施設に入所した。この施設は、看護、医学的管理の下に介護や機能訓練などを実施している。

Lさんが入所した施設として、**最も適切なもの**を１つ選びなさい。

1 認知症対応型共同生活介護
2 介護老人福祉施設
3 介護老人保健施設
4 特定施設入居者生活介護
5 サービス付き高齢者向け住宅

Lさんとのコミュニケーションを図るための介護福祉職の対応として、**最も適切なもの**を1つ選びなさい。

1 Lさんの話を黙ってうなずきながら聞く。
2 Lさんの左側から話しかける。
3 点字を用いてコミュニケーションを図る。
4 「あそこ」「これ」と指示代名詞を多用して説明する。
5 視覚情報は整理して口頭で伝える。

退院した夫が施設を訪ねると、それを知ったLさんは喜んで廊下に出てきたが、急にバランスを崩して、尻もちをついて転倒してしまった。そのとき、手はつかなかった。
Lさんの状況から、骨折しやすい部位として、**最も適切なもの**を1つ選びなさい。

1 鎖骨
2 上腕骨
3 肩甲骨
4 脊椎
5 橈骨

総合問題3

次の事例を読んで、問題120から問題122までについて答えなさい。

〔事例〕
Mさん（75歳、男性）は、20年前に妻に先立たれて以来、一人暮らしである。自炊するようになってから料理に興味をもつようになり、調理本を買い込み、スーパーで材料を揃え、隣の市に暮らす息子を呼んで、手料理をふるまったりすることもあった。最近、鍋を焦がすことがあったり、買物をして家に帰れなくなることがあった。心配した息子が受診させたところ、アルツハイマー型認知症（dementia of the Alzheimer's type）と診断され、要介護認定で要介護2となり、訪問介護（ホームヘルプサービス）を利用することになった。
Mさんは、要介護認定を受けてから、あまり外出することもなくなり、通所介護（デイサービス）の利用も拒んでいる。このままでは認知症（dementia）が悪化するのではないかと、息子の不安は大きくなり、同居することを検討している。

Mさんは、訪問介護員（ホームヘルパー）と一緒に調理していたが、最近、途中で動作が止まってしまうことがあった。
調理の途中で、動作が止まってしまうMさんへの支援として、**最も適切なもの**を１つ選びなさい。

1 新しい料理に一緒に挑戦することを提案する。
2 本人に代わってすべての調理を行う。
3 調理本を読み直して手順を思い出してもらう。
4 ジェスチャーを使って調理動作のヒントを出す。
5 調理動作が楽にできる自助具を使ってもらう。

息子は、Mさんが少しでも多く外出して、人と話すような機会を設けたいと考え、訪問介護員（ホームヘルパー）に相談した。
次のうち、Mさんが息子と一緒に利用できるものとして、**最も適切なもの**を1つ選びなさい。

1 認知症対応型通所介護
2 認知症カフェ
3 地域活動支援センター
4 地域ケア会議
5 地域密着型通所介護

Mさんは、自宅でできるだけ長く生活したいと考えている。息子は同居することに前向きであるが、Mさんを介護すると、自分が旅行などで一定期間家を空けることができなくなるのではないかと心配している。
息子の心配に対応する介護保険のサービスとして、**最も適切なもの**を１つ選びなさい。

1 訪問看護
2 通所リハビリテーション
3 短期入所療養介護
4 地域密着型介護老人福祉施設入所者生活介護
5 夜間対応型訪問介護

総合問題 4

次の事例を読んで、問題123から問題125までについて答えなさい。

〔事例〕
A君（7歳、男性）は、アテトーゼ型（athetosis）脳性麻痺（cerebral palsy）と診断されている。頸部や体幹をねじらせたり、反らせたり、上肢が伸展する運動が、自分の意思とは関係なく起こる特有の症状があり、時々、筋肉の緊張が強くなり、不随意運動が大きくなることがある。知的障害はみられない。言葉は努力性の発語で、聞き取りにくく、同級生と意思疎通が困難なこともあるが、慣れ親しんだ友達との会話は可能である。A君は車いすを使って、地元の小学校に通学している。

A君が教室内で姿勢を保持して過ごすのに適した車いすとして、**最も適切なもの**を１つ選びなさい。

1 自走式普通型車いす
2 手押し型（介助用）車いす
3 リクライニング・ティルト式普通型車いす
4 電動普通型車いす
5 電動三輪車いす

A君が夏休み中も人との交流をもてる場所を提供するサービスとして、**最も適切なもの**を１つ選びなさい。

1 放課後等デイサービス
2 保育所等訪問支援
3 医療型児童発達支援
4 障害児相談支援
5 短期入所（ショートステイ）

ある時、A君の言葉がよくわからないという理由で、同級生との関係がうまくいかなくなった。A君の筋肉の緊張は今までよりも強くなり、不随意運動も大きくなった。給食のときも、食べ物をうまく口に運べなくて、担任の先生が介助する場面が増えた。
A君への支援として、**最も適切なもの**を１つ選びなさい。

1 自助具を使用して、自力で食べられるよう支援する。
2 リラックスできる環境をつくり、自力で食べられるように支援する。
3 クラスの同級生を選んで、食事を全介助してもらう。
4 担任の先生から、A君の言葉が聞き取りにくいのは障害によるものなので仲良くしなければならないと、同級生に注意してもらう。
5 自力で食事ができるようになるまで、学校を休む。

読者特典のご案内

本書をご購入いただいた方は、以下の特典がご利用頂けます。

有効期限：2022年9月30日

◉介護福祉士国家試験問題演習 DEKIDAS-WEB

スマホやパソコンからアクセスできる問題演習用のWebアプリです。

「医療的ケア」が出題され、問題数が125問に増えた第29回（平成28年度）から第31回（平成30年度）の筆記試験問題に挑戦できます（問題は追加される場合があります）。年度やジャンルで問題を選んだり、キーワードによる問題検索、自動採点による分析など、筆記試験の対策に役立ちます。

スマートフォン、タブレットで利用する場合は以下のQRコードを読み取り、エントリーページへアクセスしてください。

パソコンなど、QRコードを読み取れない場合は、以下のアドレスから登録してください。

URL　　　：https://entry.dekidas.com/

認証コード：cw02mnp11azh8syR

なお、ご利用の際にメールアドレスの登録が必要になります。

※ DEKIDAS-Web 掲載の問題と解答は介護福祉士国家試験出題時点での内容で作成しております。

索引

別……別冊の該当ページ

英数字

あ行

か行

さ行

た行

な行

は行

ま行

や行

ら行

わ行

●ご質問の前に、まずこちらをご確認ください

1. 訂正・追加情報は以下のURLにアップロードされていますので、ご質問の前に、まずこちらをご確認ください。

   https://gihyo.jp/book/2019/978-4-297-10903-5

2. 上記URLにて解決できなかった場合は、上記URLの「お問い合わせ」からご質問ください。
3. その他、FAXや書面によるご質問もお受けいたします。お名前、ご連絡先、書籍名、該当箇所（ページ数や問題番号）、ご質問内容を明記の上、下記宛先にお送りください。

   住所 ： 〒162-0846　東京都新宿区市谷左内町21-13　株式会社技術評論社　書籍編集部
   『［改訂版］なぞって覚える介護福祉士［30日］合格レッスン』係
   FAX ： 03-3513-6183

＊ お電話によるご質問および本書に記載されている内容以外のご質問には一切お答えできません。なお、ご質問の際に記載いただいた個人情報は、質問の返答以外の目的には使用いたしません。また、質問の返答後はすみやかに削除させていただきます。

■著者紹介

介護福祉士資格取得支援研究会
（かいごふくしししかくしゅとくしえんけんきゅうかい）

過去問題を徹底的に分析することによって、「効率的に」試験に合格する方法、資格を取得する方法を日々研究。
「わかりやすい」解説、「わかるまで」の指導をモットーに、医療・福祉系の資格取得を目指す人々をサポートしている。長年にわたる、資格取得を目指す多くの人々の指導やコンサルティングの経験を生かし、本書の執筆を手がける。

■カバーデザイン
加藤愛子（オフィスキントン）

■カバーイラスト
あまえび

■本文デザイン／DTP
田中　望

■本文イラスト
安藤しげみ、西脇けい子、浅田弥彦
高瀬美恵子（技術評論社）

［改訂版］なぞって覚える介護福祉士［30日］合格レッスン

2016年　7月25日　初版　第1刷発行
2019年　10月22日　改訂版　第1刷発行

著　者　介護福祉士資格取得支援研究会
発行者　片岡 巌
発行所　株式会社技術評論社
東京都新宿区市谷左内町21-13
電話 03-3513-6150　販売促進部
電話 03-3513-6166　書籍編集部
印刷・製本　日経印刷株式会社

定価はカバーに表示してあります。

ISBN978-4-297-10903-5 C2047

Printed in Japan

［改訂版］なぞって覚える

介護福祉士［30日］合格レッスン

解答・解説

【解いて覚える】解答・解説

1 ヨヨ 尊厳の保持と信頼関係の構築

【解いて覚える】

本冊 P.10

❶ ①25　②生存権　③ハンセン病　④らい予防法　⑤個人の尊厳の保持　⑥有する能力　⑦就業の機会の確保　⑧民間団体　⑨老人福祉法　⑩生きがいをもてる

❷ ①対等な　②ラポール　③非言語的コミュニケーション　④感情　⑤傾聴し　⑥不快に感じない距離　⑦個人差が大きい　⑧生き方や経験　⑨自分　⑩感情の動きと背景

❸ (1) イ　(2) ウ　(3) ア

❹ (1) イ　(2) ア　(3) イ

解説

❶ (1)朝日訴訟は、生存権規定や生活保護基準のあり方に大きな影響を与えました。

(2)療養所施設を開放し、地域住民の診察を認めるなどの内容が盛り込まれた「ハンセン病問題の解決に関する法律」が議員立法で成立し、2009（平成21）年４月から施行されています。

(3)「個人の尊厳の保持を旨とし、福祉サービスの利用者が心身ともに健やかに育成され、有する能力に応じ自立した日常生活を営むことができるように支援するものである」としています。

(4)自立のためには、「就業の機会が確保されることが最も重要であることに留意して施策を推進すること」とされ、「民間団体が果たしている役割の重要性に留意し、積極的な活用を図る」こととしています。

(5)老人福祉法では、「老人は、敬愛されるとともに、生きがいを持てる健全で安らかな生活を保障されるもの」と明記しています。

❷ 援助関係においても、互いに１人の人間として尊重し、パートナーシップを保つことが大切です。初期段階では、ラポールを構築するために相手の話を傾聴し、コミュニケーションを図ります。誰にでもパーソナル・スペースがあるので、侵害しないよう配慮が必要です。

❸ (1)誠実さとは、自分の感情と言動に矛盾がない、真摯な姿勢で話を聴くことをいいます。

(2)正面から向き合う場合は、適度に視線をそらす先として、机の上に花瓶などを置きます。

(3)共感的理解とは、感情的に自分を失わないで、相手の立場に立って理解することです。

❹ (1)相手の話を聴いて理解しているということを示すことが必要です。

(2)急かしたりすることなく、ときには黙って、次の言葉を見守り、待つ姿勢が大切です。

(3)要約とは、相手の話の内容を整理し、要約する技法です。繰り返しは、相手の言葉を要点を押さえて繰り返す技法です。

相手の話は同意できなくても受容します。

2日目 社会福祉の発展過程と現代社会

【解いて覚える】

本冊 P.14

❶ ①2000年代　②25　③農村部　④限界集落　⑤小学校就学前の子　⑥労働者　⑦都市部　⑧保育所待機児童　⑨ホームレス　⑩生活保護受給者

❷ (1) ウ　(2) イ　(3) イ

❸ ①ナショナルミニマム　②イギリス　③所得再分配　④社会保険　⑤公的扶助（ふじょ）　⑥社会手当　⑦社会福祉　⑧現物給付　⑨保険料　⑩年金

❹ (1) イ　(2) ウ　(3) イ

■解説

❶ **(1)**1990年代に14%を超え高齢社会となり、2018年現在では、28.1%が65歳以上、14.2%が75歳以上です。

(2)過疎対策は、過疎地域自立促進特別措置法に基づいて行われています。

(3)子の看護休暇制度は、小学校就学前の子どもを養育する労働者（男女問わず）が、1人につき年5日まで取得できます。

(4)都市部を中心として、全国に約2万人の待機児童がいるとされています。

(5)全国のホームレス数は年々、減少していますが、生活保護受給者数は、2017年に過去最高を更新した後減少傾向ですが、依然として高い水準にあります。特に高齢者単身世帯では増加傾向です。

❷ **(1)**恤救規則（じゅっきゅうきそく）は、「人民相互の情誼（じょうぎ）」を基本とし、「無告（むこく）の窮民（きゅうみん）」を対象とした制限的な救貧対策でした。救護法は、救済対象や救済内容は制限的で、国家責任の明確な規定も欠いていました。

(2)1940年代に、福祉三法が制定され、知的障害者福祉法、老人福祉法、母子及び父子並びに寡婦福祉法が加わり、1960年代に福祉六法体制が確立しました。

(3)1973（昭和48）年の老人福祉法改正で、老人医療費無料化が実現しましたが、老人保健法制定により、老人医療費の一部負担が導入されました。介護保険制度は、1997（平成9）年成立、2000（平成12）年開始です。

❸ ナショナルミニマムは、イギリスのウェッブ夫妻が提唱した概念です。社会保障制度は、救貧・防貧対策で生活を安定・向上させ、所得再分配で低所得者の生活を支え、経済成長を支えます。

❹ **(1)**国籍を問わず日本国内に住所を有する20歳以上60歳未満は、国民年金に加入します。自営業者等は、第1号被保険者となります。

(2)労災保険と雇用保険を総称して、労働保険といいます。雇用保険には、育児休業給付、介護休業給付があります。

(3)市町村国保、健康保険とも、70歳以上75歳未満の自己負担は、原則2割とされています。現役並み所得者は、3割負担です。所得区分により自己負担限度額が設定されており、超えた場合、高額療養費の支給対象となります。

ここに注意！

少子高齢化は深刻ですが、老年人口割合が年少人口割合を上回ったのは、2000（平成12）年のことです。

3 コヨミ 生活と福祉にかかわる法制度

【解いて覚える】

本冊 P.18

❶ ①社会福祉法　②社会福祉法人　③第一種社会福祉事業　④理事　⑤監事　⑥兼務は禁止され　⑦収益を社会福祉事業・公益事業に充てること　⑧特に制限はない　⑨合併　⑩解散

❷ (1) イ　(2) イ　(3) イ

❸ (1) ア　(2) イ　(3) イ

❹ ①第25条　②困窮の程度に応じ　③最低限度の生活　④自立を助長　⑤生活保護法に優先して　⑥申請　⑦世帯　⑧医療扶助と介護扶助　⑨福祉事務所　⑩資力調査

■解説

❶ 社会福祉法人の設立には、資産要件が課されています。第一種社会福祉事業は、原則、国、地方公共団体、社会福祉法人が経営することとされています。

❷ (1)民生委員は、常に住民の立場に立って相談に応じ、必要な援助を行い、社会福祉の増進に努める任期３年のボランティアで、児童委員を兼ねています。

(2)サービス付き高齢者向け住宅は、高齢者住まい法に基づく制度で、バリアフリー構造、安否確認、生活相談サービスの提供、契約に関する基準など、一定の基準を満たして都道府県知事の登録を受けます。

(3)共同募金は、社会福祉法に基づく第一種社会福祉事業で、地域福祉の推進を図るため、寄附金を社会福祉事業、更生保護事業、その他の社会福祉を目的とする事業を経営する者に配分することを目的としています。

❸ (1)保護を要する児童の一時保護を行うのは、児童相談所です。介護予防ケアマネジメントを行うのは、地域包括支援センターです。

(2)診療所は、患者を入院させるための施設（病床）を有しないか19床以下のものをいいます。

(3)本人の意思に基づく入院は、任意入院です。措置入院は、２人以上の精神保健指定医から、自傷他害のおそれがあり、入院が必要であると判断されなければ行えません。

❹ すべての国民は、生活保護法に定める要件を満たす限り、無差別平等に保護を受けることができます。保障される最低限度の生活は、健康で文化的な生活水準を維持できるものでなければならないとされています。保護は、生活に困窮する者が、利用し得る資産、能力その他あらゆるものを、最低限度の生活の維持のために活用することを要件として行われます。そのために、資力調査が必要となります。保護は、最低限度の生活を満たすに十分かつこれを超えない範囲で実施されます。

ここに注意！

社会福祉法人が行う収益事業の種類に制限はありませんが、法人の社会的信用を傷つけるおそれのあるものや投機的な事業は適当ではないとされています。

4日目 介護保険制度と障害者施策

【解いて覚える】

→本冊 P.22

❶ ①2000 ②3 ③2012 ④市町村 ⑤要介護状態等 ⑥住所のある ⑦65歳以上 ⑧40歳以上65歳未満 ⑨医療保険 ⑩変更前

❷ (1) イ (2) ア (3) ウ

❸ ①社会的障壁 ②相当な制限を受ける ③障害 ④共生する社会 ⑤合理的配慮 ⑥障害者基本法 ⑦障害者総合支援法 ⑧身体障害者・知的障害者・精神障害者 ⑨障害者雇用調整金 ⑩から優先的に物品・サービスを購入する

❹ (1) ウ (2) ア (3) ア

解説

❶ 2000年度から開始された介護保険制度ですが、これまで4回の大きな改正がなされています。2006年度は、新予防給付、地域密着型サービス、地域支援事業、地域包括支援センターの創設などが行われました。2009年度は、事業者の業務管理体制の整備が行われました。2012年度は、24時間対応の定期巡回・随時対応型サービスと複合型サービス、介護予防・日常生活支援総合事業の創設などが行われました。2015年度は、医療介護総合確保推進法に基づく改正で、予防給付の訪問介護と通所介護の地域支援事業への移行、一定以上所得者の自己負担の2割への引き上げなどが行われました。さらに、2018年度からは自己負担割合が1割、2割、3割の三段階になり、介護医療院や共生型サービスが創設されました。

❷ (1)要介護状態は、1～5の5段階に区分されていて、5が最も重い状態です。

(2)要介護認定を行うのは保険者である市町村であり、取消しも市町村が行います。

(3)2015年度改定により、一定以上所得者の負担割合が1割から2割へ変更、その後2018年度改定により、さらに3割負担の上限が設けられ、利用者負担割合は1割、2割、3割の3段階となりました。

❸ 2006（平成18）年に国連で障害者の権利条約が採択され、日本も署名したことから、障害に基づく差別の禁止等に関して、国内法の整備が進められ、障害者基本法の改正や障害者差別解消法の制定などが行われています。

❹ (1)地域活動支援センター機能強化事業は、地域生活支援事業として位置づけられています。地域包括支援センターは、介護保険法に基づく施設です。

(2)障害福祉サービスの利用者負担は、応能負担で、負担上限額は政令で定められています。

(3)地域定着支援は、在宅単身障害者を対象としたサービスです。地域相談支援サービスを利用する場合も、最初にサービス等利用計画案を提出します。

ここに注意！

介護保険サービスも障害福祉サービスも、審査会が行うのは、客観的基準に基づいた審査・判定業務であり、認定を行うのは市町村です。

5 コヨ 高齢者・障害者の地域での生活を支えるしくみ

【解いて覚える】

本冊 P.26

❶ (1) ウ (2) イ (3) ウ

❷ (1) ウ (2) イ (3) ウ

❸ ①包括的支援事業 ②必須事業 ③24時間 ④診療報酬 ⑤地域医療支援病院 ⑥都道府県知事 ⑦訪問看護事業所 ⑧訪問介護事業所 ⑨地域リハビリテーション活動支援事業 ⑩リハビリテーション専門職

❹ ①一体的 ②住み慣れた地域 ③地域ケア会議 ④市町村 ⑤地域包括支援センター ⑥地域課題の発見 ⑦地域づくり・資源開発 ⑧政策形成 ⑨主任介護支援専門員 ⑩社会福祉士

解説

❶ (1)利用者本人が任意後見人を選任し、公正証書で契約を結ぶのは、任意後見制度です。

(2)実際の援助は生活支援員が担当します。

(3)個人情報の第三者提供には、原則、本人の同意が必要です。法令に基づく場合、人の生命・身体・財産の保護のために必要がある場合等は、例外として、本人の同意を得る必要はありません。

❷ (1)経済的虐待といい、児童虐待防止法には規定されていません。

(2)使用者とは、障害者を雇用する事業主等をいいます。

(3)児童虐待防止法で、心理的虐待として禁止されています。

❸ (1)地域支援事業の包括的支援事業に位置づけられる在宅医療・介護連携推進事業では、地域の医療・介護サービス資源の把握、在宅医療・介護連携の課題の抽出・検討、切れ目のないサービス提供体制の構築推進、情報共有の支援、相談支援、研修、地域住民への普及啓発、関係市区町村の連携などの取組が実施されます。

(2)在宅療養支援診療所は、2006（平成18）年度の診療報酬改定で制度化されました。

(3)医療従事者の診療、研究・研修のために利用させる体制が整備されていること、救急医療を提供できること、地域の医療従事者の資質向上のための研修を実施できること等の要件に該当し、都道府県知事の承認を得て、地域医療支援病院と称することができます。

(4)訪問看護は、医療機関と連携して提供されます。訪問介護等の介護サービスは、介護サービス事業所が提供します。

(5)地域リハビリテーション活動支援事業は、介護予防・日常生活支援総合事業の一般介護予防事業に位置づけられています。

❹ 介護保険法では、地域ケア会議について、「支援対象被保険者への適切な支援を図るために必要な検討を行うとともに、支援対象被保険者が地域において自立した日常生活を営むために必要な支援体制に関する検討を行う」としています。

ここに注意！

契約の締結ができれば、後見制度利用者が日常生活自立支援事業を利用することは可能です。

6日目 専門職としての“介護”の理解

【解いて覚える】

本冊 P.32

❶ ①身体上・精神上の障害 ②心身の状況に応じた介護 ③名称独占 ④厚生労働省 ⑤福祉サービス関係者 ⑥秘密保持義務 ⑦も同様である ⑧誠実義務 ⑨資質向上の責務 ⑩執行終了後２年以内は

❷ ①QOLの向上 ②生活の視点 ③医学的 ④維持期 ⑤ノーマライゼーション ⑥デンマーク ⑦バリアフリー ⑧ユニバーサルデザイン ⑨生活機能 ⑩プラス面

❸ (1) ウ (2) ウ (3) イ

❹ (1) イ (2) イ (3) ア

解説

❶ 介護福祉士は、名称独占資格で、介護福祉士でない者は「介護福祉士」という名称を使用してはなりません。業務自体を行うことが禁じられているわけではありません。

❷ (1)リハビリテーションは、全人間的な復権を目指すもので、生きる意欲の回復も含み、最終的な目的は、QOLの向上です。生活の視点を重視して行うことが重要で、リハビリテーション室内だけで行われるものでも、時間を限定して行うものでもありません。

(2)リハビリテーションには、医学、教育、職業、社会の４領域があります。介護保険施設で行われるのは、おもに医学的リハビリテーションのうちの維持期のリハビリテーションです。

(3)ノーマライゼーションは、知的障害児の入所施設をめぐる状況への対応理念として、デンマークのバンク-ミケルセンによって提唱されました。

(4)バリアフリーでいうバリアとは、物理的バリアだけでなく、制度的、心理的、文化・情報のバリアなども含みます。ユニバーサルデザインは、さらに一歩進んだ考え方です。

(5)ICIDHでは障害というマイナス面を分類する考え方が中心であったのに対し、ICFは生活機能というプラス面を評価します。

❸ (1)参加制約とは、生活・人生場面にかかわるときに経験する難しさをいいます。

(2)参加とは、生活・人生場面へのかかわりをいいます。

(3)介護福祉職は、背景因子のうちの環境因子に含まれます。

❹ (1)65歳以上の者のいる世帯は、全世帯の５割弱を占め、世帯構造では、夫婦のみの世帯が約３割で最も多くなっています。

(2)同居のおもな介護者は、男性が約３割、女性が約７割となっています。年齢は、男女ともに60歳以上が約７割で、老老介護となっています。

(3)同居のおもな介護者は配偶者が約25%、子が約20%、子の配偶者が約10%です。

ここに注意！

2017（平成29）年度から養成施設卒業者に国家試験の受験資格を付与し、2022（令和４）年度以降、国家試験合格が介護福祉士資格取得要件となります。

7日目 介護サービスの提供

【解いて覚える】

本冊 P.36

❶ (1) ウ　(2) ア　(3) ア

❷ ①介護保険施設　②介護医療院　③介護老人福祉施設　④要介護3以上　⑤介護保険法　⑥都道府県知事　⑦20人
⑧高齢者住まい法
⑨10人　⑩1人

❸ (1) イ　(2) ア　(3) ア

❹ ①介護支援専門員　②アセスメント　③居宅サービス計画　④サービス提供責任者　⑤訪問介護計画　⑥1か月　⑦モニタリング　⑧サービス担当者会議　⑨担当職員　⑩介護予防・生活支援サービス事業

解説

❶ **(1)** 小規模多機能型居宅介護の管理者は、3年以上認知症である者の介護に従事した経験を有する者であって、一定の研修修了者です。運営推進会議が設けられています。

(2) 定期巡回・随時対応型訪問介護看護は、在宅の要介護者を対象に、24時間対応で、定期巡回サービス、随時対応サービス、随時訪問サービス、訪問看護サービスを提供します。

(3) 特定施設とは、指定を受けた有料老人ホーム・養護老人ホーム・軽費老人ホームで、定員29人以下の介護専用型特定施設は、指定を受けて地域密着型特定施設となります。

❷ **(1)** 従来の介護療養型医療施設（介護療養病床）は2018年4月より介護医療院へ変更となりました。経過措置期間は6年延長され2024年（令和6）3月までです。

(2) 第1号被保険者も第2号被保険者も、入所要件は原則、要介護3以上とされています。

(3) 介護老人保健施設は、介護保険法に基づいて都道府県知事の許可を得た地方公共団体、医療法人、社会福祉法人等が開設した施設で、施設サービスが提供されます。

(4) 都市型軽費老人ホームは、定員20人以下の小規模な軽費老人ホームで、無料または低額な料金で、食事の提供など、日常生活上必要なサービスが提供されます。サービス付き高齢者向け住宅は、安否確認と生活相談サービスが必須です。

(5) ユニットとは、少数の居室、居室に近接して設けられる共同生活室により一体的に構成される場所をいいます。1ユニットごとに常勤のユニットリーダーが配置されます。

❸ **(1)** 要支援認定者には、介護予防支援が提供されます。

(2) 通院・外出介助や、自立支援のための見守り援助、専門的配慮をもって行う調理は身体介護に分類されます。

(3) 看護小規模多機能型居宅介護は、訪問看護と小規模多機能型居宅介護を組み合わせて提供するサービスです。

❹ サービス担当者会議は、介護支援専門員が居宅サービス計画に位置づけられた担当者等を召集して行われます。モニタリングは、1か月に1回行い、少なくとも1か月に1回は結果を記録しなければなりません。

ここに注意！

夜間対応型訪問介護で定期巡回サービスを提供するのは、訪問介護職などです。

8 ヨヨ 質の高い介護を提供するためのリスクマネジメント

【解いて覚える】

本冊 P.40

❶ ①庭 ②滑りにくい床材 ③脱衣室と浴室の温度差をなくす ④火災警報器 ⑤ストレス ⑥禁止すべきではない ⑦利用者 ⑧事故が起こる前に ⑨ヒヤリ・ハット事例 ⑩従っても事故は起こり得る
❷ (1) ウ (2) イ (3) イ
❸ ①ヒゼンダニ ②入浴の順番を最後にする ③経口感染 ④次亜塩素酸ナトリウム ⑤石鹸と流水で ⑥乾燥させておく ⑦インフルエンザ ⑧ワクチン接種 ⑨高齢者 ⑩院内感染
❹ (1) ア (2) イ (3) ウ

■解説

❶ いくら予防しても事故は起こり得るということを認識し、複数の予防体制を検討しておくことが重要です。

❷ (1)身体拘束は、切迫性・非代替性・一時性の3つの要件を満たした場合にのみ認められます。利用者本人の同意や家族の承諾書があっても認められるものではありません。

(2)過剰な向精神薬の服用や、自分の意思で開けることのできない部屋への隔離は、身体拘束に該当します。

(3)事故が発生してしまった場合は、すみやかに家族に連絡し、組織として必要な対応を行います。施設や事業所が損害賠償しなければならない場合もあります。事故の際の対応は、記録しておく必要があります。

❸ (1)ノルウェー疥癬(かいせん)は、感染力が非常に強く、一定期間の個室管理が必要となります。

(2)ノロウイルスは、下痢などの症状がなくなっても、通常で1週間くらいは、便からのウイルス排出が続くので注意が必要です。使い捨てのマスク、手袋、エプロンを使用し、次亜塩素酸ナトリウムで消毒します。

(3)石鹸は、使用するときの感染の危険を考えると、固形より液体が望ましいです。

(4)インフルエンザはウイルスによる感染で、潜伏期間は1～3日、高熱や全身倦怠感がみられます。流行前にワクチン接種で予防します。

(5)MRSAは、基礎疾患があったり、高齢で、免疫力や抵抗力が低下していると発症し、重症化する場合もあります。

❹ (1)労働基準法の基準を理由として、労働条件を低下させてはならないことはもとより、向上を図るように努めなければなりません。

(2)労働安全衛生法で、常時50人以上の労働者を使用する事業場では、産業医の選任、衛生管理者の選任、衛生委員会の設置、ストレスチェック制度の実施等が義務づけられています。

(3)筋肉を伸ばした状態で静止する静的ストレッチングは、筋肉への負担が少なく、安全に筋疲労回復、柔軟性、リラクゼーションを高めることができます。

ここに注意！

労働者のメンタルヘルス不調を未然に防止するために、ストレスチェックとその結果に基づく面接指導の実施等が義務付けられています。

9 ココ さまざまな利用者とのコミュニケーション

【解いて覚える】

本冊 P.44

❶ (1) ア　(2) ウ　(3) ウ

❷ ①漢字よりひらがな　②有効でない　③運動性　④有効である　⑤感覚性　⑥身振り　⑦筆談　⑧手話　⑨正常で　⑩コミュニケーションエイド

❸ (1) ウ　(2) ウ　(3) ア

❹ ①注意を喚起して　②わかりやすい　③一つひとつ簡潔に　④非言語的　⑤中断しないで　⑥話の内容に沿った　⑦訂正しない　⑧適切ではない　⑨受容的　⑩かかわりを多く

解説

❶ (1)意図的な感情表出を行い、利用者が肯定的な感情も、否定的な感情も、ありのままに表出できるよう促します。

(2)介護福祉職は、同調したり同情したり、利用者の感情に巻き込まれることなく、利用者が表出した感情を受け止め、共感的に理解します。

(3)個別化とは、利用者一人ひとりを個別の人間、個別の問題としてかかわることです。受容とは、利用者を無条件に受け入れることです。

❷ (1)失語症では、ひらがなの理解が困難で、五十音表の使用は有効ではありません。

(2)運動性失語症では、「はい」か「いいえ」で回答できるような閉じられた質問が有効です。

(3)感覚性失語症では、絵や写真などの視覚化された情報や、身振りなどを用いてコミュニケーションを図ります。

(4)特に、高齢になってからの中途失聴では、手話の習得は困難な場合が多いです。

(5)発声発語器官の障害である構音障害では、筆談や五十音表も有効で、本人のペースにあわせてコミュニケーションを図ります。

❸ (1)統合失調症の人の妄想は、あえて聞かないようにしたり、逆に、詳しく聞き出すようなことはせず、たとえ内容が理解できなくても、否定も肯定もせずにかかわります。

(2)抑うつ状態では、自分ではどうしようもなく、何をしても気分が落ち込んでしまうので、安易なはげましや、積極的な行動を促すことは避けます。あれこれ積極的に話しかけることが、かえって疲れさせてしまうことにもなりかねません。

(3)うつ病では、朝方に調子が悪く、だんだんと回復する日内変動がみられるので、たとえば、朝起きられない場合に無理に起こしたりしないよう、配慮します。

❹ 認知症の人の世界に合わせた会話をすることが基本です。誤りを訂正したり、否定しても修正はされません。受容的に接し、情報は一つひとつ簡潔に伝えます。

ここに注意！

相手に合わせたコミュニケーション方法を選択することが大切です。障害で情報を得ることが困難な部分は、別の方法で補います。

10日目 チームケアコミュニケーションと多職種の役割

【解いて覚える】

本冊 P.48

❶ ①主観的　②受容　③一致しない　④調整的援助　⑤個別化　⑥そのままあてはめない　⑦お互いの気持ちを尊重して　⑧話し合いの場を設ける　⑨予備的共感　⑩波長合わせ

❷ (1) ウ　(2) ア　(3) ア

❸ ①客観的事実　②具体的　③結論　④詳細　⑤指示者　⑥報告の内容　⑦事故の予防　⑧区別して　⑨誰が読んでも　⑩配慮した表現と

❹ (1) イ　(2) ア　(3) ウ

解説

❶ (1)利用者の主訴を傾聴し、受容します。感情には巻き込まれないようにします。

(2)どちらか一方を優先したり、一方的に批判したりせず、調整的援助を行います。

(3)家族のあり方もそれぞれであり、個別化した対応が求められます。ほかの家族の解決例をそのままあてはめたり、介護福祉職の成功体験をそのまま適用することは避けます。

(4)お互いの気持ちを語り合える場を設けます。

(5)先入観は排除すべきですが、予備的共感や波長合わせは利用者の理解に有効です。

❷ (1)意見の不一致があった場合は、議論を繰り返し、合意点を見出します。多数意見だから尊重されるものではなく、少数意見だからと軽視してはいけません。また、意見の発言者の地位や肩書き、経験によって無条件に肯定されるものでもありません。

(2)事前に会議資料を配布しておくと、準備して参加できます。

(3)カンファレンスも業務の一環であり、勤務時間内に設定します。それぞれの通常業務もあるので、時間を区切って効率的に行います。

❸ 報告は、内容によってしかるべきタイミングで、客観的事実を中心に具体的に行います。たとえば、事故が起こった場合は、すぐに報告し、対応することが求められます。文書で記録する場合は、誰が読んでもわかりやすい文章をこころがけ、利用者本人や家族が読んでも不快な気持ちにならないよう、表現への配慮が必要です。

❹ (1)いつ、誰が、なぜ、どのように修正したのかがわかるよう、一定のルールを決めて行います。

(2)データは、定期的にバックアップを行います。パスワードを設定し、定期的に変更することも必要です。

(3)介護記録は管理者が責任をもって一元的に管理します。

ここに注意！

チームケアの目的は、利用者とその家族が抱える問題・課題を解決するために、より質の高い専門的支援を行うことです。そのためにコミュニケーションが重要なのです。

11 1日目 生活支援の基本的視点と住環境

【解いて覚える】

➡本冊 P.52

❶ ①ライフステージ ②その人独自のもの ③多様化 ④生活歴 ⑤できないこと ⑥できること ⑦QOLの向上 ⑧経験 ⑨知識 ⑩ニーズ優先

❷ (1) ウ (2) イ (3) イ

❸ ①内開き ②外開き ③L字型 ④28～32mm ⑤前方 ⑥側方 ⑦低め ⑧浅め ⑨大腿骨大転子（だいたいこつだいてんし） ⑩32～36mm

❹ (1) ア (2) ウ (3) イ

解説

❶ 利用者本位の立場から、利用者が望む生活が実現できるよう、利用者の自立を支援します。

❷ (1)住宅用火災警報器は、消防法で、寝室と、寝室が2階にある場合は階段に設置することが義務づけられています。

(2)熱中症とは、体温の上昇を調整できず、身体に熱が溜まった状態をいいます。シックハウス症候群とは、建材等から発生する化学物質による室内空気汚染等で身体が影響を受けることの総称です。

(3)高齢者は、加齢による皮膚感覚の鈍化で、低温やけどを起こしていても気づかない危険性もあり、注意が必要です。

❸ (1)内開きは、緊急時に開かない状況になることがあり、危険です。できれば引き戸が望ましいです。

(2)立ち座り用の縦手すりと、座位保持用の横手すりの機能を合わせたL字型手すりを取り付けます。しっかりつかまって使用できるよう、直径は28～32mm程度を目安とします。

(3)縦手すりは、便座の先端から200～300mm程度前方の側面に設置します。介助スペースは、介助者が前傾姿勢をとり、臀部が突出するので、便器の側方および前方に確保します。

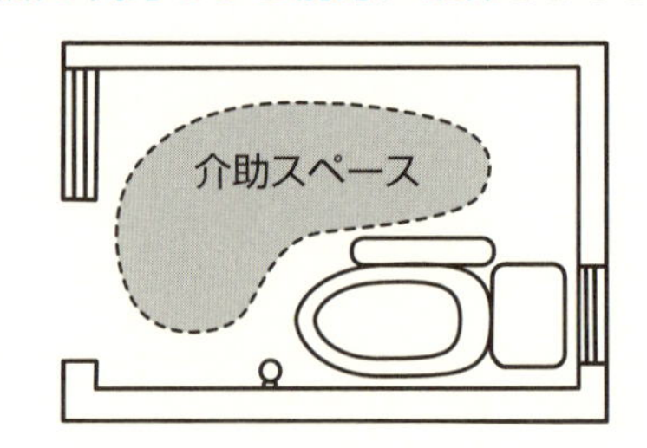

(4)いすに座るので、調理台は低めにし、膝入れスペースを確保するために、シンクは浅めにします。

(5)廊下の横手すりの取り付け高さは、大腿骨大転子（➡P.123図）に合わせて、750～800mm程度の高さとします。前腕を乗せて移動する場合は、肘（ひじ）を曲げた高さで、1,000mm程度の高さとします。直径は、太いほうが安定感があり、32～36mm程度を目安とします。

❹ (1)取り外し可能な手すりの設置は、福祉用具貸与の給付対象となります。

(2)段差の解消は、住宅改修の給付対象ですが、動力により段差を解消する機器を設置する工事は、対象とはなりません。

(3)手すりの取付けは、住宅改修の給付対象で、付帯して必要となる工事も対象となります。

ここに注意！

生活支援では利用者のできることに焦点を当てて行います。

12日目 身じたくの介護

【解いて覚える】

本冊 P.56

❶ ①下あご ②流水下 ③綿棒 ④外耳 ⑤目頭から目尻 ⑥片方ずつ ⑦やわらかく ⑧流れに沿って ⑨直角に ⑩流れと逆に
❷ ①アクリル ②毛玉 ③ナイロン ④熱 ⑤ポリエステル ⑥低く ⑦レーヨン ⑧縮む ⑨ビニロン ⑩強い
❸ (1) イ (2) ア (3) イ
❹ (1) ウ (2) イ (3) ア

解説

❶ (1)義歯は、原則、寝る前に外し、乾燥させないように専用の容器などに入れて、保管します。
(2)耳垢は外耳に溜まります。湿らせた綿棒などで外耳を掃除します。
(3)目やには、ガーゼ等で、目頭から目尻に向かって拭(ふ)きます。鼻は、左右片方ずつ、ゆっくりとかみます。
(4)T字かみそりを使用する場合、蒸しタオルをあてるなどして毛穴を開き、シェービングクリームなどを用いて、ひげをやわらかくして、ひげの流れに沿って剃ります。
(5)電気かみそりを使用する場合、電気かみそりを皮膚に対して直角に軽くあて、ひげの流れと逆に剃ります。
❷ アクリル、ナイロン、ポリエステル、ビニロンは合成繊維、レーヨンは再生繊維と呼ばれます。半合成繊維には、アセテートがあります。
❸ (1)片麻痺(かたまひ)者の着脱介助は、脱健着患が原則です。右片麻痺では、脱ぐときは、健側の左側から脱ぎます。
(2)片麻痺者は、片手で着脱を行わなければなりません。ボタンを留めたり、ひもで結んだり、細かい作業が必要な衣服は着脱しにくく、適しません。
(3)施設入所中であっても、選択するのは、利用者本人です。
❹ (1)起床時や外出時に着替えるなど、生活にメリハリをつけるようにします。
(2)外出中は、利用者の状況に変化がないか観察し、安心・安全を確保するようにします。
(3)安全性を考慮することは大切ですが、利用者本人の意向を尊重します。

ここに注意!
髪型や整髪料の使用も、利用者の好みで選びます。衣服は気候に合わせた選択も大切ですが、選ぶのは利用者です。

13 コヨ 移動することの介護

【解いて覚える】

本冊 P.60

❶ (1) イ　(2) ア　(3) ウ

❷ (1) ア　(2) ア　(3) ウ

❸ ①握力の弱い　②適していない　③杖　④歩行が不安定な　⑤交互型四脚歩行器　⑥片麻痺の　⑦麻痺側の足　⑧健側の足　⑨利用者の半歩前を歩いて　⑩先に

❹ ①後ろ向き　②安全な　③ゆるめて　④後輪　⑤キャスターを持ち上げた状態　⑥必要である　⑦フットサポートに乗っていること　⑧ブレーキをかける　⑨ブレーキをかけない　⑩利きにくくなる

解説

❶ **(1)**支持基底面積は、両足は前後、左右に開いて、広くとります。

(2)重心は、腰を落として、支持基底面積の中心に、できるだけ低く置きます。

(3)移動は、体幹をねじらず、足先を移動の方向に向けます。利用者の背部が接する面積は小さくしてもらい、介護者は大きな筋群を使って水平移動します。

❷ **(1)**ベッドから立位への介助では、利用者の麻痺側に立ちます。右片麻痺では右側に立ちます。立ち上がるときは、利用者の右膝に手を当てて、補助します。

(2)段差は、麻痺側から下がり、健側から上がります。右片麻痺では、右足から下ります。上がるときは左足からとします。浴槽に入る場合は、健側の左足から入ります。

(3)ベッドに浅く腰掛け、両足が床面にぴったりつく端座位になるよう声かけします。

❸ **(1)**ロフストランドクラッチは、前腕固定型杖ともいい、握り部と前腕を支えるカフ部で体重を支えるので、握力の弱い人に適しています。関節に痛みがあったり、肩や肩甲骨に可動制限がある関節リウマチの人には適しません。関節リウマチの人には、前腕支持型杖（プラットホームクラッチ）が適しています。

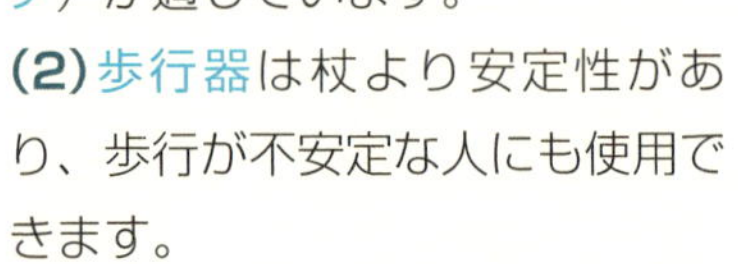

プラットホームクラッチ

(2)歩行器は杖より安定性があり、歩行が不安定な人にも使用できます。

(3)交互型四脚歩行器は、左右のフレームを交互に押し出して使用するので、片麻痺の人には適しません。固定されたフレームを両手で持ち上げて使用する固定型四脚歩行器は、上肢の運動機能障害がない場合に使用できます。

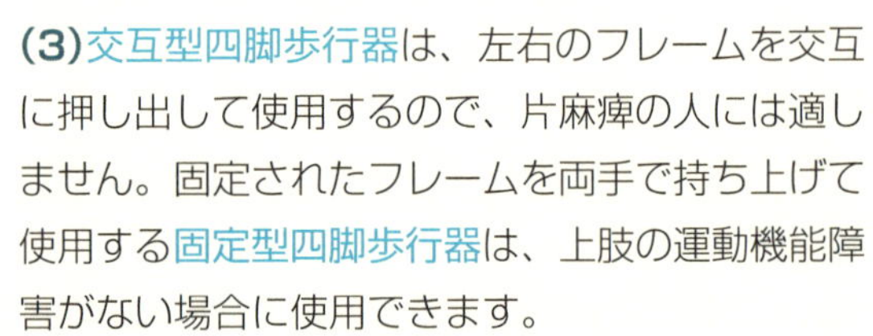

(4)2動作歩行では、杖と麻痺側の足を出し、健側の足を出します。

(5)視覚障害者の手引き歩行は、介護者が利用者の半歩前を歩くことが基本で、バスに乗る場合、エスカレーターから降りる場合など、介護者が声かけして、先に進みます。

❹ 車いすは定期的に点検し、安全に操作できることを心がけます。操作の際は、利用者に声かけをしてから行います。

ここに注意！

視覚障害者の外出支援では、利用者から一時離れるときは柱や壁に触れる位置に誘導したり、聴覚で情報が得られるように配慮します。

14日目 食べることの介護

【解いて覚える】

本冊 P.64

❶ ①座位 ②利用者 ③利用者の目線より低い位置から ④口の中を湿らせ ⑤少なめ ⑥舌の中央 ⑦口唇を閉じるよう ⑧前傾 ⑨利用者の食べる ⑩1口

❷ (1) イ (2) ウ (3) イ

❸ ①誤嚥しやすい ②飲み込みやすい ③増粘剤 ④かき混ぜて ⑤飲み込みを刺激する ⑥摂取するとよい ⑦促す ⑧むせやすい ⑨調味料を工夫 ⑩根菜類を積極的に摂取

❹ (1) イ (2) ウ (3) ウ

解説

❶ 誤嚥を防ぐためにも、できる限り座位で食事を摂れるよう支援します。寝食分離が望ましいですが、ベッド上で食事を摂る場合も、クッション等で座位を保持できるようにします。

❷ (1)クロックポジションとは、時計の文字盤を例に説明する方法で、視覚障害者によく用いられます。

(2)構音障害の人は、嚥下障害を伴っていることも多く、誤嚥を防ぐためにも、声かけは必要最小限にし、咀嚼と嚥下に集中できるように配慮します。

(3)体温と温度差があるほうが、嚥下反射を誘発しやすく、誤嚥しにくいので、温かいものは温かく、冷たいものは冷たく提供します。

❸ (1)スポンジ状の食品やサラサラした液体は誤嚥しやすいです。ドロッとした状態や半固形状の食品は飲み込みやすいです。

(2)とろみをつけると飲み込みやすくなります。

(3)冷たい食品は飲み込みを刺激するので、食事の初めに摂取すると、誤嚥を防ぎます。

(4)酸味は、唾液分泌を促しますが、強すぎるとむせやすくなるので、注意が必要です。

(5)味覚の感受性は、塩味で特に低下しますが、塩分の摂り過ぎは、高血圧等を招くので、調味料を工夫して、味覚の低下を補います。腸の蠕動運動の低下は、便秘を招くので、食物繊維を多く含む食品を摂るようにします。

❹ (1)慢性腎不全では、腎機能低下で、体内の老廃物をうまく排出できなくなっているので、たんぱく質、ナトリウム、カリウム、水分などに制限が必要です。肉や魚などのたんぱく質は控えます。乳製品にはたんぱく質が含まれるので、摂取には注意が必要です。生野菜にはカリウムが多く含まれるので、摂取には注意が必要です。

(2)ビタミンKは血液凝固に関与します。抗凝固剤であるワルファリンを服用している場合に納豆を摂取すると、拮抗して作用を減弱させるので、注意が必要です。

(3)片栗粉は、じゃがいものでんぷんで、とろみをつけるために使用されます。

ビタミンKは骨粗鬆症の予防に重要です。腸内細菌からもつくられます。

15日目 清潔保持の介護

【解いて覚える】

→本冊 P.68

❶ ①下　②5分　③左　④右　⑤つけて
⑥はずして　⑦座位　⑧10～15分
⑨水分補給　⑩十分な休息

❷ (1) ア　(2) イ　(3) イ

❸ (1) イ　(2) ア　(3) ウ

❹ ①プライバシー　②同意　③つくる
④下　⑤使って　⑥内　⑦タオル　⑧恥骨から肛門の方向　⑨ぬるま湯　⑩前

解説

❶ (1)入浴は、静水圧作用で心臓や肺への負担が増します。全体で、15～20分程度とします。
(2)片麻痺の場合、浴室内は、利用者の麻痺側について、腕と腰を支えながら移動します。段差は、麻痺側から下がり、健側から上がります。
(3)酸素療養中は、呼吸困難を引き起こさないよう、鼻カニューレをつけたまま入浴します。ストーマの場合、腹腔内圧のほうが浴槽内の水圧よりも高く、ストーマにお湯が入り込む心配はないので、はずして入浴が可能です。
(4)手浴・足浴は、多少なりとも入浴気分が味わえ、温めることで拘縮（こわばり）を予防したり、入眠を促したりします。
(5)湯冷めしたり風邪を引かないよう、まずは水分を拭き取って衣服を着て、水分補給と十分な休息をとります。

❷ (1)清拭は、末梢から中枢へ向けて拭きます。全身清拭では、陰部は最後に拭きます。
(2)経口摂取を行っていないと、唾液分泌量が低下し、自浄作用が低下するので、積極的な口腔ケアが必要です。座位が維持できなければ、側臥位で行います。
(3)水分が多いと誤嚥の危険があります。ブラシは大きさが歯2本分程度、やわらかめのものを用います。

❸ (1)尿意は我慢することができますが、尿意をコントロールするメカニズムに障害が生じ、尿意を我慢できなくなる症状を過活動膀胱といいます。多尿とは1日の尿量が3000ml以上をいい、糖尿病の症状でみられます。
(2)便秘の原因として麻薬性鎮痛剤では弛緩性便秘がみられ、大腸がんでは器質性便秘がみられます。
(3)機能性尿失禁とは排尿機能に問題はないのに、排泄動作が適切に行えなかったり、尿意を伝えることができなくて失禁してしまうことをいいます。他に我慢できずにもれてしまう切迫性尿失禁、女性に多く、くしゃみなどで漏れてしまう腹圧性尿失禁、前立腺肥大などにより、男性に多い溢流性尿失禁があります。

❹ おむつ交換時はプライバシーに十分配慮し、本人におむつ交換をすることを伝え、同意を得てから行います。他に利用者等がいる場合は直接的な表現を控えます。おむつ交換は、感染予防に留意し、使い捨て手袋を使用して、排泄物に素手で触れないようにします。皮膚の汚れは、用意しておいたタオルや布で拭き、おむつは、汚れを内側に丸めて片付けます。使い捨て手袋を外してから、下着を整えます。

ここに注意！

清拭やベッド上での排泄は、通常の入浴やトイレでの排泄が困難な場合の代替手段です。感染予防と羞恥心やプライバシーに配慮します。

16日目 日常生活の安全・安心のための介護

【解いて覚える】

➡本冊 P.72

❶ ①よく落ちるというものではない　②使用しない　③たんぱく質　④ぬるま湯　⑤酸素系　⑥傷めやすい　⑦漂白力　⑧塩素系　⑨有機溶剤　⑩油性

❷ (1) ウ　(2) イ　(3) ア

❸ (1) ア　(2) ウ　(3) ウ

❹ ①適切に水分摂取　②感染源　③食物繊維の多い　④上行結腸・横行結腸・下行結腸　⑤弱酸性の石鹸　⑥やわらかい木綿素材　⑦適切ではない　⑧ゼリー　⑨すぐに部屋に戻り、寝るように促す　⑩いったん座るように促して、話を聞く

解説

❶ しみや汚れは、水溶性のものと油性のものがあります。血液などたんぱく質の汚れは、高温で洗うと、熱で変性し、繊維に固着してしまうので注意します。洗濯では、繊維や汚れに適した洗剤、漂白剤を、適量用います。

❷ (1)日中の活動量を増やすことは、日中の昼寝を減らし、夜間の安眠に有効です。

(2)緑茶のカフェインは覚醒作用や利尿作用があるので、避けます。

(3)身体の冷えは、入眠の妨げともなります。

❸ (1)訪問販売は、申込みまたは契約後に、法律で定められた書面を受け取ってから一定期間内は、無条件で解約ができます。

(2)クーリング・オフ期間内であれば、リフォーム工事が開始されていたとしても、工事が完了していたとしても、解約することができ、原状回復もしてもらえます。

(3)実収入とは、税込み収入です。支出には、いわゆる生活費である消費支出と、税金や社会保険料など、世帯の自由にならない非消費支出があります。実収入から非消費支出を差し引いたものを、可処分所得といいます。

❹ (1)ノロウイルス感染などの疑いもあり、排泄物は感染源ととらえて対処します。

(2)マッサージ（→P.69）のほかに、腹部を温めることも有効です。

(3)皮膚に刺激を与えたり、傷つけたりしないようにすること、皮膚を乾燥させないことが大切です。

(4)脱水時は、入浴による発汗で、さらに水分量が減ってしまうので、適切ではありません。

(5)徘徊（はいかい）には目的や理由があるととらえて対応しますが、納得するまで1人で歩いてもらうようなことは、危険なので避けます。

ここに注意！

介護福祉職に、発熱、下痢や嘔吐などの症状があるときは、業務を休みます。

17日目 終末期に向けた介護

【解いて覚える】

→本冊 P.76

❶ ①廃用症候群 ②寝たきり ③身体的 ④心理的 ⑤社会・環境 ⑥外出 ⑦通所系 ⑧寝かせきり ⑨寝食分離 ⑩生活意欲

❷ (1) イ (2) イ (3) ア

❸ ①あらゆる苦痛 ②意識がなくなっても ③尿量 ④口腔内 ⑤控える ⑥行う ⑦書面に ⑧そばに居やすいよう ⑨医療職 ⑩本人と家族

❹ (1) ア (2) イ (3) イ

解説

❶ 寝たきりにならないよう、ベッド、ポータブルトイレ、車いすなど、福祉用具を状況に合わせて活用し、日中は起きて生活できるよう支援します。寝食分離が基本で、自立の気持ちを大切に、生活意欲を引き出すような支援を行います。

❷ (1)介護している家族をねぎらい、そのやり方を尊重します。間違ったやり方や危険な方法は、一緒に介護を行いながら修正したり、正しい方法を伝えるようにします。

(2)終末期でも、なるべく寝たきりにならないようQOLの向上を目指します。本人の希望を尊重し、安易に入院を勧めることは避けます。

(3)好きな食べ物を尋ね、制限の範囲で好物を食事に取り入れる提案をすることも有効です。

❸ (1)定期的に体位変換を行い、死の恐怖への訴えは受容し、マッサージや好きな音楽を鑑賞して、疼痛や不安を緩和します。また安心できるよう手を握るなどのスキンシップを行い、意識がなくなっても、最後のときまで声かけを行います。ただし長生きできるようはげますような声かけは適切ではありません。

(2)臨死期では量が減少するので、記録しておきます。口腔内に分泌物が溜まりやすくなるので、積極的に口腔ケアを行います

(3)入浴は負担が大きいので、定期的に行うことは控え、急変することもあるので、夜間の巡回を行います。

(4)本人も家族も悔いを残さない最後が迎えられるよう、本人が何歳であっても、看取りについての考え方や方針をよく確認しておく必要があります。実際に、終末期を向かえてから、変更はないか再度、確認して対応します。

(5)一時的に入院するなど、医療関係者等の後方支援があることを伝え、安心して終末期を過ごせるように配慮します。

❹ (1)怒りの段階は、第２段階です。

(2)抑うつの段階は、第４段階です。

(3)死亡直前には、尿量が徐々に減少するので、チェックします。

ここに注意！

終末期の施設入所者の家族への支援は重要で、付き添いやすい環境を整え、連絡は密にとるようにします。

18日目 介護過程の展開

【解いて覚える】

本冊 P.80

❶ ①アセスメント ②ケアプラン立案 ③モニタリング ④評価 ⑤利用者 ⑥生活課題 ⑦具体的 ⑧実現可能 ⑨定期的 ⑩介護福祉職

❷ ①今できている活動 ②これからできそうな活動 ③理由も含めて検討し ④取り入れるということではない ⑤複数の情報 ⑥優先順位をつける ⑦後 ⑧客観的で科学的な根拠に基づいた ⑨主体的に取り組める ⑩見直し時期

❸ (1) ウ (2) イ (3) イ

❹ (1) ア (2) ウ (3) ア

■解説

❶ 生活課題とは、利用者の望む生活を実現するために解決すべきことで、アセスメントの結果に基づいて、具体的で実現可能なケアプランを立案し、支援が開始されます。定期的にモニタリングを行い、状況の変化があれば、再アセスメントを行い、ケアプランを変更します。目標が達成されていても、いなくても、評価は必要です。ほかの利用者の目標達成度と比較した評価は意味がありません。

❷ (1)利用者の「できること」や「やりたいこと」をアセスメントし、生活課題を明らかにします。

(2)利用者が嫌がることは、なぜ嫌がっているのか理由も含めて検討し、潜在的な課題も取り上げるようにします。利用者の自己実現を図ることが目的です。

(3)他職種からの情報も含め複数の情報を検討し、複数の課題がある場合は、優先順位をつけます。

(4)アセスメントの結果に基づいて、介護計画が作成されます。経験だけに頼るのではなく、客観的で科学的な根拠に基づいた計画とします。

(5)具体的で実現可能で、利用者が主体的に取り組める計画とし、目標達成までの期間と見直しの時期も設定しておきます。

❸ (1)多職種が連携して、利用者を側面から支援することが大切です。

(2)チームのメンバーは、人数も職種も流動的で、ボランティアもメンバーになります。

(3)ホームヘルパーは、利用者や家族と身近に接するので、利用者や家族の思いを聞いたり、変化に気づいたりすることができ、利用者や家族を代弁することも役割として求められます。

❹ (1)地域包括支援センターは権利擁護業務などを行い、高齢者虐待防止ネットワークの中核機関となります。

(2)セルフヘルプグループでは、援助をする人が最も援助を受けるというヘルパー・セラピー原則が重要です。

(3)エコマップは、利用者や家族を中心とした社会関係網を表します。数世代にわたる家族関係を表すのは、ジェノグラムです。

ここに注意！

プライバシーに関する情報を収集するときは、個別に行うなど、個人情報漏洩(ろうえい)に注意します。

19日目 加齢に伴う心身の変化

【解いて覚える】

本冊 P.86

❶ (1) イ (2) ウ (3) ア

❷ ①65 ②高齢社会 ③大きく ④サクセスフルエイジング ⑤安楽椅子型 ⑥適応 ⑦自責型 ⑧不適応 ⑨結晶性 ⑩上昇

❸ ①狭く ②赤色系 ③青色系 ④高音域 ⑤塩味 ⑥減少 ⑦腹圧性尿失禁 ⑧溢流性（いつりゅうせい）尿失禁 ⑨カフェイン ⑩副交感神経

❹ (1) イ (2) イ (3) ア

解説

❶ **(1)** ごっこ遊びは象徴遊びともいわれ、表象機能が発達してくると現れてきます。この段階を、前操作期と呼びます。

(2) 自我同一性の獲得は青年期の発達課題です。失敗すると同一性の混乱を生じます。親密さは前成人期の発達課題です。失敗すると孤立してしまいます。老年期の発達課題である自我の統合に失敗すると、絶望感を生じます。

(3) 読み書き計算の基本的技能は、児童期の発達課題です。社会的に責任ある行動をとることは、青年期の発達課題です。

❷ **(1)** 老人福祉法の対象や老齢年金の支給も原則、65歳以上です。わが国が高齢社会に突入したのは1994（平成6）年のことで、高齢化率はその後も上昇し続け、現在は、28%を超えています。

(2) 老いを自覚する時期やきっかけは、衰え、病気、退職、死別など個人差が大きいです。老化を認識し、受け入れ、適応して幸せな高齢期を過ごすことをサクセスフルエイジングといいます。

(3) 安楽椅子型は、受動的・消極的ながらも、新しい環境に適応していきます。

(4) 自責型は、死を、不満足な人生からの解放ととらえます。

(5) 結晶性知能は、加齢とともに発達し、60歳代が最も高いといわれます。学校教育などの環境の影響を受けやすく、生活習慣や訓練によって維持することが可能です。

❸ 加齢に伴い、感覚器の低下がみられます。体内水分量の減少は、脱水を起こしやすくします。また、ホメオスタシスは低下し、免疫機能が低下し、感染症を起こしやすくなったりします。
カフェインやニコチン、アルコールには覚醒作用があります。カルシウムやメラトニンは不足すると不眠の原因になります。睡眠不足で自律神経のバランスが崩れ副交感神経の働きが低下します。

❹ **(1)** 肺炎で高熱が出なかったり、風邪で意識を失ったり、症状は非定型的です。

(2) 完治が困難な慢性疾患（しっかん）が多く、複数疾患を合併していることも多いです。

(3) うつ症状を伴いやすく、環境の影響を受けやすく、QOLへの影響が大きいといえます。

ここに注意！

新しい場面に適応するときに要求される問題解決能力は、流動性知能といい、加齢に伴い低下傾向です。

20日目 高齢者に起こりやすい不調・疾患

【解いて覚える】

本冊 P.90

❶ (1) ア　(2) イ　(3) イ

❷ ①減少　②肥厚　③狭く　④収縮期血圧　⑤本態性高血圧　⑥肥大　⑦心房細動　⑧頻脈（ひんみゃく）　⑨脳梗塞　⑩心筋梗塞

❸ ①高血糖　②多尿　③ない　④かかりやすい　⑤無動　⑥便秘　⑦第3位　⑧増加　⑨C型　⑩肝がん

❹ (1) ア　(2) イ　(3) ウ

解説

❶ (1)筋繊維数の減少と筋繊維自体の萎縮により、筋量が減少し、筋力の低下を招きます。

(2)関節液の減少で、関節軟骨がすり減ったり、変形したりして、関節可動域が制限されるようになります。

(3)骨粗鬆症（こつそしょう）は、骨量が減少して、骨がスカスカになった状態で、閉経後の女性に多いです。

❷ 加齢に伴って、血管壁にコレステロールや中性脂肪、カルシウムなどが沈着し、硬化して内腔が狭くなります。この動脈硬化の影響で、血液を送り出すときの収縮期血圧が高くなります。高血圧の９割以上は、原因不明の本態性高血圧といわれます。不整脈の一種である心房細動は、血栓を脳へ飛ばして血管をつまらせ、脳梗塞の一種である脳塞栓を引き起こします。心筋梗塞は、30分以上持続する胸痛がみられますが、高齢者や糖尿病患者では、胸痛を訴えないこともあります。

❸ (1)血糖降下薬を服用していたり、インスリン注射を行っている場合などは、低血糖症状にも注意が必要です。

(2)糖尿病の初期には自覚症状がないことが多く、気づかないうちに進行して合併症を引き起こしてしまうこともあるので、注意が必要です。

(3)パーキンソン病は、新しい薬や治療法の開発で、発症後の経過は著しく改善し、10年程度は普通の生活が可能であり、その後は介助が必要になっても、生命予後は悪くありませんが、認知症を合併することも多いです。

(4)高齢者では誤嚥（ごえん）をきっかけに引き起こされる誤嚥性肺炎も多くみられます。細菌が唾液や胃液に混じって肺に流れ込んでしまうことで生じます。

(5)B型肝炎やC型肝炎は、血液を介して感染し、慢性肝炎から肝硬変、肝がんへと変化することも多いです。A型肝炎は、水や食べ物を介して感染し、慢性化することは少ないです。

❹ (1)高齢者のうつ病は、不安や焦燥感を示して、抑うつ気分が目立たないことが多いです。

(2)遅発性統合失調症といわれ、近所からの被害妄想など、妄想を訴えることが多いです。

(3)せん妄は夜間に悪化することが多く、夜間せん妄といわれます。

筋肉量の維持・増加には良質なたんぱく質の摂取や運動が有効です。

21日目 認知症の基本

【解いて覚える】

本冊 P.94

❶ ①ゆるやか ②徐々に ③不可逆的 ④清明（せいめい） ⑤多い ⑥中核 ⑦記憶障害 ⑧見当識障害 ⑨実行機能障害 ⑩理解・判断力の低下

❷ (1) ア (2) ア (3) イ (4) ウ (5) ア

❸ ①もの盗られ妄想 ②男性より女性 ③まだら認知症 ④感情失禁 ⑤具体的な幻視 ⑥パーキンソン症状 ⑦反社会的行動 ⑧常同行動（じょうどう） ⑨自覚できず ⑩無関心

❹ (1) ア (2) ア (3) イ

解説

❶ 一過性の意識障害であるせん妄と異なり、認知症では、意識障害はみられません。中核症状に認知機能障害があり、日常生活や社会生活に支障をきたします。特に、新しいことを覚えたり、環境に適応することが困難となります。

❷ (1)失語は、発声発語器官に障害がないにもかかわらず、正しく発語できなかったり、言葉の意味を理解できなかったりします。

(2)失行で、トイレで排泄（はいせつ）して水を流すまでの一連の行為ができなかったり、理解・判断力の低下で水を流すしくみがわからなかったりすることが考えられます。

(3)夕暮れ症候群とは、夕方になるとそわそわと落ち着きがなくなったり、「家に帰る」などと外出しようとする症状をいいます。

(4)理解・判断力の低下で、目に見えない自動改札機のしくみが理解できないことが考えられます。

(5)実行機能障害で、計画を立てたり、順序立てたりができなくなります。

❸ (1)アルツハイマー型認知症では、脳萎縮（いしゅく）がみられます。脳の障害された部位によって特定の症状が生じる巣（そう）症状がみられます。進行を遅らせるための治療薬として4剤が認められています。

(2)血管性認知症は、多発性脳梗塞など脳血管障害によって引き起こされます。

(3)大脳皮質に、パーキンソン病でみられるレビー小体がみられ、動作が緩慢（かんまん）で動きがぎこちないなど、パーキンソン症状を生じさせます。

(4)初期からの人格変化が特徴的です。

(5)高齢者の認知症は、うつ病と間違われやすく、鑑別（見分けること）が必要です。

❹ (1)FASTは、観察式のアルツハイマー型認知症の重症度分類です。

(2)認知症の程度と日常生活自立度の程度を客観的に、短期的に評価します。

(3)慢性硬膜下血腫（こうまくかけっしゅ）は、手術で血腫を除去すれば、症状が改善する可能性は高いです。

ここに注意！

認知症とせん妄は、異なる疾患・症状ですが、アルツハイマー型認知症にせん妄が合併したりすることも多く、間違われやすいです。

22日目 認知症高齢者への対応

【解いて覚える】

本冊 P.98

❶（1）ウ （2）イ （3）ア

❷（1）ア （2）イ （3）イ

❸ ①新しい便利な ②使い慣れた ③身近に置き ④変えない ⑤目印をつけ ⑥明るさの差に配慮する ⑦雰囲気を大切にし ⑧利用者本人にも手伝ってもらう ⑨受容し ⑩共感する

❹ ①介護 ②日常生活上の世話 ③機能訓練 ④認知症対応型共同生活介護 ⑤地域密着型サービス ⑥家庭的 ⑦地域住民 ⑧9人以下 ⑨1人 ⑩小規模多機能型居宅介護

解説

❶（1）person＝その人をcentred＝中心に置いたcare＝ケアです。

（2）認知症の本人の立場から理解し、共感します。BPSDも、意味があることととらえます。

（3）「2015年の高齢者介護～高齢者の尊厳を支えるケアの確立に向けて～」でも、「むしろ認知症高齢者こそ、本人なりの生活の仕方や潜在する力を周囲が大切にし、その人の人格を尊重してその人らしさを支えることが必要であり、『尊厳の保持』をケアの基本としなければならない」と述べています。

❷（1）見当識とは、時間や場所・空間、まわりの人との関係や状況などを正しく認識する機能のことをいいます。

（2）認知症では、体験のすべてを忘れてしまうので、健忘の自覚がないことが多いです。BPSDの症状として、不安がみられます。

（3）リロケーションダメージとは、入院したり、転居したり、場所が変わることで悪影響を及ぼすことをいいます。認知症では、なじみの関係や環境を維持することが重要です。

❸（1）新しいことを覚えることが困難になるので、慣れ親しんだものを使用します。

（2）不安が強くなったり混乱をきたしたりするので、家や家族を思い出させるようなものを身近に置き、安心できるようにします。

（3）見当識障害で自分がどこにいるのかわからなくなってしまうので、表示や目印をつけ、わかりやすくしておきます。照明は、まぶしさを感じないよう配慮します。

（4）食事を楽しむといった雰囲気づくりや、役割をみつけて参加する機会をつくります。

（5）否定したり、説得したり、叱責したりすることは避けます。

❹ 認知症対応型共同生活介護は、グループホームとも呼ばれ、家庭的な環境と地域住民との交流のもと、住み慣れた環境での生活を継続できるようにすることを目指します。

認知症の人のできることを見つけて、一緒に行うことが有効です。

23日目 認知症高齢者へのサポート体制

【解いて覚える】

本冊 P.102

❶ (1) イ (2) ア (3) ア

❷ ①認知症初期集中支援チーム ②複数の専門職 ③認知症疾患（しっかん）医療センター ④認知症医療の連携を強化する ⑤老人性認知症疾患療養病棟 ⑥BPSD ⑦認知症カフェ ⑧集う場 ⑨地域包括（ほうかつ）支援センター ⑩成年後見制度の活用促進

❸ (1) イ (2) ウ (3) イ

❹ ①75歳 ②約700万人 ③約5人 ④住み慣れた地域 ⑤自分らしく ⑥新オレンジプラン ⑦本人主体 ⑧循環型 ⑨約4万人 ⑩就労・社会参加支援

解説

❶ (1) 認知症対応型通所介護は、対象を認知症に限定した通所介護で、認知症の人が、可能な限り在宅で日常生活を営めること、家族の負担軽減を図ることを支援します。

(2) 認知症老人徘徊感知機器は、屋外へ出ようとしたとき等に、センサーで感知し、家族や隣人等へ通報します。

(3) 認知症行動・心理症状緊急対応加算は、医師が、認知症の行動・心理症状が認められるため、在宅での生活が困難であり、緊急に入所することが適当であると判断した利用者にサービスを提供した場合に、7日を限度として算定されます。短期入所系サービスと介護保険施設サービスで受入れを行っています。

❷ (1) 認知症初期集中支援チームは、地域包括支援センターや認知症疾患医療センター等に設置されます。

(2) 認知症疾患医療センターには、認知症専門医、看護師、精神保健福祉士、臨床心理技術者等が配置されます。

(3) 老人性認知症疾患療養病棟は、介護保険が適用されるので、要介護認定が必要です。

(4) 認知症カフェは、専門職にとっては、認知症の人やその家族の状況を把握できる場となります。

(5) 地域包括支援センターでは、困難な状況にある高齢者が、地域において、安心して尊厳のある生活を行うことができるよう、専門的・継続的な視点からの支援を行います。

❸ (1) 認知症サポーターは、認知症について正しく理解し、認知症の人や家族を温かく見守り、支援する応援者です。

(2) 認知症地域支援推進員は、地域包括支援センターや市町村等に配置されます。

(3) 市民後見人とは、専門職後見人以外の後見人等をいいます。市町村は、「後見・保佐・補助の業務を適正に行うことができる人材の育成および活用を図るために必要な措置を講ずよう努めるものとすること」とされています。

❹ 「認知症施策推進総合戦略～認知症高齢者等にやさしい地域づくりに向けて～」（新オレンジプラン）が、厚生労働省と関係11府省庁の共同で策定されています。

ここに注意！

若年性認知症の人の場合、就労や生活費、子どもの教育等の経済的問題が大きく、主な介護者も配偶者となる場合が多く、配偶者も親等の介護と重なって重複介護になる等の特徴があり、さまざまな分野に渡る統合的な支援が必要です。

24日目 身体障害の特性と介護

【解いて覚える】

本冊 P.106

❶ (1) ア (2) イ (3) イ
❷ (1) ア (2) ア (3) ア
❸ ①一致しない ②自助具 ③病気になる前 ④両手 ⑤肩からかけて ⑥レバーハンドル型 ⑦高く ⑧大腿骨骨頭（だいたいこつこっとう） ⑨すくう部分を曲げる ⑩介護保険法
❹ ①在宅酸素 ②透析 ③息を止めないで ④高カロリー ⑤積極的に摂取することは避け ⑥日光に適度にあたる ⑦手袋をつけて ⑧避ける ⑨15cm ⑩2m

解説

❶ (1)糖尿病が自覚のないまま進行し、合併症である糖尿病性網膜症（もうまく）を発症しないよう、視力の低下の有無の確認が重要です。
(2)視覚障害では、音声言語は利用できますが、視覚情報を得ることができないので、非言語的コミュニケーションの活用が難しく、会話に不自由することがあります。
(3)盲導犬は白または黄色のハーネスが目印で、仕事中は温かく見守ることが大切です。仕事中の盲導犬には声をかけたり、触ったり、気を引くような行動をしたり、水や食べ物を与えてはいけません。また、ほかの迷惑になるような行動をしている場合は、ユーザー（利用者）にはっきり伝える必要があります。
❷ (1)老人性難聴は、加齢に伴い、徐々に進行し、通常、両側性の難聴です。
(2)伝音性難聴では、音を大きくすれば聞き取れるようになるので、補聴器の使用が有効な場合が多いです。
(3)失語症は、大脳にある言語野（げんごや）が障害されて、言葉を組み立てて話したり、聞いて理解することが困難になります。
❸ 関節リウマチは、介護保険の特定疾病（しっぺい）なので、第２号被保険者であれば、要介護認定を受けてサービスを利用することができます。
❹ (1)在宅酸素療法の導入には、一定の基準があり、酸素流量や濃度の調整は、医師が行います。透析療法には、血液透析と腹膜透析があります。
(2)慢性閉塞性肺疾患（まんせいへいそくせいはいしっかん）では、息切れや呼吸困難を起こさないよう、動作中は息を止めないで、腕を高く上げるような動作も避けます。少量でもカロリーが高く、消化しやすいものを摂取します。
(3)免疫が低下していると、日和見感染（ひよりみ）にかかりやすいので、生ものを避けたり、適度に日光にあたったり、積極的に口腔（こうくう）ケアを行います。
(4)上肢（じょうし）リンパ浮腫（ふしゅ）では、浮腫により皮膚が傷つきやすくなるので、庭の手入れは、ゴム手袋、長袖、長ズボンなどで行います。血流が増えるとリンパ液も増えるので、サウナ浴や長時間の入浴は避けるようにします。
(5)心臓ペースメーカー装着者は、なるべく心臓へ負担をかけることは避けます。

ここに注意！

上肢リンパ浮腫は、乳がんの手術でわきの下のリンパ節を切除したあとにみられます。

25 ヨコ 認知・行動障害の特性と支援

【解いて覚える】

本冊 P.110

❶ ①誰かに支配されているような感覚を抱く ②感情の動きが乏しくなる ③幻聴 ④妄想 ⑤やれることから始めてできることを増やしていく ⑥あせらずゆっくり ⑦家族 ⑧心理教育プログラム ⑨本人 ⑩社会生活技能訓練

❷ ①脳に損傷を受けること ②脳卒中 ③脳炎 ④アルツハイマー型認知症 ⑤自閉症スペクトラム障害 ⑥記憶障害 ⑦注意障害 ⑧遂行機能障害 ⑨社会的行動障害 ⑩右

❸ (1) ウ (2) イ (3) ア

❹ (1) イ (2) ウ (3) イ

■解説

❶ (1)誰かに支配されているような感覚を抱くのは、自我障害で、陽性症状のひとつです。感情の動きが乏しくなることを、感情鈍麻（どんま）といい、陰性症状のひとつです。

(2)幻聴や妄想は、陽性症状です。

(3)統合失調症は再発しやすいので、あせらず、ゆっくり、回復を見守ることが大切です。

(4)家族の感情表出が再発に影響を与えることが知られており、かかわり方を心理教育プログラムで学ぶことが必要です。

(5)社会生活技能訓練はSSTともいいます。

❷ 損傷した脳と反対側の空間に注意がいかなくなる症状を、半側空間無視（はんそくくうかんむし）といいます。左半側空間無視が多く、左側に注意がいかなくなります。自分の麻痺のある半身にも無関心になる身体失認（しんたいしつにん）もみられます。

❸ (1)一人の人間として尊厳を保持した対応が求められます。失敗も含めた経験を通じて学ぶことができるので、手出しをし過ぎず、自立を目指して、見守る姿勢が重要です。非言語的コミュニケーションも活用して、本人が納得・理解できるよう伝えます。

(2)厚生労働省の調査では、知的機能の障害がおおむね18歳までの発達期に現れ、日常生活に支障が生じているため、何らかの特別の援助を必要とする状態にあるものを、知的障害と定義しています。

(3)ダウン症候群は、常染色体の21番染色体の過剰で起こります。

❹ (1)自閉症スペクトラム障害は、対人関係の障害で、その場の雰囲気や相手の意図を意識することが苦手で、自分のことばかり話します。途中で話を終らせるようなことは、適切ではありません。

(2)自閉症スペクトラム障害では、変化に対する不安が強いので、一緒に予定を確認するなどして、安心できるようにします。大きな声で話す必要はありません。

(3)行動援護は、知的障害・精神障害者の外出支援で、同行援護は視覚障害者、コミュニケーション支援は聴覚障害者のための支援です。

ここに注意！

壮年期の知的障害者への支援で重要なことは、介護や見守りを行ってくれていた親と死別し、一人になってしまった後の生活への適応支援です。

26日目 障害者の心理と日常生活への支援

【解いて覚える】

本冊 P.114

❶ (1) イ　(2) イ　(3) ウ

❷ (1) ウ　(2) ア　(3) ア

❸ ①生活介護　②療養介護　③就労移行支援　④就労継続支援　⑤居宅介護　⑥通院等介助　⑦児童福祉法　⑧高等学校卒業まで　⑨発達障害者支援法　⑩発達障害者

❹ ①障害者総合支援法　②市町村　③訪問調査　④サービス利用意向の聴き取り　⑤介護給付　⑥障害支援区分　⑦市町村審査会　⑧指定特定相談支援事業者　⑨相談支援専門員　⑩サービス管理責任者

解説

❶ **(1)** ICIDHにおける能力障害を活動制限に、社会的不利を参加制約に置き換えました。

(2)「トイレに行く」という活動が、制限されています。

(3) ノーマライゼーションとは、障害の有無に関係なく、誰もが普通に生活する社会の実現を目指す理念です。エンパワメントとは、差別や抑圧、搾取などでパワーを奪われた人々が自己決定や主体性、影響力を取り戻すことです。

❷ 抑圧は、認めたくない欲求を心の中に抑え込んでしまおうとするものです。合理化は、自分に都合のよい理由をつけて、自分を正当化しようとするものです。昇華は、直ちに実現できない欲求を、価値ある行為に置き換えようとするものです。

❸ **(1)** 生活介護と療養介護は、介護給付に含まれ、利用には、障害支援区分の認定が必要です。

(2) 就労移行支援と就労継続支援、就労定着支援は、訓練等給付です。就労継続支援には、雇用契約を結ぶA型と、結ばないB型があります。

(3) 居宅介護は介護給付で、利用には障害支援区分の認定が必要です。さらに、通院等介助の算定には、要件が定められています。

(4) 放課後等デイサービスは、小学校から高校までの学校に就学している障害児が利用できるサービスで、授業の終了後または休業日に児童発達支援センター等に通い、生活能力の向上のために必要な訓練を受けたり、社会との交流の促進などを行います。

(5) 発達障害者支援センターは、発達障害者と家族の専門的な相談・助言を行ったり、専門的な発達支援・就労支援を行ったり、関係機関に情報提供や研修を行ったり、連絡調整を行います。

❹ 障害福祉サービスの利用申請は、相談支援事業者が申請を代行することもできます。

ここに注意！

障害者の外出支援では、居宅介護の通院等介助、視覚障害者の同行援護、自己判断能力が制限されている人（知的障害・精神障害）の行動援護などがあります。

27日目 人間のこころとからだのしくみの基礎

【解いて覚える】

本冊 P.118

❶ ①海馬 ②記銘 ③保持 ④想起 ⑤感覚記憶 ⑥短期記憶 ⑦長期記憶 ⑧意味記憶 ⑨エピソード記憶 ⑩手続き記憶

❷ ①三角筋 ②大胸筋 ③大殿筋 ④腸腰筋 ⑤大腿四頭筋 ⑥大腿二頭筋 ⑦視床下部 ⑧延髄 ⑨静脈血 ⑩動脈血

❸ (1) イ (2) ウ (3) イ

❹ (1) ア (2) ウ (3) ア

解説

❶ 短い時間、あることを記憶にとどめておくのと同時に、認知的作業を行うワーキングメモリーという概念もあります。

❷ (1)肩関節の外転とは、上腕を上に挙げること、内転とは挙げた腕を下に戻すことをいいます。

(2)股関節の伸展とは、後ろに伸ばすこと、屈曲とは、前に曲げることをいいます。

(3)大腿二頭筋は、半膜様筋と半腱様筋とともにハムストリング筋とも呼ばれます。

(4)視床下部には、内分泌中枢もあります。延髄には、呼吸中枢もあります。

(5)酸素を多く含んだ血液を動脈血、二酸化炭素を多く含んだ血液を静脈血といいます。

❸ (1)唾液は顎下腺から3分の2、耳下腺から3分の1、残りが舌下腺や小唾液腺から分泌されています。

(2)膵臓のランゲルハンス島のβ細胞から、血糖を下げる唯一のホルモンであるインスリンが分泌されます。

(3)皮膚は、外側から表皮、真皮、皮下組織の3層から構成されています。汗腺は真皮にあります。エクリン腺とアポクリン腺があり、毛穴につながっているアポクリン腺からの汗は、体臭の原因となります。

❹ (1)緊張や興奮で、交感神経が優位となると、血圧は上昇します。

(2)心拍数は、副交感神経が優位になると減少します。

(3)体温は、一般に、朝方のほうが夕方よりも低いです。

ここに注意！

長期記憶のうち、個人の体験に関するエピソード記憶は、加齢の影響を受け、近似記憶（最近の記憶）が障害されやすくなります。

ここに注意！

家庭で測定した血圧では135/85mmHg以上を高血圧とします。

28日目 日常生活と健康

【解いて覚える】

本冊 P.122

❶ (1) ウ　(2) ア　(3) イ

❷ (1) ア　(2) ウ　(3) ア

❸ ①心身機能　②筋力低下　③起立性低血圧　④仙骨部　⑤寝かせきり　⑥寝たきり　⑦起きて　⑧活発化　⑨少量頻回の原則　⑩休みをはさみ

❹ ①たんぱく質　②脂質　③ナトリウム　④カリウム　⑤B_1　⑥糖質　⑦E　⑧抗酸化作用　⑨慢性腎不全　⑩エネルギー

解説

❶ (1)糖尿病の合併症である糖尿病性神経障害で、下肢末端の知覚障害などの末梢神経症状がみられ、進行すると潰瘍や壊疽を生じることがあるので、足趾（指）の観察は重要です。

(2)糖尿病の合併症である糖尿病性網膜症を発症していないか、視力低下の有無の確認が重要です。

(3)「ふらふらした感じ」は、薬による血糖コントロールがうまくできず、低血糖症状を引き起こしていると考えられるので、早めに主治医に相談することが必要です。

❷ (1)脊椎椎体圧迫骨折は、背中の骨の骨折で、転倒で尻もちをついたときに生じやすいです。骨粗鬆症では、いつのまにか骨折していることもあり、注意が必要です。

(2)パーキンソン病では、歩幅が狭くなる小刻み歩行、歩き出しの一歩がうまく出せないすくみ足歩行、だんだんテンポが速くなって止まれなくなる加速歩行が特徴的にみられます。

(3)間欠性跛行とは、しばらく歩くと下肢などに痛みやしびれを生じ、少し休むとまた歩けるようになるもので、脊柱管狭窄症でみられます。

❸ 廃用症候群は、使わないことによるさまざまな機能の低下です。身体機能だけでなく、精神機能にも影響を及ぼします。少しでも活動しやすい環境を整え、日中はなるべく起きて、休養もできるだけ座位でとるなど、生活を活発化させる工夫をし、予防します。

❹ (1)糖質、たんぱく質、脂質は、エネルギー源となり、三大栄養素といわれます。

(2)塩分（ナトリウム）の摂り過ぎは、高血圧の一因となるので、カリウムを多く含んだ野菜類を積極的に摂取します。

(3)水溶性ビタミンであるビタミンB_1は、糖質代謝に関与し、欠乏すると脚気を生じます。豚肉などに多く含まれています。

(4)脂溶性ビタミンであるビタミンEは、強い抗酸化作用をもちます。同じ抗酸化作用のあるビタミンCと一緒に摂取することで、より効果を発揮します。

(5)慢性腎不全などの腎機能障害では、食塩とたんぱく質を制限し、十分なエネルギーを摂ります。カリウムや水分の制限も行われます。摂取量は症状によって異なるので、医師や管理栄養士等による栄養管理が必須です。

ここに注意！

長時間の同一姿勢に加え、脱水傾向があると静脈血栓塞栓症を発症しやすくなります。いわゆるエコノミークラス症候群と呼ばれる肺塞栓症は、災害時の避難生活で問題になっています。

29日目 法律による規定とリスクマネジメント

【解いて覚える】

本冊 P.128

❶ ①医師法　②保健師助産師看護師法
③医療専門職　④業務を独占　⑤社会福祉士及び介護福祉士法　⑥介護福祉士
⑦喀痰吸引　⑧日常生活　⑨医師の指示の下　⑩診療の補助

❷ ①医療的ケア　②経管栄養　③喀痰吸引
④手前　⑤医師　⑥看護職　⑦腸ろう
⑧経鼻経管栄養　⑨チューブ　⑩胃の中

❸ (1) ウ　(2) ウ　(3) イ

❹ (1) イ　(2) イ　(3) ア

解説

❶ 医行為（医療行為）は一部の医療職の業務独占ですが、次の行為は医行為に当たらないとされて介護福祉職が行うことができます。

①体温測定、②血圧測定、③パルスオキシメーターの装着、④軽微な切り傷・擦り傷・やけど等の処置、⑤医薬品の使用の介助（褥瘡を除く皮膚への軟膏の塗布、シップの貼付、点眼薬の点眼、一包化された内服薬の内服、坐薬の挿入、鼻腔粘膜への薬剤噴霧）※、⑥爪きり・やすりがけ、⑦日常的なオーラルケア、⑧耳垢の除去、⑨ストマパウチにたまった排泄物を捨てること、⑩自己導尿の補助のためのカテーテル準備、体位の保持など、⑪市販の使い捨て浣腸器による浣腸

※免許を有しないものが医薬品の介助ができることを本人または家族に伝え、様態が安定し、経過観察中でないなど条件あり。

❷ (1)医療的ケアは医師の指示の下に行います。
(2)喀痰吸引のチューブ挿入の限度は、口腔・鼻腔内では咽頭の手前までです。
(3)経管栄養の状態は医師・看護職が確認します。
(4)経管栄養には胃ろう、腸ろう、経鼻経管栄養があります。
(5)経管栄養のチューブ挿入状況は、医師・看護職が確認します。

❸ (1)スタンダードプリコーションは標準予防策です。
(2)医療・ケアを提供するすべての場所で、すべての患者・利用者、医療・介護従事者に適用されます。
(3)病原微生物の有無に関わらず「血液、全ての体液、汗を除く分泌物、排泄物、傷のある皮膚、粘膜が感染原因になりうる」という考えに基づきます。

❹ リスクマネジメントとは危機管理のことで、事故を未然に防ぐための予防対策と、事故が起こってしまったとき（アクシデント）の事故対策があります。アクシデント報告やインシデント（ヒヤリ・ハット）報告のほか、苦情・クレーム、業務フローの分析結果等から潜在的リスクを抽出することが重要です。

ここに注意！

●事故が起こってしまったときの心得
- どんなに準備していても事故は起こりうる
- 業務に慣れたときほど事故は起こりやすい
- 小さな事故でも個人で収めず、報告し組織で速やかに対応する
- 事故の報告を済ませたら、役割に応じマニュアルに沿って対応する
- 事故が起こってしまったときは、速やかに家族に連絡し誠実に対応する

30日目 喀痰吸引と経管栄養

【解いて覚える】

本冊 P.132

❶ (1) ア　(2) イ　(3) ウ
❷ (1) イ　(2) ア　(3) イ
❸ ①経管栄養　②チューブ　③胃ろう　④腸ろう　⑤鼻　⑥胃　⑦容易　⑧壊れやすい　⑨バンパー　⑩痛みや圧迫感
❹ ①注入前　②人肌　③しゃっくり　④注入を中止して　⑤炎症　⑥漏出　⑦感染　⑧赤く　⑨悪臭　⑩医師や看護職

解説

❶ 喀痰吸引の指示書は医師により作成され、有効期限は6か月です。介護福祉士と一定の研修を修了した介護職員は、指示書に従い喀痰吸引等を行うことができます。

❷ (1)一度で取りきれないときは呼吸の状態が落ち着いてから再度行います。吸引チューブを介した感染の危険があるので、口腔、鼻腔、気管カニューレで使用するチューブはそれぞれ別のものを用意します。

(2)喀痰吸引はできるだけ楽な姿勢で行います。上半身を10～30度挙上した状態が良いとされます。吸引時間はできるだけ短く（10～15秒以内）、決められた挿入位置（咽頭の手前）までとします。

(3)痰を出しやすくするには適度の湿り気が必要で、口腔内を乾燥させないようにします。また体内の水分が不足しないよう適度に水分を摂取します。室内の湿度は50～60%程度、室内の空気を清浄に保つことも大切です。

吸引後のチューブは外側と内側洗浄をしてから保管器へ保管します。

> ※不適切な対応
> ×吸引時間を延長する
> ×吸引圧を高くする
> ×太い吸引チューブに変更する
> ×痰が溜まっていそうな部位にしばらく吸引チューブをとどめる

❸ (1)経管栄養は、消化機能は十分保たれているが経口摂取が不可能なときに行われます。

(2)胃ろうのおもな対象者は自発的に食事が摂れないまたは、誤嚥を繰り返す人です。腸ろうは、胃に何らかの不具合があるときに（胃がん、胃切除等）つくることが多いです。

(3)経鼻経管栄養は、経口摂取では必要な栄養が摂れない人へ、一時的に行われることが多いです。

(4)(5)胃ろうの胃内固定法では、バルーン型のほうが壊れやすいです。

❹ 経管栄養の注意点は、胃内容物の逆流と、それによる誤嚥のリスクを減らすことです。

- 痰がからんで咳き込むと腹圧がかかり、嘔吐・逆流を起こしやすいため、経管栄養の最初に痰の吸引を行うとよい
- 栄養剤注入中または直後は体位変換や喀痰吸引は行わない
- 腹部が圧迫されない姿勢の保持と、上半身を起こす角度に注意。左側臥位のほうが逆流防止となる
- 経鼻胃管の場合、胃の噴門部がチューブで閉じきれずチューブに沿って逆流することもある

介護福祉士国家試験模擬試験問題　解答・解説

【午前問題】

◉人間と社会

人間の尊厳と自立

問題001　解答 **2**　➡本冊 P.8

世界人権宣言は、「すべての人民とすべての国とが達成すべき共通の基準」を宣言したもので、1948年12月10日、第３回国連総会で採択されました。第１条は「すべての人間は、生れながらにして自由であり、かつ、尊厳と権利とについて平等である。人間は、理性と良心とを授けられており、互いに同胞の精神をもって行動しなければならない。」と宣言しています。

1×　2〇　3×　4×　5×

問題002　解答 **2**　➡本冊 P.8、48

アドボカシーとは権利擁護（ようご）、あるいは、代弁するという意味です。

1×　身体拘束（しんたいこうそく）にあたります。

2〇　二人暮らしを続けながら、息子が安心して外出でき、求職活動ができるよう、新たなサービスを必要としていることを代弁しています。

3×　施設入所を勧めることは、息子の意向にも反し、不適切です。

4×　保護が必要な状況とはいえません。

5×　息子の意向をまったく反映していません。

「アドボカシー」の意味がわからなくても、施錠する（選択肢１）、入所させる（選択肢３）は即、NG！

人間関係とコミュニケーション

問題003　解答 **3**　➡本冊 P.9、44

積極的傾聴とは、相手の話に耳を傾けてじっくり聞くことで、誠実さ、受容、共感的理解の３つが必要です。

1×　「なぜ」「どうして」で始まる質問は、相手が問い詰められていると感じてしまう場合があります。

2×　自分の価値観で判断する審判的態度ではなく、非審判的態度で聴きます。

3〇　相手の立場に立って理解し、それを示すことを、共感的理解といいます。

4×　すぐに解決策が見つかるものではなく、まず相手の話をじっくり聴くことが求められます。

5×　相手が黙ったら、次の言葉が出るまで待ったり、相手が話し出せるようにかかわります。

相手の話を理解することが第一です。相手の言葉を判断したり（選択肢２）、解決策を考えたり（選択肢４）、自分が話すことを考えたり（選択肢５）しながら聞くと、話に集中できません。

問題004　解答 **3**　➡本冊 P.8、11

1×　後回しにしてはいけません。

2×　推測で行動してはいけません。

3〇　聞き取れなかった旨をきちんと伝え、もう一度話してもらうようお願いします。

4×　耳元で大声で話すことは不適切です。

5×　ジェスチャーではきちんと伝わりません。

社会の理解

問題005　解答 **4**　➡本冊 P.16、18

1×　設立には、認定ではなく認証が必要です。

2×　資産要件があるのは、社会福祉法人です。

3×　収益事業は禁じられていません。ただし、

NPO法人として継続的に収益事業を行う場合は法人税の課税対象となります。

4〇 運営組織および事業活動が適正であって公益の増進に資するものは、所轄庁の認定を受けることができ、認定NPO法人となります。有効期間は5年です。

5× ほかのNPO法人と合併することはできますが、社会福祉法人との合併は認められません。

「被保険者」を整理して答えを導きましょう。選択肢4と5の「第1号被保険者」ですが、介護保険には、第1号被保険者と第2号被保険者（医療保険加入者）がありました。→選択肢4は×。国民年金には、第1号被保険者（自営業等）、第2号被保険者（サラリーマン）、第3号被保険者（サラリーマンの被扶養配偶者）がありました。→選択肢5も×。選択肢1～3は医療保険についてです。健康保険、国民健康保険のほか、後期高齢者医療制度がありました。→選択肢3も×。

問題006 解答 **2** →本冊 P.12、82

1× 最も高い沖縄県でも、2.0は超えていません。

2〇 高齢化率は28%を超えて、過去最高を更新し続けています。

3× 2000（平成12）年に年少人口（0～14歳）を上回りましたが、生産年齢人口（15～64歳）は上回っていません。

4× 2014（平成26）年に、団塊の世代は前期高齢者となりました。

5× 出生数は、約1.4で推移しています。1.8は子育て世代が希望通りに子どもを持てる「希望出生率」です。

問題007 解答 **1** →本冊 P.13、15、20

1〇 市町村国保の保険料の納付義務者は世帯主です。

2× 生活保護受給世帯は被保険者から除かれます。

3× 75歳以上は、後期高齢者医療制度の被保険者となります。

4× 医療保険者が徴収するのは、介護保険の第2号被保険者の保険料です。

5× 国民年金の第1号被保険者は、自営業等で、事業主負担はありません。

問題008 解答 **5** →本冊 P.20、28

1× 新たな転換先として「介護医療院」が新設されました。

2× 要介護・要支援の有効期限は3年です。

3× 介護保険料の自己負担割合は、収入に応じて3割負担が設けられました。これにより、自己負担割合は1～3割の3段階となりました。

4× 介護老人福祉施設入所者は、以前より要介護3以上で変更はありません。

5〇 共生型サービスは、高齢者と障害児・者が同じ事業所でサービスを受けやすくするために位置づけられました。

問題009 解答 **4** →本冊 P.16

1× 総合確保方針に即して厚生労働大臣が定めた基本方針に即して策定されます。

2× 老人福祉計画と一体のものとして策定されます。

3× 医療計画を定めるのは、都道府県です。

4〇 市町村地域福祉計画等と調和が保たれたものでなければならないとされています。

5× 3年を1期として策定されます。

問題010　解答 **3**　➡本冊 P.13、15

1 ×　介護休業給付が、雇用保険から給付されます。

2 ×　業務上の事由による負傷は、労災保険の給付対象です。

3 ○　父子家庭に、遺族年金が支給されます。

4 ×　児童扶養手当は、ひとり親家庭に支給される社会手当です。保険料の支払いはありません。

5 ×　子の看護休暇は、育児介護休業法の制度です。

問題011　解答 **1**　➡本冊 P.21、24

1 ○　障害者を雇用する事業主等を、「使用者」と定義しています。

2 ×　差別の具体的な定義は規定していません。

3 ×　2004（平成16）年の改正で、自立への努力の規定は削除されています。

4 ×　障害者総合支援法に、障害者の手帳についての規定はありません。

5 ×　精神保健福祉法では、精神障害者の入院について規定しています。

問題012　解答 **1**　➡本冊 P.20、21、35

医療保険に加入しているので介護保険の第２号被保険者に該当します。関節リウマチは特定疾病なので、要介護認定を受けることで、障害福祉サービスより介護保険サービスが優先されます。要支援認定の場合、市町村の介護予防・生活支援サービスを利用できます。

問題013　解答 **2**　➡本冊 P.20、35

1 ×　生活支援・介護予防サービスの提供主体としてボランティアが想定されています。

2 ○　予防給付対象の指定介護予防サービス事業者の指定は、都道府県知事が行います。

3 ×　厚生労働省令で基準が定められ、その基準を標準として、都道府県の条例で利用定員が定められます。

4 ×　ともに、有効期間は6年です。

5 ×　ともに、第三者評価の受審は義務づけられていませんが、サービスの質の評価を行い、向上に努めなければなりません。

問題014　解答 **5**　➡本冊 P.24

1 ×　法定後見制度では、家庭裁判所が職権で後見人を選任します。親族に限られません。

2 ×　任意後見制度では、判断能力が低下する前に、公正証書で契約します。

3 ×　日常生活自立支援事業の実施主体は、都道府県・指定都市社会福祉協議会です。

4 ×　専門員が申立てを行うことはできません。

5 ○　届出を受けた市町村は、すみやかに安全の確認と事実の確認のための措置をとらなければなりません。生命・身体に重大な危険が生じている恐れがあると認められる場合などは、一時保護などの措置をとります。

問題015　解答 **5**　➡本冊 P.22

1 ×　扶助でなく地域で共に支え合います。

2 ×　家族と限定しません。

3 ×　専門職主体ではありません。

4 ×　支え手、受け手と決めてはいけません。

5 ○　地域住民が他人事を「我が事」に変え、課題を「丸ごと」受け止める場をつくります。

問題016　解答 **1**　➡本冊 P.17

1 ○　申請保護が原則ですが、急迫した状況にあるときは、保護の申請がなくても、必要な保護を行うことができるとされています。

2× 職権による変更や停止・廃止の場合も、決定の理由を付して被保護者に通知します。

3× 最低限度の生活の需要を満たすに十分、かつ、これをこえないものでなければなりません。

4× 生活扶助は居宅が原則です。

5× 現物給付が原則ですが、その方法がとりにくい場合、福祉用具や住宅改修等、金銭給付が行われます。

◉介護

介護の基本

問題017 解答 1 本冊 P.31、82

1○ 家族形態は「子と同居」が最も多く、「配偶者のいない子と同居」が多いです。

2× 世帯構造の「三世代世帯」は減少傾向です。

3× 「配偶者」がおもな介護者の割合が最も多いです。

4× 「事業者」は約13%です。

5× 「要介護3」以上では「ほとんど終日」介護する割合が最も多いです。

問題018 解答 3 本冊 P.28、30

1× 介護キャリア段位の取り組みは、義務づけられてはおらず、実施する事業者に対する補助事業として実施されています。

2× 2017（平成29）年度から養成施設卒業生に対する国家試験受験の義務づけが斬新的に導入されました。養成施設を2021（令和3）年度末までに卒業する人は、卒業後5年間、介護福祉士になることができます。この間に国家試験に合格するか、卒業後5年間続けて介護等の業務に従事することで、5年経過後も介護福祉士の登録を継続できます。2022（令和4）年度以降に養成施設を卒業する人からは、国家試験に合格しなければ介護福祉士になることはできません。

3○ 実務経験ルートは、平成28年度第29回国家試験から、「実務経験3年以上」かつ「実務者研修修了」が受験資格となりました。

4× 介護福祉士は名称独占資格です。

5× 介護福祉士資格を有する者が、厚生労働省に備える介護福祉士登録簿に登録を受けなければなりません。

問題019 解答 1 本冊 P.43、96

「食事の準備」でなぜ落ち着きがなくなるのか、何か言いたいことがあるのか、理由を知るために、話をよく聞く必要があります。

問題020 解答 5 本冊 P.32、50

どんな状態でも、決定するのは本人です。適切に自己決定できるよう、働きかけます。エンパワメントアプローチで、自己決定能力を高めます。

問題021 解答 3 本冊 P.34、36

1× 定期巡回サービスは提供されません。

2× 訪問看護は提供されません。

3○ 小規模多機能型居宅介護では、なじみの関係を築きながら、通いを中心に、訪問と宿泊を組み合わせたサービスが提供されます。

4× 事業所の介護支援専門員が居宅サービス計画を作成して、それに沿った個別計画に基づいて、各種サービスが提供されます。

5× 登録定員の上限は、29人とされています。

問題022　解答 **1**　➡本冊 P.50、74

施設でも、利用者のプライバシーに配慮し、利用者本位の視点からの支援が求められます。

1○　後悔しない最期が迎えられるよう配慮します。

2×　利用者の思いをよく聴く必要があります。

3×　愛称で呼ばれることを不快に感じる人もいます。

4×　テレビが好きではない人もいます。

5×　個室が原則です。

問題023　解答 **3**　➡本冊 P.25

1×　要支援者対象のケアマネジメントを行います。

2×　地域相談支援は、障害福祉サービスです。

3○　地域ケア個別会議を行います。

4×　介護福祉士ではなく社会福祉士が配置されます。

5×　介護支援専門員ではなく主任介護支援専門員が配置されます。

問題024　解答 **5**　➡本冊 P.105

このマークはヘルプマークといい、義足や人工関節、内部障害や難病または、妊娠初期など、外見からは支援が必要なことがわからない方々が、周囲の人に援助や配慮を必要としていることを知らせ、援助を得やすくなるようにつくられたマークです。

1×　2×　3×　4×　5○

問題025　解答 **4**　➡本冊 P.38、127

1×　たとえ小さな事故でも、報告は必要です。

2×　事故を起こした職員への対応なども、対応マニュアル等であらかじめ決めておきます。

3×　どんなに注意しても事故は起こり得ます。

4○　切迫性、非代替性、一時性の3要件を満たし、生命・身体を保護するために緊急やむを得ない場合にのみ、身体拘束が認められますが、理由、状況、時間等の記録が必要です。

5×　対応マニュアルは、事前に職員へ周知徹底し、職員一人ひとりがよく読んでおきます。

問題026　解答 **3**　➡本冊 P.39、41

1×　ノロウイルスの消毒は、次亜塩素酸ナトリウムを用います。

2×　インフルエンザは、流行前にワクチン接種で予防します。

3○　手洗いの励行（れいこう）は対策の基本で、液体石けんと流水で行い、ペーパータオルで拭（ふ）き取ります。

4×　ノルウェー疥癬（かいせん）は感染力が強く、集団感染の危険があります。

5×　MRSAは、基礎疾患（しっかん）があったり、免疫力が低下していると発症しやすく、病院などで集団感染を生じることも多いです。

問題25、問題26に出題される事故や感染は、どんなに注意しても起こり得るもので、予防を怠ってはいけません。また、発生したら迅速に対応し、被害の拡大を防がなければなりません。選択肢の語尾に着目しましょう。「必要ない」「起こらない」「少ない」は、不適切の可能性大です。

コミュニケーション技術

問題027　解答 **5**　本冊 P.42

1 ×　「受容」とは、利用者を無条件に受け入れることです。

2 ×　「個別化」とは、利用者一人ひとりが個別の人間であるとしてかかわることです。

3 ×　「意図的な感情表出」とは、利用者の感情表出を大切にすることです。

4 ×　「統制された情緒的関与」とは、介護福祉職の感情をコントロールしてかかわることです。

5 ○　「非審判的態度」とは、介護福祉職の価値観で判断・評価することなく、利用者にかかわることです。

問題028　解答 **2**　本冊 P.9、42、46

1 ×　緊張させてはいけません。リラックスできるようかかわります。

2 ○　利用者にも家族にも、話を傾聴して、ありのままを受容します。

3 ×　利用者や家族を個別化した対応が求められます。

4 ×　判断するのではなく、非審判的態度で接することが求められます。

5 ×　利用者と家族の抱える問題・課題を解決することが目的であり、何でも一人で抱え込むのではなく、必要があれば、上司に相談したり、他職種と連携したりします。

問題029　解答 **4**　本冊 P.43、97

1 ×　責めるような対応で不適切です。

2 ×　事実を指摘して納得できるものではありません。

3 ×　否定するような対応は不適切です。

4 ○　認知症の人の世界に合わせた言葉かけが求められます。

5 ×　ホームの予定に画一的に合わせようとする対応は適切ではありません。

問題030　解答 **3**　本冊 P.43、45、99

1 ×　責めるような対応は不適切です。

2 ×　プレッシャーを与えるような対応は不適切です。

3 ○　誰なのかわからない様子なので、夫であることがわかるような言葉かけが求められます。

4 ×　夫であることがわかっていないので不適切です。

5 ×　「誰」であるかを認識できていないので不適切です。

問題031　解答 **3**　本冊 P.43

夫を亡くすという喪失を体験し、抑うつ状態となっていると考えられます。

1 ×　無責任なはげましは適切ではありません。

2 ×　無責任なはげましは適切ではありません。

3 ○　「つらい」という気持ちを受容して共感する対応です。

4 ×　気分転換を勧めることは適切ではありません。

5 ×　気分の落ち込みは自分でどうにかできるものではありません。

問題29～問題31のように言葉かけのセリフを選ぶ問題は、実際に相手に対するように、声に出して言ってみましょう（本番の試験会場では、心の中で言うに留めなければなりませんが）。一度、口から発せられた言葉は取り消せません。失礼で不適切な応答がありませんか。

問題032　解答 **1**　本冊 P.42、106

脳梗塞（のうこうそく）の後遺症で失語症であると考えられます。

1○　短い言葉や二者択一の問いかけで伝えます。

2×　失語症では、ひらがなの理解は困難です。

3×　携帯用会話補助装置は構音障害の人が用います。

4×　聴覚障害ではないので、大きな声は要りません。

5×　１音ずつに区切ると、かえってわかりにくいです。

問題033　解答 **3**　本冊 P.42、104

1×　言葉でコミュニケーションしようとしているので、筆談に変えようとするのは不適切です。

2×　まずは、Ｋさんの言っていることを正確に理解するような対応が求められます。

3○　聞き取れた範囲で繰り返し、確認します。

4×　構音障害で発話が不明瞭なのです。

5×　Ｋさんは、質問の意味を理解し、答えようとしています。

問題034　解答 **1**　本冊 P.62、63、64

1○　咀嚼（そしゃく）と嚥下（えんげ）に集中できるよう、メニューの説明程度の声かけにとどめます。

2×　会話が多いと、意識がそちらに向いてしまいます。

3×　食事は一人で摂取できるので、食べたいものを食べたい順番で、自分で食べてもらいます。

4×　水は、誤嚥（ごえん）しやすいので摂取は注意が必要です。

5×　混ぜる必要はありません。誤嚥しないように注意しながら食べてもらいます。

生活支援技術

問題035　解答 **1**　本冊 P.50

1○　利用者のできることに焦点をあてることが求められます。

2×　その人らしい生活の実現が目的です。

3×　利用者の自己決定が優先されます。

4×　利用者の価値観に基づいて個別に支援します。

5×　生活空間を限定することは不適切です。

問題036　解答 **2**　本冊 P.51

1×　認知症老人徘徊感知器は、福祉用具販売ではなく福祉用具貸与の対象です。

2○　特殊寝台は、福祉用具貸与の対象です。

3×　入浴補助用具は、福祉用具貸与ではなく福祉用具販売の対象です。

4×　ガスコンロから電磁調理器への取替えは、住宅改修の給付対象にはなりません。

5×　昇降機の設置は、住宅改修の給付対象にはなりません。

問題037　解答 **3**　本冊 P.50、52、72

1×　ヒートショックは冬に起こりやすいです。

2×　ヒートショックは、高血圧の人に起こりやすいです。

3○　熱中症は、高温多湿の環境に長時間いることで、体温調節機能がうまく働かなくなり、体内に熱がこもった状態です。屋外でも室内でも発生します。

4×　布団のダニアレルゲンは、天日干しし、たたいて、掃除機で吸い取って除去します。

5×　急激な温度差ではヒートショックが生じます。シックハウス症候群は、室内空気汚染です。

問題038　解答 **2**　本冊 P.54

1 ×　電気かみそりは、ひげの流れと逆に剃（そ）ります。
2 ○　ガーゼ等で目頭から目尻に向かって拭（ふ）きます。
3 ×　ピンセットは、耳を傷つける危険があり、不適切です。湿らせた綿棒などを用います。
4 ×　熱湯では、義歯が変形する危険性があり不適切です。流水下で洗浄します。
5 ×　鼻は、左右片方ずつかみます。

問題039　解答 **5**　本冊 P.50

1 ×　明るさの差があまり大きくならないようにします。
2 ×　電灯は、天井より、足元のほうがまぶしくないのでよいとされます。
3 ×　熱中症を防ぐため、適切に冷房器具を使用します。
4 ×　低温やけどを起こすことがあります。
5 ○　嗅覚の低下した高齢者は、ガス漏れや焦げ付きのにおいなどがわかりにくくなるので、電磁調理器を利用するほうが、ガスコンロより安全です。

問題040　解答 **3**　本冊 P.62

視覚障害者には、クロックポジションで説明します。視覚障害者が座る手前を6時とし、時計の文字盤を例にして、何が何時の位置にあるか説明します。

問題041　解答 **5**　本冊 P.59

1 ×　車いすの走行スピードは、遅ければよいものではなく、安全な速さで走行するよう心がけます。
2 ×　曲がり角では、速度をゆるめて曲がるようにします。
3 ×　短時間の停止でも、ブレーキをかけます。
4 ×　電車に対して、前向きで乗車します。
5 ○　車いすは、砂利道など不整地では、キャスターを上げて操作します。

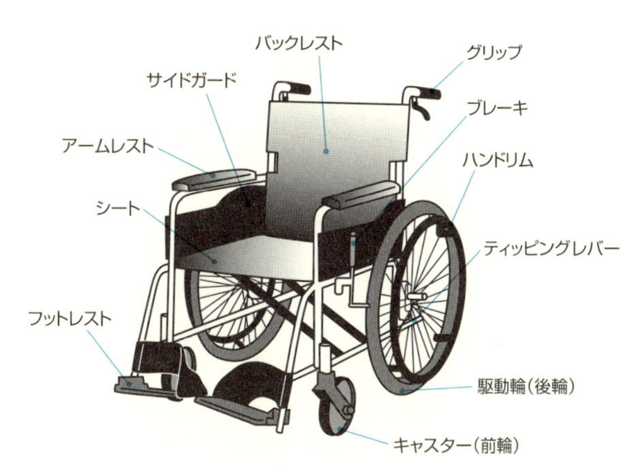

問題042　解答 **4**　本冊 P.59

1 ×　前を歩いて誘導します。
2 ×　曲がり角は大きく曲がってもらいます。
3 ×　シルバーカーは、車輪がついて、収納ボックスがあり、ふたの部分を閉めると座れるようになる歩行補助器です。自立歩行ができないと使用できません。
4 ○　車いすでは、下りるときは後ろ向きが基本です。
5 ×　ロフストランドクラッチは、関節に痛みがあったり、動きに制限がある場合は適しません。

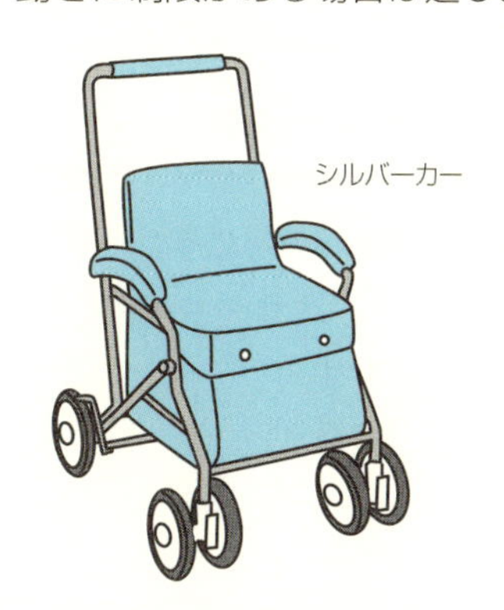

問題043　解答 2

➡本冊 P.58

1 ×　体幹はねじりません。

2 ○　重心は支持基底面積の中心で低くします。

3 ×　支持基底面積は広くとります。

4 ×　利用者との距離はできるだけ近づけます。

5 ×　大きな筋群を使って水平移動します。

問題044　解答 2

➡本冊 P.39

1 ×　ノロウィルスの感染予防のために90秒間、過熱する必要があります。

2 ○　汚染されたカキであれば、調理した器具はノロウィルスが付着している可能性があるのでしっかり洗います。

3 ×　食中毒の原因となるウェルシュ菌は、熱に強いため注意します。保管する場合は急激に冷やし冷凍保存します。カレーやシチュー等も同様です。

4 ×　鶏肉の表面にはカンピロバクターや、O-157などの大腸菌が付着していることが多く、触れた手はしっかり洗います。

5 ×　解凍すると休眠していた菌が一気に増殖する可能性があり危険です。

問題045　解答 5

➡本冊 P63

1 ×　ビタミンAは緑黄色野菜やレバーなどに含まれ、視覚や皮膚の正常を保つ働きをもちます。

2 ×　ビタミンDはきのこや魚などに含まれ、カルシウム代謝に関与します。

3 ×　ビタミンEは大豆や植物性油脂などに含まれ、抗酸化作用に関与します。

4 ×　ビタミンB_1は豚肉や米ぬかなどに含まれ、糖代謝に関与します。

5 ○　ビタミンKは納豆や緑黄色野菜などに含まれ、血液凝固に関与します。

問題046　解答 2

➡本冊 P.63

唇の乾燥、皮膚緊張の低下、排尿回数、尿の色などから、脱水が疑われます。水分と電解質を補給します。

問題047　解答 1

➡本冊 P.63、64

1 ○　むせたり誤嚥(ごえん)しないよう、はじめに口の中を湿らせてから食べるようにします。

2 ×　食事は、利用者に向けて並べます。

3 ×　頭部と体幹を前傾させて飲み込みます。

4 ×　体温との温度差は飲み込みを刺激するので、温かいものは温かく、冷たいものは冷たく提供します。

5 ×　パンは、誤嚥しやすいので、不適切です。

食事は、誤嚥しないことと、利用者の食事の楽しみを奪わないことの2点から考えましょう。誤嚥の予防に口腔(こうくう)ケアは大切ですが、口腔ケアのときに誤嚥しないよう注意が必要です。
➡問題54

問題048　解答 4

➡本冊 P54

1 ×　総義歯は、最初に上の義歯から装着し、次に下の義歯を装着します。

2 ×　装着するときは、前歯の部分をつまみ、斜めにして口に入れます。

3 ×　外すときは下の義歯から外し、次に上の義歯を外します。

4 ○　下の義歯を装着するときは、両手の人差し指を左右の奥歯に当て、下あごに沿って静かに押し込みます。

5 ×　上の義歯を装着するときは、義歯床の中央部分を親指でゆっくりと上あごに押しつけます。

問題049　解答 **3**　→本冊 P.62、67

1 ×　食事支援では、時間をかけてもなるべく自分で食べるよう見守り、必要に応じて支援します。

2 ×　食事は、利用者の希望もあるので、安易に刻み食にしてはなりません。利用者本人の希望を聞きます。

3 〇　どの方法が利用者にとって食べやすいかを確認します。

4 ×　排泄の支援では、尿意があるかどうかは重要なことです。定期的に誘導するのはよくありません。

5 ×　自立支援では、専門家の意見も重要ですが、本人の意思を尊重します。

問題050　解答 **2**　→本冊 P.66、105

1 ×　呼吸困難を起こさないよう、鼻カニューレはつけたまま入浴します。

2 〇　ストーマは装具を外して入浴できます。公衆浴場を利用する場合はつけたままとします。

3 ×　埋込式ペースメーカーを装着していても、入浴は可能です。

4 ×　透析直後の入浴は避けます。

5 ×　右片麻痺がある場合、浴槽へは健側である左足から入ります。

問題051　解答 **4**　→本冊 P.51、67

1 ×　便座の先端から200～300㎜前方に設置します。

2 ×　開き戸の場合、外開きが望ましいです。

3 ×　ベッドと同じ高さが移動しやすいです。

4 〇　排泄は座位姿勢が自然です。寝たきりの場合も、上半身を起こした状態で排泄できるよう支援します。

5 ×　肛門の下に便器の中央がくるよう差し込みます。

問題052　解答 **2**　→本冊 P.90

1 ×　膝に負担の少ないのは、洋式トイレです。

2 〇　プールでの水中歩行は膝への負担が少なく、効果的です。

3 ×　階段の上り下りは、膝に負担がかかるため控えます。

4 ×　便座の高さは高いほうがよく、負担が少なくなります。

5 ×　適度な運動は必要なため、動くようにします。

問題053　解答 **2**　→本冊 P.67

1 ×　片麻痺の場合は、健側にポータブルトイレを置きます。右片麻痺なので、左側に置きます。

2 〇　下着やズボンが絡まって転倒しないよう、立ち上がる前に上げておきます。

3 ×　排泄物は、そのつど片づけます。

4 ×　おむつと腹部は、指2本程度の隙間をつくるようにします。

5 ×　陰部は恥骨から肛門に向かって拭きます。

問題054　解答 **5**　→本冊 P.66、68

1 ×　側臥位または顔を横に向けて行います。

2 ×　口から食べないと、唾液分泌も減り、自浄作用が働かないので、積極的な口腔ケアが必要です。

3 ×　水分が多いと誤嚥の危険があり、不適切です。

4 ×　歯2本分くらいの大きさのやわらかめの歯ブラシを用います。

5 〇　うがいは、口腔内の汚れを取り除き、保湿にもなります。

問題055　解答 **3**　本冊 P.71、73

1 ×　期間内であれば、クーリング・オフは可能で、現状復帰してもらえます。

2 ×　通信販売にクーリング・オフはありません。

3 〇　注文した覚えのない商品をいきなり送りつけてくる送りつけ商法は、受け取らないことが大切です。

4 ×　いわゆる点検商法は家の中に入れないことです。

5 ×　第三者に確認することが大切です。

問題056　解答 **2**　本冊 P.72

繊維製品には、家庭用品品質表示法に基づく洗濯に関する表示がついているので、従います。

1 ×　2 〇　3 ×　4 ×　5 ×

ドライクリーニング禁止

ぬれつり干し乾燥が良い

非常に弱い処理によるウエットクリーニングができる

タンブル乾燥ができる

問題057　解答 **4**　本冊 P.70

1 ×　睡眠薬の服用が不眠を引き起こすこともあり不適切です。

2 ×　昼寝をしてしまうと、夜に眠れなくなってしまいます。

3 ×　早い時間から眠ってしまうと、早朝覚醒（かくせい）や中途覚醒してしまいます。

4 〇　日中に運動をして適度な疲労が得られると、夜間の安眠につながります。

5 ×　ぬるめのお風呂への入浴は入眠を促します。

問題058　解答 **3**　本冊 P.75

1 ×　苦痛の緩和（かんわ）は重要ですが、必要以上の安静は要りません。

2 ×　自宅での最期を希望しています。

3 〇　終末期で食欲が低下していると考えられるので、食事は栄養確保よりも嗜好（しこう）を重視した支援が求められます。

4 ×　胃ろうの造設など、延命治療は望んでいません。

5 ×　無責任な思い込みによる発言で不適切です。

問題059　解答 **3**　本冊 P.124

1 ×　2回分を一緒に服用するのはとても危険なことです。必ず医師、薬剤師に問い合わせます。

2 ×　食間とは食後2時間のことです。

3 〇　食前とは食事の30～60分前です。

4 ×　カプセルを外してはいけない薬もあります。カプセル剤は、安易に外してはなりません。

5 ×　舌下錠は舌の下に入れて溶かし、粘膜から吸収することで効果が現れる薬剤のことです。飲んでしまうと、効果が現れなくなることが多いので注意します。

問題060　解答 **5**　本冊 P.75

1 ×　本人が死を受容できるようかかわります。

2 ×　実際に終末期を迎えてから、再度、本人と家族に確認する必要があります。

3 ×　本人も家族も、後悔のない最期が迎えられるよう支援します。

4 ×　悲嘆へのケアは、死別の前から行います。

5 〇　聴覚は最期まで残っているといわれます。

介護過程

問題061　解答 **1**　本冊 P.78、80

1 ○　客観的で科学的な根拠のある個別ケアが可能になります。

2 ×　業務効率の優先が目的ではありません。

3 ×　利用者が望む生活の実現を目指します。

4 ×　経験ではなく科学的な根拠が必要です。

5 ×　１回限りではなく継続性が求められます。

問題062　解答 **4**　本冊 P.78、79

1 ×　情報は、主観的情報も客観的情報も、多角的・継続的に収集します。

2 ×　取捨選択は必要ですが、１つに絞るものではありません。

3 ×　なぜやりたくないのかも含めて情報収集します。

4 ○　プライバシーに関する情報など、個人情報に配慮し、本人の同意を得て、必要な範囲で他職種や第三者からも収集します。

5 ×　事実を客観的に記録することが必要です。

問題063　解答 **4**　本冊 P.78、79

1 ×　潜在的な課題も取り上げます。

2 ×　できることに注目します。

3 ×　アセスメントで利用者の課題、ニーズ、強みを明らかにし、介護計画を作成します。

4 ○　アセスメントで、関連する情報を分析・統合することで、課題に優先順位をつけることができます。

5 ×　具体的で実現可能な目標・計画とします。

問題064　解答 **2**　本冊 P.78、79

1 ×　一定期間経過後、計画通りに実施できていても、できていなくても、評価は必要です。

2 ○　短期目標は行動目標であり、達成できたか、評価の基準となります。

3 ×　実践過程の評価も必要です。

4 ×　利用者の状況に応じ、柔軟に対応します。

5 ×　他者と比較した評価は意味がありません。

問題065　解答 **3**　本冊 P.79、96

1 ×　長男の妻と穏やかに過ごせれば、利用者との関係も良くなることが期待できます。

2 ×　普段は、長男の妻の訪問を楽しみにしています。

3 ○　週末に長男の妻が訪れたときに、もの盗られ妄想の症状が出ず穏やかに過ごせることが解決すべき課題で、介護目標です。

4 ×　認知症によるもの盗られ妄想の症状です。

5 ×　Ｂさんを否定するような目標は不適切です。

Ｂさんのもの盗られ妄想がひどくなり、長男の妻と対面したときの関係が悪化していることが、根本的な解決すべき課題です。利用者のことはもちろん、否定する表現の目標は、適切ではありません。

問題066　解答 **1**　本冊 P.78

1 ○　なぜこのような言動をするようになったのか、心身の状況や環境に変化があったのか、その背景を確認する必要があります。

2 ×　利用者に変化があるので、「決められたこと」としてそのまま続けるのは不適切です。

3 ×　利用者が自分を否定されたと感じてしまう可能性もあり不適切です。

4 ×　認知症であると決めつけてはいけません。

5 ×　一方的にサービスを打ち切ることは不適切です。

問題067　解答 **1**　→本冊 P.78

主観的情報とは、本人の思いや考えのことをいいます。Dさんに直接確認して、情報を得ます。

問題068　解答 **1**　→本冊 P.46

1 ○　リハビリテーション専門職として、起立訓練と歩行訓練の内容の見直しを提案することは適切です。

2 ×　介護福祉職が申請を代行することはできません。

3 ×　正当な理由なくサービス提供を止めることは不適切です。

4 ×　訪問介護を提供するのは介護福祉職です。

5 ×　監視することは不適切です。

【午後問題】

◉こころとからだのしくみ

発達と老化の理解

問題069　解答 **1**　→本冊 P.84

1 ○　ハヴィガーストによると、乳幼児期の発達課題は、善悪の区別や排泄（はいせつ）コントロールの習得です。

2 ×　エリクソンによると、青年期の発達課題は、自我同一性の確立です。

3 ×　ピアジェによると、「保存の概念」が確立するのは、具体的操作期です。

4 ×　ワトソンは、環境優位説を主張し、発達は環境に影響されるととらえました。

5 ×　ゲゼルは、成熟優位説を主張し、発達は遺伝に影響されるととらえました。

問題070　解答 **1**　→本冊 P.85

1 ○　加齢に伴い、動脈硬化の影響などで、血液を送り出すときの収縮期血圧が上昇する傾向にあります。

2 ×　心臓は、高血圧の影響で、肥大します。

3 ×　下肢（かし）の筋肉量は減少します。

4 ×　体内水分量は減少します。

5 ×　聴力の低下は、高音域から生じます。

問題071　解答 **3**　→本冊 P.84

1 ×　プロダクティブ・エイジングは、エイジズム（年齢差別）を否定して生まれた概念です。

2 ×　離脱理論では、高齢者になって活動量が低下することは自然なことであるととらえます。

3 ○　サクセスフルエイジングは、幸福な老いのことです。

4 ×　社会情動的選択理論では、安心できる旧友とばかりつきあう生活に満足しているととらえます。

5 ×　老いを自覚する時期は個人差があります。

問題072　解答 **3**　本冊 P.85、89

1 ×　せん妄（もう）は夜間に生じやすいです。

2 ×　不安や焦燥感が目立ち、抑うつ気分が目立たないことが多いです。

3 ○　老年期はさまざまな喪失を体験し、心身や環境の変化が著しく、うつ病を発症しやすいです。

4 ×　双極性感情障害とは、いわゆる躁（そう）うつ病と呼ばれるもので、発症は、20歳代に多いといいます。

5 ×　妄想を強く訴えることが多いです。

問題073　解答 **3**　本冊 P.85、88、89

1 ×　首を左右に振ると、余計にめまいや立ちくらみを生じる危険があります。

2 ×　骨盤底筋群（こつばんていきんぐん）を鍛える体操が有効なのは、腹圧性尿失禁です。

3 ○　肺炎は、高齢者の死因順位の第3位となっています。

4 ×　変形性膝（しつ）関節症では、関節に負担をかけることは控えます。

5 ×　溢流性尿失禁は男性の前立腺肥大症によるものが多いです。

問題074　解答 **3**　本冊 P.89、120

1 ×　パーキンソン病は、脳の黒質（こくしつ）のドパミン減少がさまざまな症状を引き起こしています。

2 ×　無動（むどう）となります。

3 ○　すくみ足には、一度足を引いてから歩き出すようにします。

4 ×　起立性低血圧がみられます。

5 ×　小さなふるえ（振戦）がみられます。

パーキンソン病について「正しいもの」を1つ選ぶ問題です。つまり、残り4つの選択肢は、「誤り」の根拠を明確に示すことができます。

問題075　解答 **5**　本冊 P.122

夕方の「ふわふわ」は低血糖症状と考えられます。腎機能低下で薬剤が適切に効かなくなり、血糖コントロールがうまくいっていない可能性があり、早めに主治医に相談する必要があります。

1 ×　薬の服用は医師の指示にしたがいます。

2 ×　夕方にお腹が空くとあるので、朝食の量を増やすことは不適切です。

3 ×　クッキーを1つ食べることで、症状が治まっているので、食べないように助言することは不適切です。

4 ×　症状が続いているので、このまま様子をみることは不適切です。

5 ○　主治医に相談することは適切です。

問題076　解答 **4**　本冊 P.85

1 ×　高齢者の疾患は、複数疾患（しっかん）の合併が多いです。

2 ×　高齢者の疾患は、非定型的です。

3 ×　腎臓や肝臓の機能低下で、薬の副作用は出やすいです。

4 ○　高齢者は、正常な老化と疾患の境界が不明瞭で区別がつきにくいです。

5 ×　環境の影響を受けやすく、QOLへの影響が大きいです。

認知症の理解

問題077 解答 **2** 本冊 P.96

1 × 思い出を語り合うのは、回想法です。

2 ○ リアリティ・オリエンテーション（RO）には、日常的にスタッフが働きかける24時間ROと小グループで時間を決めて行うクラスROがあります。

3 × 動物を介在させるのは、アニマルセラピーです。

4 × 対人的行動の習得を目指すのは、社会生活技能訓練（SST）です。

5 × 教育的側面を含んだ療法は、心理教育カウンセリング（プログラム）です。

問題078 解答 **1** 本冊 P.93

1 ○ 家庭外でみられる場合「ランクⅡ-a」で、家庭内でもみられる場合「ランクⅡ-b」です。

2 × 介護が必要なのは「ランクⅢ」です。

3 × 常時介護が必要なのは「ランクⅣ」です。

4 × 専門医療が必要なのは「ランクM」です。

5 × 自立しているのは「ランクⅠ」です。

問題079 解答 **4** 本冊 P.93

慢性硬膜下血腫（まんせいこうまくかけっしゅ）は、転倒による頭部外傷などが原因で、脳の表面にじわじわと出血し、脳が圧迫され、認知症症状を呈します。数週間経ってから症状が現れることがありますが、手術で血腫を取り除けば、症状は改善します。

問題080 解答 **3** 本冊 P.93

正常圧水頭症（せいじょうあつすいとうしょう）では、物忘れ、意欲の低下、歩行の不安定さ、尿失禁が特徴的に見られます。早期発見し、シャント手術によって、症状の改善が期待できます。

問題081 解答 **5** 本冊 P.93

1 × 感情失禁は、血管性認知症でみられます。

2 × 徘徊（はいかい）は、BPSDで、誰にでもみられるというものではありません。

3 × 反社会的行動は、前頭側頭型認知症（ぜんとうそくとうがた）でみられます。

4 × もの盗られ妄想は、アルツハイマー型認知症でみられます。

5 ○ レビー小体型認知症では、現実的で具体的な幻視が特徴的にみられ、実際にはないことを口にしたりします。

問題082 解答 **1** 本冊 P.93

1 ○ 前頭側頭型認知症は、初期からの人格変化が特徴的で、社会のルールや常識的な規範がわからなくなります。同じ行動を繰り返す常同行動（じょうどう）もみられます。

2 × まだら認知症といい、血管性認知症の特徴です。

3 × 幻視は、レビー小体型認知症の特徴です。

4 × クロイツフェルト・ヤコブ病の進行は速いです。

5 × パーキンソン病ではなく、クロイツフェルトヤコブ病のことです。

問題79～問題82まで、8種類の認知症が出てきています。選択肢を比べながら、それぞれの特徴的症状を思い出しましょう。改善可能な認知症はボーナス問題です。

問題083　解答 **4**　本冊 P.92

1 ×　記憶障害で、中核症状です。

2 ×　見当識障害で、中核症状です。

3 ×　実行機能障害で、中核症状です。

4 ○　認知症の行動・心理症状（BPSD）の心理症状で、不安がみられます。

5 ×　理解・判断力の低下で、中核症状です。

問題084　解答 **3**　本冊 P.97、100、102

1 ×　利用者は、認知症の人に限定されます。

2 ×　BPSDの治療に焦点をあてているわけではありません。

3 ○　家庭的な環境のもと、共同生活しながら、介護や日常生活上の世話、機能訓練を受けます。

4 ×　食堂での通所介護は、共用型の認知症対応型通所介護です。

5 ×　地域密着型サービスに位置づけられます。

問題085　解答 **2**　本冊 P.24、100、101

1 ×　ホームヘルプサービスで家賃の支払いを行うことはできません。

2 ○　初期の認知症で、日常的な金銭管理に不安があるので、日常生活自立支援事業を利用するために、専門員に相談するのが適切です。

3 ×　施設への入所を勧めることは不適切です。

4 ×　成年後見制度を利用するほどの判断能力の低下はみられません。

5 ×　認知症サポーターは応援者であり、不適切です。

問題086　解答 **1**　本冊 P.100、101

1 ○　認知症初期集中支援チームは、地域包括支援センターや認知症疾患医療センター等に設置されます。2018（平成30）年度からすべての市町村に設置が義務付けられています。

2 ×　認知症サポーターです。

3 ×　認知症疾患医療センターです。

4 ×　認知症カフェです。

5 ×　認知症地域支援推進員です。

障害の理解

問題087　解答 **2**　本冊 P.42、104

両耳の聴力が10mの距離で90dBの音が聞こえない聴覚障害者の運転する普通自動車には、特定後写鏡（ワイドミラー・補助ミラー）の取り付けと聴覚障害者標識の標示が義務づけられています。標示車に対する幅寄せ・割り込みは禁止されています。補聴器を使用すれば聞こえる場合、第１種免許も第２種免許も補聴器条件で取得できます。

問題088　解答 **3**　本冊 P.31、112

1 ×　参加制約です。

2 ×　機能障害です。

3 ○　ICFにおける「活動制限」とは、課題や行為の個人による遂行である「活動」を行うときに生じる難しさをいいます。

4 ×　機能障害です。

5 ×　参加制約です。

問題089　解答 **4**　本冊 P.108

1 ×　記憶障害です。

2 ×　社会的行動障害です。

3 ×　注意障害です。

4 ○　遂行機能障害とは、自分で計画して日常生活を実行できない障害をいいます。

5 ×　注意障害です。

問題090　解答 **5**　本冊 P.109

知的障害がある人に対しては、子ども扱いしたり、先回りして何でもやってしまうのではなく、一人の人間として尊重し、自立できるよう支援します。

問題091　解答 **3**　本冊 P.104

1 ×　大脳ではなく小脳に変性が現れます。

2 ×　起立時や歩行時のふらつき、手のふるえがあります。

3 ○　話すときに口や舌がもつれ、ろれつが回らない等の言語機能を含む運動機能障害があります。

4 ×　急激ではなく、ゆっくりと徐々に進行します。

5 ×　嚥下機能障害を起こすこともあるので、誤嚥性肺炎に注意します。

問題092　解答 **4**　本冊 P.108

1 ×　陽性症状の妄想です。

2 ×　陽性症状の自我障害です。

3 ×　陽性症状の幻聴です。

4 ○　統合失調症の陰性症状には、感情鈍麻、感情の平板化、意欲低下、思考の貧困、自閉などがあります。

5 ×　陽性症状の思考障害です。

問題093　解答 **2**　本冊 P.105

1 ×　広範脊柱管狭窄症は、広範囲に脊柱管が狭くなり、痛みやしびれを生じます。間欠性跛行がみられ、膀胱直腸障害を伴うこともあります。

2 ○　潰瘍性大腸炎では、血便、粘血便、下痢、血性下痢を呈しますが、病変範囲と重症度によって左右され、軽症例では血便を伴わないことがあります。

3 ×　クローン病は、原因不明で、口腔から肛門までの消化管のあらゆる部位に潰瘍や炎症がみられ、皮膚にも病変が起こることがあります。

4 ×　筋萎縮性側索硬化症は、全身に筋萎縮がみられ、言語障害や嚥下障害もあり、やがて呼吸困難となり、人工呼吸器が導入されます。

5 ×　悪性関節リウマチは、多発性の関節炎に、内臓障害を伴います。

問題094　解答 **4**　本冊 P.105、107

1 ×　高濃度の酸素を扱うので、2m以内は火気厳禁とします。

2 ×　疲労感や血圧の低下、シャントからの出血などの可能性があり、透析直後の入浴は控えます。

3 ×　日和見（ひよりみ）感染を起こしやすいので、日光に適度に当たるようにします。

4 ○　心臓機能障害がある人は、水分制限されていたり、利尿剤を服用していたりして、便秘気味となりますが、排便のときの怒責（どせき）（いきむこと）は心臓への負担となるので、食物繊維を多く摂るなど、便秘に注意します。

5 ×　外出を控える必要はありません。

問題095　解答 **1**　本冊 P.21、113

1 ○　訓練等給付の共同生活援助（グループホーム）は、地域で共同生活を営むのに支障のない障害者に、主として夜間、共同生活を営む住居で相談、その他の日常生活上の援助を行います。

2 ×　地域生活支援事業の福祉ホームです。

3 ×　介護給付の短期入所（ショートステイ）です。

4 ×　介護給付の生活介護です。

5 ×　地域相談支援の地域移行支援です。

問題096　解答 **4**　本冊 P.21

地域活動支援センターは、創作的活動・生産活動の機会の提供、社会との交流等を行う施設で、生活等に関する相談・助言も行っています。

こころとからだのしくみ

問題097　解答 **4**　本冊 P.116、118

1 ×　感覚記憶は、人の顔や風景など、自覚せずに残されている記憶です。

2 ×　意味記憶は、学習や経験によって獲得された知識の記憶です。

3 ×　エピソード記憶は、個人の生活の中で生じる出来事や体験に関する記憶です。

4 ○　自分のからだで覚える記憶である手続き記憶は、高齢になっても、認知症になっても、保存されていることが多いです。

5 ×　作動記憶は、ワーキングメモリーともいわれ、短い時間、あることを記憶にとどめておくのと同時に、認知的作業を頭の中で行う記憶です。

問題098　解答 **5**　本冊 P.116

マズローの欲求階層説では、欲求を５段階に分類しています。

1 ×　承認欲求は、第３層の欲求です。

2 ×　最下層の欲求は、生理的欲求で、生得的です。

3 ×　第１層から第４層までの欲求は、欠乏欲求と呼ばれます。

4 ×　生理的欲求は、身体的満足との関係が深いです。

5 ○　ホメオスタシスとは恒常性のことです。

人間も生物です。個体として、“生きたい”という欲求を本能的にもっています。危機や変化に対して、一定の状態を保つよう、神経、ホルモン、免疫などがバランスを取っています。これをホメオスタシス（恒常性）といいます。理屈ではなく、生理的に、身体的に満たされないと、次の欲求は生じてきません。

問題099　解答 **2**　➡本冊 P.74

ADLには、食事、排泄、更衣、整容、入浴、起居移動などが含まれます。調理、買物、薬の管理、金銭管理、交通機関の利用、電話の応対はIADLです。

問題100　解答 **3**　➡本冊 P.121

1×　褥瘡では、発赤部分を直接マッサージすることは避けます。

2×　関節拘縮を起こさないよう、関節可動域訓練などを行い予防します。

3○　筋肉量維持にはたんぱく質摂取が有効です。

4×　深部静脈血栓症とは、長期臥床などで血流が停滞し、深部の静脈に血栓を生じるもので、なるべく離床して動くようにして予防します。

5×　適度の水分を摂取し、排尿による自浄作用で、尿路感染症予防します。

問題101　解答 **1**　➡本冊 P.63、121

1○　糖質、脂質、たんぱく質はエネルギー源となります。

2×　皮膚で産生されるのは、ビタミンDです。

3×　ビタミンCは、水溶性ビタミンです。

4×　細胞質の主成分は、たんぱく質です。

5×　ナトリウムは血圧を上げ、カリウムは血圧を下げます。

問題102　解答 **5**　➡本冊 P.63、85

脱水は、体内の水分量が減少し、バランスが崩れた状態です。活動性の低下がみられます。

1×　多尿は、糖尿病でみられます。

2×　浮腫は、むくみのことで、体内に余分な水分が溜まった状態です。

3×　脱水では、体温の上昇がみられます。

4×　脱水では、血液循環量が減少するので、頻脈となります。

5○　脱水では、めまいやふらつきを生じます。

問題103　解答 **1**　➡本冊 P.123

1○　仰臥位で、体重が最もかかる仙骨部に褥瘡ができやすいです。定期的な体位変換で予防します。

2×　大転子部の褥瘡は、側臥位で生じます。

3×　踵骨部の褥瘡は、仰臥位で生じます。

4×　後頭部の褥瘡は、仰臥位で生じます。

5×　肩甲骨部の褥瘡は、仰臥位で生じます。

問題104　解答 **5**　➡本冊 P.117

1×　唾液は1日に約1ℓ分泌されます。

2×　結腸は、上行結腸、横行結腸、下行結腸、S状結腸の順に並んでいます。

3×　ランゲルハンス島があるのは、膵臓です。

4×　左心房には、動脈血が流れています。

5○　コルチゾールは、ストレスホルモンとも呼ばれ、ストレスで分泌量が増加します。

問題105　解答 **2**　➡本冊 P.66

入浴には、温熱作用、静水圧作用、浮力作用があり、静水圧作用は水圧が与える影響をいいます。

1×　温熱作用です。

2○　静水圧作用で、マッサージのような効果があります。

3×　浮力作用です。

4×　浮力作用です。

5×　温熱作用です。

問題106　解答 1　本冊 P.67

1〇　麻薬性鎮痛剤の副作用に便秘があり、機能性便秘のうちの弛緩性便秘といいます。

2×　経管栄養剤は、下痢の原因となります。

3×　インスリン製剤は、便秘の原因とはなりにくいです。

4×　過活動膀胱は、尿意をコントロールするメカニズムの障害で、失禁の原因となります。

5×　緩下剤による排便のコントロールが失敗して、下痢を生じることがあります。

問題107　解答 1　本冊 P.85

1〇　睡眠ホルモンとも呼ばれるメラトニンは、外界が暗くなると、松果体から分泌されます。

2×　日中の適度な運動は、質の良い睡眠につながります。

3×　最も深い眠りの段階は、ノンレム睡眠です。

4×　睡眠が不足すると、副交感神経の働きは低下します。

5×　抗ヒスタミン薬は、眠気やふらつきの副作用があります。

問題108　解答 5　本冊 P.75、77

1×　口唇が乾燥し、口腔内に分泌物がたまるので、ガーゼで湿らすなど、積極的な口腔ケアを行います。

2×　急変することがあり、医療関係者との連携が大切です。

3×　臨死期では、尿量が徐々に減少します。

4×　角膜の混濁は、死後にみられます。

5〇　下顎呼吸がみられたら、主治医など、医療関係者への連絡が必要です。

◉医療的ケア

問題109　解答 5　本冊 P.127

1×　2×　3×　4×　5〇

スタンダードプリコーションとは、医療と介護を提供する場所で、患者・利用者と介護・医療従事者すべてに適用される「標準予防策」です。次のような項目があります。

①**手洗い**：感染源に触れた後、手袋をはずした後、次の患者・利用者に触れるときは石鹸を使って手洗い
②**手袋**：感染源になりうるものに触れるときや、患者・利用者の粘膜や傷のある皮膚に触れるときは清潔な手袋を着用
③**マスク・ゴーグル・フェイスマスク**：体液、体液物質が飛び散り目・鼻・口を汚染する恐れのあるときに着用
④**ガウン**：衣服が汚染される恐れのあるときに着用
⑤**器具**：汚染した器具で粘膜・衣類・環境を汚染しないように扱う
⑥**リネン**：汚染されたリネン類は粘膜・衣服・他の患者や利用者を汚染しないよう扱い処理

問題110　解答 4　本冊 P.130

1×　あごを上げて行います。

2×　利用者への感染を起こさないために、必ずマスクを着用します。

3×　利用者に負担がかからないように行います。

4〇　通常の痰の色は透明～白色ですが、粘り気のある痰が増えたり、黄色～緑色帯びたり、血液が混じっているようなときは、感染が疑われるので看護職へ連絡します。

5×　使用後のチューブは清浄綿で汚れを拭き

取ってから保管します。

問題111　解答 **5**　本冊 P.131

1 ×　口の中が刺激されて反射的に逆流することがあります。

2 ×　他に腸ろう経管栄養があります。

3 ×　注入速度が速かったり、温度が低かったりすると、下痢を起こすことがあります。

4 ×　個人差がありますが便秘をすることもあるので注意します。

5 〇　注入の前後に、注入への同意、食事をすること、終わったこと等の確認は必要です。

問題112　解答 **4**　本冊 P.130

1 ×　喀痰吸引は一定の研修を受けた介護職に限ります。

2 ×　介護保険法ではなく社会福祉士及び介護福祉士法で規定されています。

3 ×　6か月です。

4 〇　びらんや感染を起こすことがあります。

5 ×　貼りなおすことはせず、速やかに看護職に連絡します。

問題113　解答 **2**　本冊 P.130

1 ×　姿勢は10～30度くらい上半身を起こした状態にします。

2 〇　入れ歯の装着が不安定だと、特に部分入れ歯の場合、口を開けたときに気道内に落ち込むことがあるので注意します。

3 ×　本人に吸引の必要性を説明してから始めます。喀痰吸引をする際、意識のある人にとって吸引は激しい咳嗽(がいそう)反射を起こしやすく、負担となるため、これから吸引を行う旨を説明し、理解を得てから行います。

4 ×　吸引圧は予め設定されているので、自己判断で調節してはなりません。

5 ×　適切な水分摂取は必要です。ある程度、痰の粘性を保つことは排痰や吸引を容易にします。また、水分摂取量は医師による指示がある場合もあるので、自己判断で控えるように伝えるのは良くありません。

◉総合問題

問題114　解答 **2**　本冊 P.109

1 ×　これまでは両親が着脱介助を行っていたとあるので、自分だけで最後まで着替えることは困難であると思われ、待つのは不適切です。

2 〇　できるところはやってみてもらい、着られなくなったところで、そのつど、支援します。

3 ×　着てから訂正しても、Kさんは何が間違っているかよく理解できず、否定されたようにも感じます。さらに、また脱がなくてはなりません。

4 ×　高次脳機能障害の着衣失行には有効です。

5 ×　かえって焦らせることになり不適切です。

問題115　解答 **2**　本冊 P.21、113

1 ×　療養介護は、病院で提供されます。

2 〇　生活介護は、常に介護を必要とする人に、昼間、入浴、排泄、食事の介護等を行うとともに、創作的活動または生産活動の機会を提供するサービスです。

3 ×　就労継続支援は、訓練等給付です。

4 ×　就労移行支援は、一般企業等への就労を目指すサービスで、訓練等給付です。

5 ×　自立訓練（機能訓練）は、身体障害者対象です。

「障害の理解」の問題95、問題96が大きなヒントになります。

問題116　解答 4　本冊 P.38、113

1 × 重度の知的障害であり、複雑な作業課題は不適切です。

2 × 活動範囲を限定することは不適切です。

3 × 過剰な向精神薬の服用は身体拘束です。

4 ○ 慣れない人の中に入ると自傷行為がみられるので、少人数での活動で、ほかの入所者となじめるように支援します。

5 × 大人数でいつもと違うことをするのは不適切です。

問題117　解答 3　本冊 P.34

1 × 認知症対応型共同生活介護の対象は、認知症の人に限定されています。Lさんは認知症ではありません。

2 × 介護老人福祉施設は指定を受けた特別養護老人ホームで、原則、要介護３以上が対象です。

3 ○ 介護老人保健施設は、施設サービス計画に基づいて、看護、医学的管理の下における介護および機能訓練、その他必要な医療、日常生活上の世話を行うことを目的とする施設です。要介護１以上で利用できます。

4 × 特定施設入居者生活介護は、有料老人ホーム等の入居者に提供される居宅サービスです。

5 × サービス付き高齢者向け住宅は、安否確認と生活相談のサービスを提供する高齢者向けの住宅です。

問題118　解答 5　本冊 P.104、106

1 × 視覚情報を得ることが困難であるので、黙ってかかわることは不適切です。

2 × 左目を失明しているので、左側から話しかけることは不適切です。

3 × 中途失明で、点字は習得できていないと考えられます。

4 × 視覚情報を得ることが困難であるので、指示代名詞の多用は避けます。

5 ○ 視覚情報は、聴覚で補えるようにします。

Lさんはどこに障害がありますか？　「視覚」障害です。左右では、特に「左」が見えません。糖尿病性網膜症による中途失明で、明確な記述はありませんが、ある程度の年齢になってからの失明であると考えられます。

問題119　解答 4　本冊 P.120

1 × 鎖骨（さこつ）の骨折は、スポーツなどで転倒したときによくみられます。

2 × 上腕骨（じょうわんこつ）の骨折は、転んで肘（ひじ）をついたときに起こりやすいです。

3 × 肩甲骨（けんこうこつ）の骨折は、交通事故などで身体を投げ出され、肩から落ちたときによくみられます。

4 ○ 転んで尻もちをついた場合、脊椎椎体圧迫骨折（せきついついたいあっぱくこっせつ）を起こしやすいです。

5 × 橈骨（とうこつ）の骨折は、転んで手をついたときに起こりやすいです。

問題120　解答 **4**　➡本冊 P.43、93、116

アルツハイマー型認知症の症状で、調理の手順がわからなくなり、動作が止まってしまうと考えられます。

1 ×　新しいことを覚えることは困難になるので、不適切です。

2 ×　本人ができることは行えるよう支援します。

3 ×　本を読んで思い出すことは困難で、不適切です。

4 ○　手続き記憶を喚起するよう、ジェスチャーで次の動作のヒントを出します。

5 ×　身体の障害で動作ができないのではありません。

問題121　解答 **2**　➡本冊 P.25、34、100

1 ×　認知症対応型通所介護は、認知症の利用者本人が通って利用するサービスです。

2 ○　認知症カフェは、認知症の人、その家族、地域住民、専門職等が集う場で、認知症の人を支えるつながりを支援するものです。息子も一緒に利用できます。

3 ×　地域活動支援センターは、障害福祉サービスです。

4 ×　地域ケア会議は、専門職等の関係者が個別の事例を検討する会議です。

5 ×　地域密着型通所介護は、利用者本人が通って利用するサービスです。

問題122　解答 **3**　➡本冊 P.34

1 ×　訪問看護は、看護職員が訪問して療養上の世話等を提供するサービスです。

2 ×　通所リハビリテーションは、通いでリハビリテーションを受ける日帰りサービスです。

3 ○　短期入所療養介護は、介護老人保健施設等の施設に短期間入所して、看護、医学的管理の下における介護、機能訓練、その他必要な医療、日常生活上の世話を行うサービスです。家族が旅行で家を空けるときにも利用可能です。

4 ×　地域密着型介護老人福祉施設とは、小規模の特別養護老人ホームです。

5 ×　夜間対応型訪問介護は、おもに夜間を中心に、訪問介護サービスを提供するものです。

問題121は、Mさんと息子が「一緒に」利用できるものがポイントです。問題122は、介護者である息子が「一定期間」家を開けることを可能にするサービスがポイントです。

問題123　解答 **3**　➡本冊 P.62

筋肉の緊張が強くなり、体幹や上肢（じょうし）の不随意運動が大きくなることもあったとあるので、姿勢保持のためにも、リクライニング・ティルト式普通型車いすが適しています。

リクライニング・ティルト式車いす

問題124　解答 **1**　➡本冊 P.113

1 ○　放課後等デイサービスは、授業の終了後または休業日に、児童発達支援センター等に通わせて、生活能力の向上のために必要な訓練、社会との交流の促進等を行うものです。夏休み中に利用するサービスとして適切です。

2 ×　保育所等訪問支援は、保育所等に通う障害児を施設に訪問し、障害児以外の児童との集団生活に適応するための専門的支援を行うものです。

3 ×　医療型児童発達支援は、肢体不自由の児童が施設に通って、日常生活の基本的な動作の指導や、知識技能の付与、集団生活への適応訓練等を行うものです。

4 ×　障害児相談支援は、障害児通所支援サービスの利用のために、利用計画等を作成するものです。

5 ×　短期入所は、家族介護者の病気などのときに、一時的に短期間入所して、介護等を提供するものです。

問題125　解答 **2**　➡本冊 P.62

同級生との関係がうまくいかず、緊張が強まって、食べ物をうまく口に運べなくなっています。

1 ×　自助具を利用しても、問題は解決できないと思われます。

2 ○　リラックスできる環境をつくり、自力で食べられるような支援が求められます。

3 ×　全介助してもらうことは不適切です。

4 ×　同級生に対して注意するという対応は不適切です。

5 ×　学校で、自分で食べられるようになることが必要です。